Sur le chemin
des Fondateurs

Mylène Bruneau

Sur le chemin des Fondateurs

Tome 1

L'appel du Nord d'Étienne Bruneau
1866-1952

Catalogage avant publication de Bibliothèque et Archives nationales du Québec et Bibliothèque et Archives Canada

Bruneau, Mylène, 1961-

Sur le chemin des Fondateurs

(Ancêtres)

L'ouvrage complet comprendra 2 volumes.

Sommaire : t. 1. L'appel du Nord d'Étienne Bruneau.

ISBN 978-2-89571-081-3 (vol. 1)

1. Bruneau, Étienne, 1866-1952. 2. Hommes - Québec (Province) - La Minerve - Biographies. 3. La Minerve (Québec) - Mœurs et coutumes. I. Bruneau, Mylène, 1961- . Appel du Nord d'Étienne Bruneau. II. Titre. III. Titre : L'appel du Nord d'Étienne Bruneau.

CT310.B78B78 2014   920.7109714'242
C2013-942469-5

Révision : Thérèse Trudel et Claudine Charpentier
Infographie : Marie-Eve Guillot
Couverture : Yves Lévesque, Direct Média Plus
Photos de l'auteure : Marie-Claude Sauvé

Éditeurs :   Les Éditions Véritas Québec
                   2555, ave Havre-des-Iles
                   Suite 118
                   Laval,(Québec)
                   H7W 4R4
                   450 687-3826
                   Site Web : www.editionsveritasquebec.com

© Copyright : Mylène Bruneau (2014)

Dépôt légal :   Bibliothèque et Archives nationales du Québec
                   Bibliothèque et Archives Canada

ISBN : 978-2-8571-081-3 version imprimée
        978-2-8571-082-0 version numérique

*N'attends pas que
les événements arrivent
comme tu le souhaites.
Décide de vouloir ce qui arrive...
et tu seras heureux.
Épictète*

Préface

Pour emprunter le Chemin des Fondateurs qui mène à La Minerve, il faut avoir une bonne idée d'où on va. Encore aujourd'hui, ce n'est pas une route de passage. On ne passe pas par La Minerve pour se rendre ailleurs. Il faut plutôt faire un détour et parfois même un effort, selon les saisons, pour s'y rendre.

Je suis de ceux et celles qui, privilégiés, ont grandi dans ce pays magnifique : plus haut que les Pays d'en-Haut, comme ça se disait au temps de Claude-Henri Grignon et du curé Labelle. Lorsque Mylène Bruneau m'a confié les premiers chapitres de son manuscrit, c'est comme si je retournais dans mon enfance. À l'exemple de ce travailleur qu'a été Étienne, je suis né « en ville » comme ça se disait... Mais mes pieds se sont accrochés à La Minerve et c'est dans ses forêts et ses campagnes inspirantes que mes racines se sont formées.

Au fil des pages de ce livre, vous retrouverez un milieu de vie aujourd'hui disparu, un temps dans l'évolution sociale où les gens se parlaient avec leur cœur, avec une poignée de mains, avec un regard. Je suis fier d'avoir été témoin de cette culture qui n'avait d'autre choix que de s'harmoniser avec la nature.

Je crois qu'il ne faut pas laisser s'éteindre le passé; c'était hier dans notre petite histoire, mais comme pour tout le reste de l'expérience humaine, il faut la transmettre pour s'enrichir collectivement, pour ne pas qu'elle se perde, pour que la jeunesse se projette mieux dans l'avenir.

Quel beau travail de Mylène Bruneau à partir de ces tranches de vie tellement bien incarnées ici par Étienne Bruneau et sa famille ! Que dire de ce décor ! Inspirant et bucolique, créé sur mesure pour les hommes et les femmes solides, pas peureux, pas niaiseux, plus curieux et dégourdis à mesure que l'école les aura instruits, créatifs jusqu'au bout de leur vie.

L'appel du Nord se poursuit même après un siècle. Dans un village aussi magnifique et authentique que La Minerve, il fallait un exemple et Sur le Chemin des Fondateurs le deviendra sous la plume de Mylène Bruneau.

L'amour des siens, de sa famille, m'a profondément ému.

Les modes passent, les mots restent, l'histoire nous grandit.

Paul Piché

Dédicace

Je dédie ce livre à toute ma famille, ma grande famille. J'ai tant reçu de cette famille, amour, amitié, confiance que je me dois d'en donner en retour. Je me suis toujours sentie aimée de tous et c'est ma façon à moi de remettre tout cet amour. J'ai une pensée toute spéciale pour ma mère, Francine Lambert, qui lisait beaucoup et qui aurait sans doute été fière de sa fille. Je pense aussi à mes cousins, Alain, Jacques, Bernard et André, qui sont partis trop tôt et qui n'auront pas le loisir de lire le récit de leurs ancêtres. Je crois pourtant qu'ils sont présents d'une autre façon.

Dans son retour vers la Lumière, mon cousin Bernard m'a aidée à ouvrir les portes de cette belle aventure. Merci.

Alors, à toute ma famille, oncles, tantes, cousins, cousines, petits-cousins, petites-cousines, mon père Armand, sa compagne de vie Denise, ma sœur Manon, mon frère Luc, ma belle-sœur Colette, mon beau-frère Yves, mes nièces Liliane et Mélanie et leur famille, mon neveu Simon, mon mari Richard, mon fils François et ma bru Claudia-Lorena, merci de faire partie de ma vie et merci pour ce que vous êtes. N'est-ce pas l'une des plus belles familles au monde, les Bruneau ?

Tous, je vous invite à entrer dans la vie d'Étienne Bruneau et à vous laisser guider par mes mots afin de revivre quelques années de sa vie. Comme l'a écrit si justement Dany Laferrière, *Les mots n'ont pas de temps. Ils attendront ce que vous avez à dire si vous avez quelque chose à dire.*

Je vous souhaite une bonne lecture et que le plaisir soit au rendez-vous !

Titres d'ascendance

Pères Naissance et décès	Date et lieu du mariage	Mères Naissance et décès
Robert Druineau ou Drouineau Né à Neuvicq-le-Château	Neuvicq-le-Château Charentes-Maritimes	**Françoise Charbonnier** Née à Médis
François Bruneau/ Druineau 1643 Neuvicq-Montguyon 1679 L'Ange-Gardien	9 octobre 1669 Québec (Notre-Dame)	**Marie Prévost** 1651 St-Paul d'Orléans, Loiret 19 février 1711 Québec
François Bruneau 21 juin 1675 L'Ange-Gardien 23 juillet 1731 Beauport	21 février 1702 Beauport	**Madeleine Bourgoin** 24 octobre 1683 Portneuf 1722
Joseph Bruneau 4 février 1712 Beauport 25 novembre 1754 La Prairie	20 novembre 1741 La Prairie	**Jeanne Deneau ou Deniau** 26 juin 1717 La Prairie 1801 St-Constant
Louis Bruneau 11 mars 1753 La Prairie 1821 La Prairie	3 février 1783 La Prairie	**Josephte Poupart** 12 décembre 1761 St-Philippe 1834 La Prairie
Joseph-Augustin Bruneau 27 août 1787 St-Philippe 29 septembre 1827 St-Constant	23 octobre 1815 St-Constant	**Catherine Barette** 24 juillet 1792 La Prairie 1855 St-Constant

Étienne Bruneau 29 mai 1827 St-Constant	20 mars 1859 St-Constant	**Rose-Délima Dupuis** 5 octobre 1841 20 juillet 1914 La Minerve
Étienne Bruneau 12 mars 1866 Montréal 14 juillet 1952 La Minerve	1er 15 septembre 1891 St-Joseph, Montréal 2e 15 novembre 1904 Ste-Brigide, Montréal	**1re Laura Laflamme** 25 décembre 1870 Montréal 8 mars 1904 Montréal **2e Angelina Laflamme** 25 décembre 1880 Montréal Avant le 17 juin 1909 Montréal
Henri Bruneau 15 octobre 1897 Montréal 18 juin 1984 La Minerve	17 juin 1919 La Minerve	**Parmélia Fafard** 13 juin 1895 Ste-Madeleine 3 avril 1948 La Minerve
Armand Bruneau 9 juillet 1926	8 août 1953 Labelle	**Francine Lambert** 14 juin 1925 20 octobre 2000
Mylène Bruneau 29 septembre 1961	10 août 1991 La Minerve	**Richard Bélair** (conjoint) 28 avril 1951

Chapitre 1

Partir de la ville

Montréal, début du printemps 1911. Étienne Bruneau se retrouvait de nouveau dans l'office du docteur. Sauf que, cette fois-ci, c'était lui qui venait en consultation. Il n'était pas à l'aise assis sur cette table de métal froide et inconfortable à se faire ausculter ainsi. Il n'appréciait pas non plus l'odeur d'éther omniprésente. Ça lui rappelait trop de mauvais souvenirs.

— Mon pauvre monsieur, vos poumons me semblent en très mauvais état. Vous me dites que vous crachez du sang ?

Étienne fit un signe affirmatif de la tête. Vu de l'extérieur, il semblait très calme; pourtant, il tremblait de peur. Il craignait tellement le verdict du docteur. Allait-il lui apprendre qu'il avait lui aussi cette maudite maladie ?

— Bon. D'après ce que je vois et j'entends, je ne crois pas que vous ayez la tuberculose. Vous avez des symptômes semblables, mais, comme vous travaillez à la fonderie, j'aurais plus tendance à croire que vos poumons sont encrassés. Ils sont très irrités à cause des poussières que vous respirez à cœur de journée. En d'autres mots, il serait temps de penser à vous et d'essayer de retrouver une bonne santé. Je vous conseille de vous installer dans le Nord, de quitter Montréal, l'air est plus sain par là. C'est ça qu'on prescrit aux patients atteints de maladies pulmonaires.

Il n'aimait pas voir ses patients malades. Le docteur Bergeron était de cette trempe de médecin qui croyait que l'air pur et frais de la campagne était mieux que les pilules, sirops ou élixirs. Il ne pouvait plus rien pour redonner la santé à ce bon père de famille et, visiblement, l'état précaire d'Étienne le désolait.

Chapitre 1

— Je vous le dis, monsieur Bruneau, c'est maintenant ou jamais. La fonderie va vous tuer si vous restez. Si vous voulez pas mourir, vous êtes mieux d'aller manger de l'herbe dans le Nord ! Vous connaissez pas personne qui habite dans les Laurentides ? Quelqu'un chez qui vous pourriez vous installer ? On dit que l'air est bon là-bas.

Étienne se rhabilla et s'assit dans la chaise en face du bureau du docteur. Il n'osait pas parler et, bizarrement, se sentait comme un petit garçon qu'on venait de sermonner. Les résultats étaient accablants. Il savait très bien que sa santé était fragile depuis quelques mois. Mais que pouvait-il faire de mieux ? Il fallait bien qu'il travaille ! Il devait faire vivre sa mère ainsi que ses quatre enfants. Le souvenir de ses deux femmes lui revint en mémoire et il se sentit soudain très seul et malheureux. Dans un mariage d'amour, à l'église Notre-Dame de Montréal, il avait d'abord épousé Laura Laflamme, fille d'Edmond Laflamme, maître-peintre, et de Joséphine Tessier-Lavigne. Il avait 25 ans, elle 21. Désireux de bien commencer sa vie de couple, il avait attendu d'avoir une bonne job avant de faire sa grande demande. La compagnie Garth lui avait donné cette chance. Leur union dura treize belles années durant lesquelles Laura lui donna trois enfants : Blanche, née le 3 octobre 1892, Eugénie, née le 1er mai 1895 et Henri, né le 15 octobre 1897. Elle l'avait malheureusement quitté trop jeune, emportée par la tuberculose le 8 mars 1904. Elle n'avait que trente-trois ans. Trois jours plus tard, on la mettait en terre au cimetière Notre-Dame-des-Neiges. Le lendemain, on pouvait lire dans le journal :

Les funérailles de Mme Bruneau, née Laura Laflamme, épouse de M. Étienne Bruneau, contremaître de la maison Garth and Co., ont eu lieu hier matin, au milieu d'un nombreux cortège de parents et d'amis. Le service a été chanté à l'église Sainte-Brigide par le curé Champagne assisté du diacre et sous-diacre.

Le deuil était conduit par son époux, son fils Henri, son beau-frère F. Corbeil, ses frères Alfred et Edmond Laflamme, ses beaux-frères F. Pilon, Parfait, Calixte, Napoléon, Omer et George Bruneau, son neveu, Eddy Laflamme, ses cousins F. A. et P. Gagnier, Aimé Julien et E. Chartrand.

Tributs floraux: Les employés de la fonderie Garth and Co., 1 croix; la famille A. P. Bruneau, 1 croissant; la famille G. Bruneau, 1 couronne; la famille C. Bruneau, 1 faucille; la famille Delcourt, 1 ancre.

Offrandes de messes: la famille Pallascio, 5 messes; la famille Pilon, 4 messes; la famille, 4 messes.

La « peste blanche » était la cause principale de mortalité chez les Canadiens français. Cette maladie infectieuse frappait surtout dans les quartiers populaires où pauvreté, malnutrition et manque d'hygiène étaient monnaie courante. La population anglophone était moins touchée puisque la plupart de ses travailleurs occupaient des postes de direction. Mieux salariés, ils s'alimentaient de façon adéquate et avaient, de ce fait, une meilleure santé donc, plus de protection contre le bacille. Le rapport Lachapelle de 1909, émit suite à la Commission Royale sur la tuberculose, affirme que « l'alcoolisme affaiblit l'organisme et que les gens qui s'y adonnent lèguent à leurs descendants une dégénérescence physique et serait donc une cause directe de la propagation de la maladie ». La croyance voulant que la tuberculose soit une affliction sociale se répand rapidement et cette théorie alimente les discussions des bourgeois anglophones qui attaquent de nouveau les ouvriers francophones. « Ce sont eux qui font que la maladie prolifère à cause de l'insalubrité de leur logis et de leurs habitudes de vie malsaines ! » La Société contre la tuberculose de Montréal, créée en 1903, essaie par tous les moyens de contrer l'épidémie qui fauche 12 000 vies par an au Québec.

Les médecins connaissaient bien les moyens de prolifération de cette maladie, mais avaient encore beaucoup à apprendre sur le plan thérapeutique. Au grand malheur de la population affectée, les meilleurs docteurs n'arrivaient pas à endiguer cette maladie. Incapables de combattre efficacement le bacille de Koch, ils étaient alors limités à la prévention, l'inspection des aliments et l'isolement des malades. Les personnes atteintes de consomption se réfugiaient soit au dispensaire, à l'hôpital spécial ou au sanatorium. Au Québec, il fallut attendre 1908 pour voir construire le premier sanatorium à Sainte-Agathe-des-Monts dans les Hautes Laurentides. La communauté juive fut également pionnière en érigeant à son tour un dispensaire pour les tuberculeux sous la tutelle de l'hôpital du Mont Sinaï. À Montréal, on compte 200 décès par 100 000 habitants, plaçant cette ville en tête, loin devant les grandes villes en Amérique du Nord qui se battent contre la même infection.

La sœur cadette de Laura, Angelina, vouait une grande admiration à son beau-frère, car il était un homme bon et droit. Elle avait vingt-trois ans lorsqu'elle lui proposa de venir habiter avec lui afin de s'occuper des enfants de sa défunte sœur. Le curé de l'époque s'y était formellement opposé : « Il n'en est pas question, monsieur Bruneau ! Si vous voulez entrer une femme dans votre maison, vous devrez la marier ! » L'Église venait de parler et personne au Québec n'aurait trouvé le courage de l'affronter. Étienne aurait pourtant voulu, à ce moment-là, faire part au curé de ce qui lui passait par la tête : « Et pourquoi diable lui, monsieur le curé, un homme d'église, avait le droit d'habiter avec sa servante ? » L'Église se réservait donc des droits de vie commune qu'elle n'approuvait pas pour ses fidèles ? Mais Étienne, en bon chrétien et préférant se taire, épousa Angelina Laflamme en deuxièmes noces le 15 novembre 1904 à l'église de la paroisse Ste-Brigide, huit mois seulement après le décès de sa chère Laura qu'il n'avait pratiquement pas eu le temps de pleurer.

L'état d'esprit dans lequel étaient plongés ces deux êtres qui venaient de perdre un être cher et la proximité aidant, ils tombèrent amoureux l'un de l'autre et vécurent leur mariage, pas seulement comme un arrangement pour monsieur le curé, mais habités d'un amour sincère. Ce qui devait arriver, arriva et la jeune épouse tomba enceinte. Comme elle avait une santé assez fragile, elle fit quelques fausses couches dans les premiers mois de leur union et donna enfin à son mari un deuxième fils, Louis, né le 14 mars 1906, neuf ans après son demi-frère, Henri. Ce petit être fut accueilli comme un rayon de soleil dans la maison. Malheureusement, la tuberculose faisant toujours rage au Québec, dévastant les familles sur son passage, Angelina mourut en juin 1909, trop jeune elle aussi, de cette maladie qui semblait incurable. Le pauvre Étienne se retrouva veuf pour la deuxième fois en cinq ans. Ces années furent très difficiles pour Étienne. À cette époque, il ne croyait pas qu'il pourrait surmonter sa peine et continuer à vivre.

Aujourd'hui, deux ans plus tard, il pensait autrement. Il ne pouvait pas concevoir d'abandonner ses enfants après tout ce qu'ils avaient vécu. Il ne pouvait pas mourir. Il ne devait pas mourir. Que deviendrait sa famille ? Comment ses enfants ainsi que sa mère pourraient-ils survivre après sa mort ? Cette perspective l'angoissait. « Mon Dieu, je vais avoir besoin de votre aide ! »

Quelques phrases avaient suffi à cet homme de sciences pour faire chavirer la vie d'Étienne. Il le fixait en se demandant qu'est-ce qui avait bien pu se passer. Il tenait son chapeau de feutre noir à deux mains en tripotant le rebord nerveusement et en le faisant tourner. Pourquoi le malheur s'acharnait-il sur lui ?

— Ouais, d'après ce que vous me dites, j'ai pas le choix.

— À mon avis, il est plus que temps. Si j'étais à votre place, j'attendrais pas. Vos poumons tiendront pas l'coup longtemps. Ils ont besoin de se faire nettoyer. Vous savez, comme un tuyau de poêle noirci par la suie. Une fois qu'il est nettoyé, il fonctionne mieux. Vos poumons ont peut-être encore une chance de guérir mais il faut faire vite.

Il questionna de nouveau :

— Avez-vous un endroit où vous pouvez aller ?

— Oui, réussit-il à dire en se levant de sa chaise. J'ai un frère qui pourrait me donner un coup de main pour m'installer. Il vit à La Minerve depuis quelques années. Je vais lui écrire pour lui expliquer ce qui se passe. On verra ben.

Le médecin se leva pour le raccompagner, lui tendit la main et voulut le laisser partir sur une note plus rassurante. Il lui tapota l'épaule.

— Je suis certain que vous aurez une belle vie là-bas. Vous êtes un homme travaillant avec le cœur à la bonne place. Le bon Dieu n'abandonne pas les hommes comme vous. Je vous souhaite bonne chance, monsieur Bruneau.

Chapitre 1

Étienne sortit après avoir serré la main de cet homme qui venait de lui donner encore plusieurs années de vie sans le savoir. Il demeurait quand même perplexe. Quitter la ville ce n'était pas une petite décision ! Le bas de la ville de Montréal c'était tout ce qu'il connaissait. Que pourrait-il bien faire dans le Nord ? Devenir colon ? S'éreinter à défricher et cultiver des terres remplies de roches ? Son moral était au plus bas lorsqu'il rentra à la maison.

C'était le début du mois de mai et les lilas en fleurs répandaient leur odeur parfumée et incomparable. Il entendit le merle chanter. Le printemps était bien là. Le retour à la maison lui parut plus doux qu'il ne l'avait imaginé. Il était pourtant bouleversé. Bon Dieu de bon Dieu, se dit-il, mais qu'est-ce qui m'arrive encore ? Je peux pas juste vivre en paix ? Il faut que la maladie me suive encore.

— Salut la mère ! lança-t-il à celle qui se tenait près du poêle, en train de préparer le souper.

— Salut mon gars. Pis, qu'est-ce qu'il dit le docteur à propos de tes crachats ? s'enquit-elle en regardant tendrement son fils tout en brassant la chaudronnée de soupe qui frémissait.

Étienne commença par enlever son chapeau et sa veste avant de répondre. Ça lui donnait le temps de penser à ce qu'il allait dire à sa mère, cette bonne femme qui avait pris la relève lorsque sa deuxième épouse était décédée subitement. Il ressentait beaucoup d'amour pour elle, pour le sacrifice qu'elle avait fait en venant habiter avec lui afin d'élever ses petits-enfants. À la suite du décès de sa belle-fille Angelina, elle comprit que son fils ne tiendrait pas le coup tout seul. Accepter que le destin ne vous fasse pas de cadeau en vous enlevant le droit de vivre en couple deux fois plutôt qu'une, ce n'était pas facile à accepter. Elle avait donc fait ses bagages, avait averti son propriétaire qu'elle quittait le 2½ qu'elle habitait et était arrivée comme un cheveu sur la soupe. Elle s'était installée dans un coin du salon et n'avait jamais rien demandé en retour. Son fils lui en serait éternellement reconnaissant.

Il s'assit à la table après avoir bu un grand verre d'eau.

— Ben, j'pense qu'il va falloir déménager, la mère.

Elle se retourna subitement :

— Déménager ? Où ça ?

— Dans l'Nord, la mère, dans l'Nord !

Puis, il entreprit de lui raconter sa visite chez le docteur Bergeron. Sa mère, attentive, était maintenant assise en face de lui à la table de la cuisine et n'avait d'oreilles que pour son fils. Elle n'osa pas l'interrompre, comprenant son grand désarroi et attendit patiemment qu'il finisse ses explications avant de lui répondre.

— Si c'est ça qui faut mon gars, on va y aller dans le Nord. J'ai pas peur de rien moi. J'vais t'aider. On a juste à aller rejoindre Omer à La Minerve. Il va nous donner un coup de main. Il connaît ben du monde par là-bas. Il pourrait sûrement nous aider à trouver une petite terre où on s'installerait avec les enfants. Ils vont être ben heureux. Tu sais, les enfants, ils sont bien quand les parents sont bien. Prends pas cet air-là Étienne ! C'est pas la fin du monde de déménager ! le rassura-t-elle en se relevant et en retournant à ses fourneaux. Étienne se releva aussi et sur un ton impatient lui répondit :

— C'est pas ça qui m'énerve, c'est pas le déménagement. C'est tout le reste. Tout le changement. Aller vivre sur une terre c'est ben beau, mais j'connais pas ça moi, la terre ! Aller manger de l'herbe ! Te rends-tu compte la mère ? Le docteur m'a dit d'aller manger de l'herbe dans le Nord ! Ben, c'est peut-être ben tout c'qu'on va manger, de l'herbe, vu que j'connais rien à l'agriculture ! Tout ce que je connais c'est la fonderie. Tu l'sais ben, je travaille chez Garth depuis vingt ans !

Il marchait de long en large devant le poêle.

— C'est pas facile de recommencer à mon âge ! Pis, comme je suis contremaître, je gagne plus qu'un simple ouvrier. Tu l'sais pourtant combien que je gagne : 15 piastres[1] par semaine, c'est un bon salaire ça pour un gars comme moi qui a pas d'instruction. J'suis pas sûr que je vais aussi bien gagner

---

1   Québécisme : dollars

ma vie là-bas. Y'a pas d'usine dans ce coin perdu, à ce que je sache. Y'en avait des drôles d'idées le curé Labelle : envoyer tous les colons mourir de faim dans le fin fond des bois.

Rose-Délima se retourna aussitôt, sa cuillère en bois à la main menaçant son fils et faisant les gros yeux :

— Ah ben là, t'exagères ! Pis moi, qu'est-ce que tu penses que j'ai fait quand je suis venue t'aider après la mort d'Angelina ? Hein ? Tu penses que c'était facile pour moi ? Réponds ! Pis, à part de ça, je t'interdis de blasphémer sur le curé Labelle. C'est un grand homme qui a fait beaucoup pour les Canadiens français.

Étonnée elle-même de sa réaction impulsive et ne sachant plus quel argument utilisé pour redonner confiance à son fils, elle tourna les talons et sortit sur la galerie en lançant la cuillère qui atterrit sur le plancher. Étienne n'avait jamais vu sa mère dans cet état. Même avec les enfants qui lui en faisaient voir de toutes les couleurs de temps à autre. Après un court instant d'inertie, il se pencha pour ramasser la cuillère qui avait glissé sous le poêle à bois. Il n'était pas encore tout à fait redressé qu'une quinte de toux le prit. Il toussa à s'époumoner pour finalement se rendre cracher le sang dans l'évier de la cuisine. Sa mère était rentrée et se tenait derrière lui. Son cœur de mère voulait lui sortir du corps quand elle l'entendait tousser de la sorte. Elle aurait tant voulu l'aider, mais se sentait tellement impuissante face à cette maladie maudite. S'approchant de lui, les épaules basses et les yeux dans l'eau, elle lui mit la main sur l'épaule pour essayer de le calmer. De sa voix la plus douce, elle voulut le rassurer :

— Tu vois bien, Étienne, qu'il faut que tu fasses quelque chose pour cette toux-là. Tu peux pas continuer comme ça. Le docteur a raison; il faut que tu changes d'air. On va prendre le temps de s'organiser pis on va partir de la ville. Je te le répète: t'es pas tout seul, je suis là, je vais t'aider.

Le lendemain matin, Étienne s'éveilla avant tout le monde, s'installa à la table de la cuisine avec une plume et une feuille de papier et entreprit d'écrire à son frère Omer.

Mon cher frère,

Je t'écris pour te dire que j'ai une maladie, je crache le sang. J'ai vu le docteur et il m'a dit que si je voulais pas mourir, il fallait que je déménage dans le Nord. Comme je sais que tu connais pas mal le coin, je te demande de me donner un coup de main pour me trouver une petite terre, là où l'air est pur. Une place où je pourrais m'installer avec notre mère pis mes enfants. Ils ont déjà perdu leur mère, je ne voudrais pas qu'ils perdent leur père aussi. J'attends de tes nouvelles et je te remercie pour ton aide.

Ton frère Étienne

Il plia la lettre, l'inséra dans une enveloppe, et inscrivit l'adresse :

Monsieur Omer Bruneau

Gérant Club Chapleau

La Minerve, Comté Labelle

P.Q.

Puis, il la glissa dans la poche intérieure de sa veste.

Se rapprochant doucement de l'escalier, il tira l'oreille pour écouter. Il n'entendit aucun bruit. Alors, il prit la décision de se rendre au bureau de poste avant le déjeuner. Le bureau de poste était tenu par son ami, Pamphile. Le commerce ouvrait seulement à huit heures, mais Étienne savait que son ami était réveillé depuis les petites heures du matin, car il souffrait d'insomnie. Il ajusta son chapeau sur sa tête et sortit tout doucement sans faire de bruit pour ne pas éveiller la maisonnée. La nuit avait été de bon conseil et sa décision était prise. La lettre était écrite, il fallait qu'il la mette à la poste tout de suite. Il avait peur de lui, peur de revenir sur ses choix. Il n'avait pas fermé l'œil de la nuit, tout d'abord, à cause du verdict du docteur, puis, à cause de sa toux qui ne le lâchait pas.

Chapitre 1

Il devait être autour de six heures du matin, et même si le soleil était levé depuis plus d'une heure, il faisait très sombre à l'extérieur. La pluie avait commencé à tomber pendant la nuit et semblait s'être installée pour la journée. Étienne releva le col de sa veste pour se protéger de l'humidité. À cause de la température, la ville semblait encore endormie. Il n'y avait que quelques travailleurs attendant les p'tits chars pour se rendre à l'usine. « Ouais » pensa-t-il, « C'est pas riche notre quartier. C'est vrai que j'perdrai pas grand-chose en quittant la ville ». Cette pensée lui donna du courage et il accéléra le pas.

Il arriva en face de sa maison sur la rue de la Visitation, mais décida de prendre la ruelle qui longeait cette même rue. Comme il l'avait prévu, Pamphile était assis à la table de la cuisine et sirotait son café. Étienne monta les trois marches qui séparaient la maison de la ruelle et cogna à la fenêtre. Pamphile sursauta, reconnut son ami, lui sourit à travers la vitre et se leva pour venir lui ouvrir la porte.

— Salut mon Steve, qu'est-ce qui t'amène de si bonne heure ?

Étienne avait hérité de ce surnom à consonance anglophone depuis qu'il travaillait à la fonderie. Certains de ses amis l'avaient également adopté. C'était le cas de Pamphile.

Étienne enleva son chapeau en lui rendant son sourire et lui répondit un peu gêné :

— Salut Pamphile, j'ai une lettre à envoyer à mon frère. Je sais qu'il est de bonne heure, mais j'avais pensé qu'on pourrait parler tranquille. En tout cas, j'suis ben content de te trouver réveillé.

— Ben rentre, invita Pamphile en lui montrant le chemin. Assis-toi, assis-toi, répéta-t-il en voyant Étienne mal à l'aise. Assis-toi, je te dis.

Étienne se tira une chaise et y prit place, tandis que son ami se dirigeait vers le poêle et revenait avec le liquide fumant.

— Tiens, prends un bon café, ça va te réveiller, poursuivit-il tout en lui versant une tasse de café bouillant. Puis, reprenant la conversation, Pamphile ajouta :

— Ça doit être important ta lettre pour te mettre dans un état pareil !

Étienne, silencieux, prit une gorgée de café tout en examinant la tasse, puis en avala une deuxième. Il semblait bien loin dans ses pensées.

— Hum, hum ! fit Pamphile en se raclant la gorge.

— Il est bon ton café, fut tout ce qu'Étienne trouva à dire.

— Merci ben pour le compliment, mais j'pense pas que t'es venu icitte à matin pour me dire que mon café est bon ? l'interrogea-t-il.

Se sentant compris et en confiance et, la nuit blanche aidant, Étienne ne put se retenir et éclata en sanglots.

— Ah ! Pamphile, si tu savais ce qui m'arrive !

Voyant son ami dans cet état, Pamphile rapprocha sa chaise de celle d'Étienne et lui passa le bras autour des épaules, geste rassurant entre hommes.

— Ben voyons donc, mon Steve, qu'est-ce qui te rend triste de même ?

Le silence régnait dans la cuisine. Aucun son ne se décidait à sortir de la bouche de cet homme de 44 ans qui sentait sa vie se dérober sous ses pieds. L'assurance qu'il avait eue un peu plus tôt était disparue. Pamphile était de plus en plus inquiet.

— Veux-tu ben me dire qu'est-ce qui se passe à la fin ? Garde pas ça en dedans comme ça, tu te fais du mal pour rien, l'encouragea-t-il tout en lui tapotant le dos. Envoye, parle-moi.

Étienne reprit ses esprits, renifla, sortit son mouchoir de la poche de son pantalon pour s'essuyer les yeux et se moucher, puis finit par avouer la raison de son inquiétude. Il raconta son état de santé, sa visite chez le médecin, la discussion avec sa mère et la lettre qu'il venait d'écrire à son frère.

— Tu sais, ajouta-t-il pour se justifier, c'est pas facile de demander. Je me suis toujours arrangé tout seul. J'ai de la misère avec ça, moi, demander de l'aide. Pis qu'est-ce qui va arriver à mes enfants si je guéris pas ? Henri a juste 13 ans. Il est pas en mesure de faire vivre son frère et ses sœurs. Pis ma mère, elle a vécu dans la misère toute sa vie, je peux pas lui faire revivre ça, expliqua-t-il en ravalant ses larmes. Moi, j'ai plus de femme. À croire que le bon Dieu voulait pas. Mais ma mère, elle, a vécu sans mari une bonne partie de sa vie.

Et il se mit à raconter que lorsqu'il n'était encore qu'un enfant, son père, qui se prénommait également Étienne, était tenancier d'hôtel et faisait assez d'argent pour bien faire vivre sa famille. Ses frères et lui étaient conduits à l'école en voiture à cheval et ne manquaient jamais de rien, car le commerce était lucratif. Son établissement était situé au 137 de la rue du Collège. En 1874, pour une raison que sa mère ne fut jamais en mesure d'expliquer, son père fut pris d'une envie folle de partir pour les États. Au bar de son hôtel, il entendait des histoires de gars qui avaient quitté le Québec pour s'établir là-bas, quelque part en Nouvelle-Angleterre, et qui avaient fait le motton[2]. Cette envie ne l'avait plus quitté et il avait réussi à convaincre sa femme de le laisser partir pour quelques mois. Elle l'avait encouragé en lui disant : « Si ça améliore notre sort et si c'est mieux là-bas et bien on va tous y aller ». Lorsqu'il serait installé, avait-il promis, il reviendrait les chercher, elle et les enfants. Il était donc parti seul, mais, au grand malheur de Rose-Délima, n'était jamais revenu.

En fait, entre 1850 et 1890, 580 000 habitants francophones quittent le pays espérant trouver ailleurs de meilleures conditions de vie. Certaines villes comme Lowell, au Massachussetts et Manchester, au New Hampshire accueillent plusieurs milliers de ces émigrants et il s'y développe de véritables quartiers. Des prêtres se joignent à eux et fondent de nouvelles paroisses canadiennes-françaises et catholiques incluant des écoles pour aider à conserver la langue française. Ces paroisses apportent aux exilés un sentiment de sécurité et d'appartenance. Ces petits coins de pays sont surnommés « Petits Canadas ». Comme la plupart des immigrants, mis à part leur langage, ces gens désirent conserver leur mode de vie et leurs coutumes et refusent de se laisser assimiler. Ils organisent des soirées où ils jouent leur musique et se racontent des histoires de leur pays. Malheureusement, la réalité remplace rapidement le rêve, et ceux qui venaient

---

2   Québécisme : avoir beaucoup d'argent.

chercher fortune se retrouvent entassés dans des petites maisons en mauvais état. Dans les manufactures, le travail est pénible. Les enfants et les femmes sont également mis à profit. Il arrive que ces dernières soient harcelées par des contremaîtres sans scrupules, et le rendement de chaque travailleur est poussé à son maximum. Encore une fois, en plus du sacrifice d'avoir quitté leur pays, les Canadiens français se retrouvent au bas de l'échelle et sont les plus bas salariés. Les patrons, quant à eux, sont contents d'avoir une main-d'œuvre habile, peu exigeante et docile. Pour toutes ces qualités et bien d'autres, ils ont reçu de leurs pays d'accueil, le surnom de « Chinois de l'est ».

La vie de cette femme et de ses six garçons avait changé radicalement, et ce, très rapidement. Rose-Délima n'avait pas pu garder le commerce, et la famille avait été obligée de quitter l'hôtel, qui était aussi leur demeure, pour se retrouver dans un logement au 747 de la rue St-Joseph. À partir de l'année suivante, n'ayant pas reçu de nouvelles de son mari, celle qu'on connaissait sous le nom de Madame Rose-Délima Bruneau, née Dupuis de son nom de jeune fille, se déclara veuve. Elle dut déménager plusieurs fois dans les années qui ont suivi le départ de son mari et se retrouva, à un certain moment, dans l'obligation de placer quelques-uns de ses garçons dans des familles pour quelque temps, n'ayant pas les moyens de les nourrir convenablement. L'argent était rare et Rose-Délima ne rechignait pas sur l'ouvrage; elle se mit donc à faire des ménages. Elle gagnait péniblement quelques sous par jour à s'écorcher les genoux en lavant des planchers. Elle habita quelques années avec Georges, son deuxième fils, au 12 rue St-Constant, puis avec Napoléon, son aîné. En 1892, toute la famille fut rassemblée de nouveau au 21 de la rue German, exception faite de Georges qui en avait assez de cette vie de misère et préféra s'exiler également. Ce dernier, marié à Emma Jubin en mai 1891, partit s'établir à Chicago la même année et fonda sa famille en Illinois. On ne le revit qu'à de rares occasions.

Vingt-cinq ans plus tard, soit au tout début du XXe siècle, Rose-Délima reçut une lettre du mari exilé. Dans sa missive, il lui faisait part de son désir de revenir à la maison. Ses garçons étant adultes, Rose-Délima les convoqua et leur fit part de la lettre qu'elle avait reçue de leur père. Elle leur expliqua qu'elle les avait réunis afin d'avoir leur avis. Les délibérations ne durèrent pas très longtemps et les cinq fils furent unanimes : « On a survécu sans lui pendant toutes ces années, on n'a pas besoin de lui maintenant. Il a voulu partir aux États, qu'il y reste ».

Il semblerait que quelques années plus tard, Georges eut envie de revoir son père et tenta de le retrouver pour aller le visiter. Malheureusement, lorsqu'il arriva chez lui, il le trouva mourant. Il rendit l'âme quelques jours plus tard. Le bon Dieu avait été bon malgré tout, car Étienne père avait pu revoir un de ses fils une dernière fois avant de mourir.

Le cœur encore rempli de rancune, Étienne poursuivit son histoire :

— Elle a été forte ma mère. Je peux te dire que ça pas été facile pour elle. Une fois qu'on s'est retrouvés seuls, on mangeait pas beaucoup et aussi souvent qu'on le voulait. Il a fallu qu'on apprenne à se débrouiller. Une chance qu'il y avait les bonnes sœurs dans le quartier dans ce temps-là. C'est moi qui allais quémander quand ma mère arrivait plus à trouver assez de nourriture pour nourrir tout le monde autour de la table. Les sœurs nous gardaient les croûtes. C'était souvent la seule chose qu'on avait à manger. Il y avait aussi la famille Vaillancourt. Un jour, je me rappelle, ma mère était malade et alitée; je suis allé cogner chez eux. J'étais désespéré. Mes frères et moi, on avait compris qu'il fallait qu'on fasse quelque chose. On s'était dit que la dame nous prendrait peut-être en pitié et qu'elle m'écouterait. On avait eu raison. Après avoir écouté mon histoire, la dame m'a remis le poulet rôti qu'elle venait de faire cuire pour sa famille. Elle m'a suivi jusqu'à la maison où elle a constaté l'état de ma mère et, crois-le ou non, elle a fait venir le docteur à la maison. Ça c'est du bon monde ! Et puis, un peu plus tard, ma mère a été obligée de nous placer dans des familles, chez des cultivateurs, un peu partout, parce qu'elle arrivait plus à nous nourrir. Elle restait dans une maison de chambres et lavait des planchers pour se faire un peu d'argent.

Étienne prit une pause. Ressasser le passé lui faisait revivre des émotions enterrées depuis longtemps. Son regard semblait vide et tourné vers l'intérieur. Il ne voyait plus la tasse qu'il tenait dans ses mains, mais plutôt son enfance qui fut tour à tour remplie de moments de joies et de grandes tristesses.

— Ma mère a assez souffert de toutes ces affaires-là. Astheure[3], j'aimerais ça qu'elle puisse finir ses jours l'esprit tranquille pis le ventre plein. Tu comprends ça, hein Pamphile ? s'enquit-il en relevant les yeux vers son ami et en interrogeant son regard. Pamphile tapota de nouveau l'épaule d'Étienne et, avec toute la compassion qui lui était innée, lui répondit :

— Ben sûr que je comprends ça, ben sûr. Pis c'est tout à ton honneur de parler de même, ajouta-t-il en se relevant pour resservir une deuxième tasse de café à son compagnon.

La tête penchée et le regard lourd, Étienne mentionna qu'il avait honte de demander de l'aide à son frère.

— Ah ben là, j'suis pas en accord avec toi, Étienne. Y'a pas de honte à être malade. Tu la choisis pas ta maladie, tu la subis, c'est ben assez ! Moi je pense que tu devrais la maller ta lettre pis tout de suite à part de ça. Allez, ajouta-t-il en tendant la main, donne-moi ta lettre que j'y colle un timbre.

Dans un geste lent et hésitant, Étienne sortit la missive de sa poche et la remit à son ami en le remerciant.

— Tiens, v'là 2 ¢.

Pamphile prit la lettre et l'apporta avec lui dans la partie de sa maison qui lui servait de bureau de poste. Il revint avec le sourire :

— Bon, ça y est ! Astheure, on attend la réponse de ton frère.

Malgré le fait accompli, Étienne demeurait pensif et silencieux. Il faisait tourner le restant de café dans le fond de sa tasse. Il inspira profondément :

---

3   Québécisme : à cette heure, à présent, maintenant.

— Bon ben, c'est pas tout ça, il faut que je parle à mon boss à l'usine. J'sais pas trop comment il va prendre la nouvelle. Je sais que c'est pas facile de trouver du monde comme moi, qui sait compter, lire, et qui parle anglais. Je voudrais pas qu'il me mette à la porte tout de suite. Si je pouvais attendre jusqu'à temps que les enfants finissent l'école, ça serait parfait. J'aurais le temps d'organiser mon déménagement.

En prononçant ce mot, son cœur se serra soudainement. C'était comme s'il était trop gros pour l'espace qui lui était attribué. Ses côtes semblaient sur le point de se rompre. Il réalisait qu'il allait quitter tout ce qu'il connaissait jusqu'à maintenant : l'usine, la ville, l'appartement, ses proches... Sentant que son ami faiblissait de nouveau, Pamphile prit la parole :

— Si t'es en manque de courage, ben moi j'en ai pour deux. Ça fait que si tu veux que je t'accompagne, ben je mets mon capot[4] pis j'suis prêt.

À ces paroles et pour la première fois depuis le début de leur discussion, Pamphile put déceler un peu d'espoir dans les yeux de son visiteur.

— Tu ferais ça pour moi ?

— Veux-tu bien me dire à quoi j'sers moi si je peux pas t'aider, hein ?

Étienne releva la tête et eut un sourire attendri pour ce gars sympathique qui se tenait devant lui.

Pendant ce temps, à la maison, Rose-Délima se levait afin de préparer les enfants pour l'école. Le vieux plancher de bois craquait sous ses pas. Elle versa un peu d'eau dans un bol placé sur le seul bureau qui occupait le salon, sa chambre depuis deux ans, et se débarbouilla le visage. Ce geste quotidien l'aidait à se réveiller. Une fois habillée, elle prit son pot de chambre à la main pour aller le vider dehors. Il était six heures et demie. Elle se levait toujours un peu avant les enfants pour leur préparer leur déjeuner habituel, de la soupane[5]. Son fils avait allumé le poêle à bois avant de partir comme à tous les matins. Blanche, l'aînée de la famille, était

---

4   Grand paletot avec capuchon.
5   Gruau d'avoine bouilli.

réveillée, car Rose-Délima l'entendait bardasser[6] dans sa chambre. Elle devait être en train de faire sa toilette et se préparer pour aller travailler. Elle avait dix-neuf ans. C'était une jolie jeune fille à la peau blanche comme neige, d'où venait son prénom, et possédait une belle chevelure rousse qu'elle prenait soin de brosser 100 coups tous les soirs avant de se mettre au lit. Elle avait commencé à travailler depuis près d'un an maintenant. Elle était modiste et confectionnait donc des chapeaux dans une manufacture. Elle appréciait beaucoup son travail et se sentait libre depuis qu'elle gagnait de l'argent. Eugénie, la deuxième, partageait la chambre de sa sœur, mais se levait un peu plus tard, car elle n'avait que quelques coins de rues à marcher pour se rendre au couvent. Elle était née trois ans après sa sœur. Ce joli prénom lui fut attribué afin de souligner le fait que sa mère avait eu un accouchement facile en lui donnant naissance, Eugénie voulant dire « bien née ».

En bon père de famille, Étienne tenait à ce que ses enfants aillent à l'école le plus longtemps possible. La vie était assez dure comme ça; ce n'était pas nécessaire de les envoyer tout de suite sur le marché du travail, ce qu'il avait connu lui-même très jeune.

Lorsque Rose-Délima entra dans la cuisine, Henri était déjà assis à la table, la tête dans un livre.

— Eh bien ! Tu t'es levé de bonne heure à matin, mon Henri ! constata Rose-Délima.

Henri faisait dos à l'escalier et au poêle à bois afin de jouir du peu de lumière qui entrait par les petites fenêtres situées de chaque côté de la porte d'entrée. Il se retourna et, tout en s'étirant et en baillant, répondit à sa grand-mère :

— Ouais, j'ai un concours d'histoire du Canada à matin et la sœur nous a conseillé d'étudier parce qu'il paraît que ça va être dur. Toi, Mémère, est-ce que tu sais qui a découvert l'Amérique ?

Rose-Délima répondit tout en enfilant son tablier.

---

6   Québécisme : faire du bruit.

Chapitre 1

— Bien sûr que je sais ça : Christophe Colomb, en 1492. Tu sais, c'est important de savoir toutes sortes de choses dans la vie. Pis c'est important aussi de savoir d'où on vient. Sais-tu que nos ancêtres viennent de la France ?

— Oui, enfin, un peu parce que sœur Léontine nous a aussi parlé des premiers colons et des filles du Roi qui sont venus ici pour coloniser. Dans ce temps-là, ça s'appelait pas le Canada, mais la Nouvelle-France. Pis, Montréal s'appelait Ville-Marie. Mais, ce que je trouve dur c'est qu'il faut que je retienne plein de dates. En quelle année Christophe Colomb a découvert l'Amérique ? En quelle année Jacques Cartier a découvert le Canada ? En quelle année Samuel de Champlain...

Et puis tout à coup, exaspéré, il lança :

— Ah ! Je sais plus, je suis tout mêlé ! Je pourrai pas retenir tout ça ! déclara-t-il découragé.

— Bien sûr que tu vas être capable, t'es un gars intelligent, Henri ! encouragea sa grand-mère en flattant de sa main les beaux cheveux blonds de son petit-fils. Et si tu étudies bien à l'école, un jour tu pourras aider les autres. Tu le sais que c'est pas tout le monde qui peut aller à l'école. T'as juste à regarder autour de toi, sur la rue y'a pas beaucoup de garçons de ton âge qui vont encore à l'école. Il y en a beaucoup qui travaillent pour aider leurs parents à joindre les deux bouts.

Henri écoutait sa grand-mère avec grand intérêt. Il buvait ses paroles et avait confiance en elle. Il se remit donc le nez dans son livre d'Histoire du Canada, bien décidé à réussir son concours.

* * *

Les rues de Montréal, à cette période de l'année, étaient boueuses et glissantes à cause du dégel. Alors, avec la pluie en plus, ce n'était presque pas praticable. Les chevaux tiraient difficilement leurs chargements et on pouvait entendre les charretiers encourager leur attelage : « Hue ! Dia ! »

Heureusement, les trottoirs de bois longeant les rues apportaient une bouée de sauvetage aux bottes et bottines des passants. Pamphile et Étienne marchaient vers le sud, en direction du fleuve, là où il y avait les usines.

En arrivant à la fonderie, il y avait déjà des gars qui attendaient pour entrer. Le gardien se tenait devant les grandes portes verrouillées et, à sept heures précises, il les ouvrit. Il y avait, juste au-dessus de l'entrée principale, un grand écriteau avec le nom de la compagnie « Garth & Co. » et encore plus haut, un autre qui annonçait la nature de leur opération « Dominion Metal Works ».

La fonderie de la rue Craig travaillait le fer tandis que le plan situé au coin de La Gauchetière et Maisonneuve fondait le laiton. Charles Garth, fondateur de la maison depuis 1828, était très fier de ses accomplissements. Les travailleurs fabriquaient des appareils d'éclairage au gaz et de chauffage à eau chaude ainsi que de l'équipement pour le chauffage à la vapeur pour les maisons et les bâtiments tels que le Parlement de Bytown (Ottawa), la prison de Montréal, des distilleries et raffineries de sucre, des serres horticoles ainsi que des vignobles. Leurs plus grandes réalisations furent : le Château Frontenac à Québec, le magasin T. Eaton à Toronto, le siège social de Bell Téléphone à Montréal, le magasin R. Simpson à Montréal, l'édifice Price Brothers à Québec, la compagnie d'aviation Curtis-Reid à Cartierville, l'Hôtel Nova Scotia à Halifax ainsi que l'édifice Aldred à Montréal.

Les hommes s'engouffraient à l'intérieur de ce qui serait leur enfer pour la journée. Ils n'en ressortiraient que dix heures plus tard, affaiblis par l'air vicié et la chaleur intenable du grand brasier situé au cœur de l'usine. Étienne savait comment ce travail était dur pour les hommes. Chaque jour, son corps transpirait énormément et il revenait chez lui noirci par la fumée. Sa tête fit un saut dans le passé et il revit les gestes doux de Laura le lavant à son retour de la fonderie. Il n'y avait pas un coin de son corps qui fut épargné par cette suie noire de feu de charbon et de poussière de métal. C'était devenu un rituel à la fin de chaque journée de travail. Étienne embarquait dans la grande bassine placée dans la cuisine, plus près du poêle en hiver. Laura l'emplissait d'eau chaude puis le savonnait en utilisant un morceau de coton et le savon qu'elle avait fabriqué elle-même. Tendrement, elle frottait chaque partie de son corps afin de le débarrasser de cette crasse qui s'était incrustée partout. C'était seulement après qu'Étienne avait enfilé des vêtements propres que le sourire lui revenait et qu'il s'assoyait à table avec les enfants pour souper.

Les deux compères suivirent le flot des travailleurs et se retrouvèrent à l'intérieur. Une forte odeur de fer lui irritait la gorge et Pamphile comprit. Il se trouva soudain chanceux de ne pas être obligé de faire ce genre de travail. La poste, ce n'était pas tellement payant, mais au moins il n'était pas enfermé comme ces pauvres bougres à suer corps et âme pour gagner quelques dollars par semaines.

Étienne tapa sur le bras de Pamphile pour le sortir de la lune et lui pointa du doigt la porte de l'office de son patron situé à l'étage. Les machines s'étaient mises en marche et leurs bruits assourdissants les empêchaient de se comprendre même en criant. Pamphile crut déceler sur les lèvres d'Étienne : « C'est par là, suis-moi ». Ils s'engagèrent dans l'escalier et montèrent l'un derrière l'autre tellement le passage était étroit. Après avoir resserré le nœud de sa petite cravate noire autour de son col de chemise, il frappa à la porte trois coups, très fort. Quelques secondes plus tard, la porte s'ouvrit sur un grand bonhomme en habit trois pièces. Celui-ci portait une moustache ainsi que des immenses favoris noirs et denses sur ses joues.

— *Steve ! Come in, come in.*

Son patron, John Henry Garth, héritier de Charles Garth depuis la mort de celui-ci en 1905, était anglophone et vivait sur la rue St-Denis et non de l'autre bord du boulevard Saint-Laurent, dans le quartier qui s'appelait le « Golden Square Mile » comme la plupart de ses compatriotes car, à cette époque, la plupart des habitants de Montréal étaient anglophones. Les petits Canadiens français devaient se débrouiller pour survivre dans cette vie de travailleurs « au service des Anglais ». Les propriétaires d'usines faisaient beaucoup d'argent, mais payaient très pauvrement leurs employés. Étienne le savait et c'est pour cette raison qu'il insistait pour que ses enfants aillent à l'école. L'instruction les sauverait de la misère. Un peu comme lui. Il était contremaître parce qu'il savait lire et que la plupart de ses compagnons de travail ne le savait pas. Il avait un avantage et il en était conscient.

Monsieur Garth reprit :

— *Sit down, Steve.*

Remarquant qu'il ne portait pas ses vêtements de travail, il soupçonna quelque chose et demanda:

— *Do you have a problem ?* s'enquit-il en retournant s'asseoir derrière le bureau.

Étienne obéit à son patron et prit place en face de lui sur la petite chaise de bois.

Pamphile, pour sa part, était demeuré debout près de la porte. Le boss ne l'avait pas salué et ne l'avait pas invité à s'asseoir. Il pensait : « Ils n'ont pas l'air commode les Anglais. En plus, si je comprends rien de ce qu'il dit... »

— *So, Steve ?*

— *Well, Mr. Garth, I do have a problem. I am sick. I am very sick. I went to see the doctor and he told me that if I continue to work here, at the foundry, I will die. I have to move up North.*

Étienne ravala sa salive et reprit son souffle pour finir par :

— *This is the problem, Mr. Garth.*

— *Well, Steve, you have a good job here. Take your time, it is a big decision. You know, if you quit you will be replaced and if you want to come back, I don't know...* dit-il d'un air menaçant.

— *I know sir, but I have no choice*, finit par dire Étienne en se levant et il rajouta :

— *If I can stay until the end of June ?*

— *It is ok for now, but I will look for someone to replace you and as soon as I find somebody, you will be out. For now, you still work for me and work is waiting for you downstairs*, répondit-il en lui indiquant la porte, de sa grande main.

Étienne remercia poliment son patron d'avoir pris le temps de l'écouter et ressortit avec Pamphile sur ses pas.

Chapitre 1

— Aye, veux-tu ben m'dire c'qu'il t'a dit. J'ai rien compris !

— Ben, il m'a laissé entendre qu'il était pas content que je parte. Il m'a rappelé que j'avais une bonne job icitte pis que si je partais, il me remplacerait. Après ça, je pourrais pas revenir.

— Ouais, y'est pas commode ton patron !

— Bof ! Les patrons c'est de même ! Tant que tu travailles pour eux autres, ça va ben. La minute que tu veux faire quelque chose pour toi, ils changent de face.

Il reconduisit son copain à la sortie de l'usine, le remercia de l'avoir accompagné et retourna à l'intérieur pour se changer et commencer sa journée de travail.

Une fois son employé sorti du bureau, monsieur Garth se rassit dans son fauteuil. Il ne l'avait pas laissé paraître, mais il était attristé par la nouvelle. Steve était de loin son meilleur contremaître et il n'aurait jamais pensé le perdre. Bruneau travaillait pour la fonderie depuis si longtemps; il était un bon travailleur, loyal, honnête et fiable. Comment allait-il pouvoir le remplacer ? D'un autre côté, il avait trop de respect pour lui et pour ce qu'il avait accompli à l'usine pour le laisser mourir au travail. Il allait penser à quelque chose pour souligner son départ.

* * *

Omer Bruneau était le cinquième de la famille, né en 1870, trois ans après Étienne. Il côtoyait des gens d'affaires de Montréal, et avait déjà voyagé sur les terres de la colonisation. Il habitait à La Minerve depuis déjà plus de dix ans. À son arrivée il s'était installé avec sa femme Exilia Beaudet dans une belle grande maison nouvellement construite au Lac Désert. Son aînée, Jeanne, y était née. Ce n'est qu'à partir d'octobre 1907, qu'il fut nommé officiellement le gérant du Club Chapleau, club de chasse et de pêche privé fréquenté surtout par la « grosse gomme » de Montréal. Parmi ceux-ci, des journalistes du journal « La Minerve » ainsi que Sir Adolphe Chapleau, avocat, premier ministre et enseignant, décédé en 1898. En fait, c'était un endroit où les hommes riches se retrouvaient pour fuir la ville, les affaires et leur famille, et refaire le plein d'énergie. À cette époque, tout ce qui se situait au nord de St-Jérôme semblait appartenir à un autre monde. Par contre, le développement du Nord, entrepris à la fin du siècle dernier par le défunt curé Labelle, prenait de plus en plus d'ampleur. Les gros chars se rendaient maintenant jusqu'à Mont-Laurier. Les gares poussaient comme des champignons tout le long de la voie ferrée, et c'est dans l'esprit de colonisation du curé Labelle que les gares de Labelle et de Nominingue furent construites en 1893.

Omer reçut la lettre quelques jours plus tard. La poste était beaucoup plus rapide depuis qu'elle était transportée par train. Mais le trajet entre Labelle et La Minerve demeurait long et difficile et ne se faisait qu'à cheval. Il n'y avait que quelques pionniers qui avaient eu le courage de s'installer définitivement à La Minerve et toute personne qui sortait du village faisait aimablement la tournée et demandait à ses concitoyens ce dont ils avaient besoin. C'est ainsi que tout un chacun rapportait la malle au village.

Omer ne recevait que très peu de courrier, car ses frères ne lui écrivaient pas très souvent. Chacun avait sa vie et ses occupations et il ne leur en voulait pas. Lui-même n'écrivait que trop rarement à sa mère. Il fut donc heureux lorsqu'on lui tendit la lettre. Il prit le temps de s'asseoir confortablement avant d'ouvrir l'enveloppe. Il venait de se servir un p'tit blanc, mais le verre était demeuré sur la table, intact. Il lut la lettre rapidement, car il n'y avait que très peu de mots. Seulement l'essentiel. Le bonheur sur le visage d'Omer fit place à de l'inquiétude. « Ah non, dis-moi pas ! » Il s'empressa de vider son verre et de s'en resservir un autre. Et tout en calant son deuxième fort, il relut la lettre pour être bien certain d'avoir bien compris. Ses compagnons de travail ainsi que quelques membres du club étaient présents, assis autour de la table centrale de la salle à manger. Le silence s'était installé et tout le monde regardait Omer, en attendant la nouvelle, bonne ou mauvaise, sans avoir le courage de demander ce qui se passait.

Finalement, Omer releva les yeux et se rendit compte qu'il était le centre d'attraction. Il eut comme réaction d'essayer de sourire, mais tout ce qu'il put en tirer fut une grimace. Ce qu'il venait de lire était trop triste pour faire semblant.

Chapitre 1

— C'est mon frère Étienne. Il vit à Montréal avec sa famille. Il m'écrit qu'il est ben malade. Qu'il va être obligé de lâcher sa job à la fonderie. Le docteur lui a dit que s'il ne veut pas mourir, il devait venir s'établir dans le Nord.

Il se leva de table, cala un troisième p'tit blanc, déposa son verre, ouvrit la porte et disparut dans la nature. Omer aimait beaucoup cette contrée. Il avait découvert dans ce coin de pays une paix qu'il n'avait jamais connue auparavant. Bien sûr qu'il allait aider son frère. Il allait dormir là-dessus pour être certain de lui répondre avec les bonnes paroles d'encouragement. « Ouais, se dit-il, je vais avoir les idées plus claires après une bonne nuit de sommeil. » Tout en pensant, il avait marché jusqu'au bord du lac. Il s'assit sur une grosse roche et se roula une cigarette qu'il alluma. Le soleil se couchait derrière la montagne, le lac était calme, l'air sentait bon. « Eh ! qu'c'est beau icitte ! »

Le mois de mai s'acheva et donna sa place à juin et ses airs d'été. Les montagnes du Nord reprenaient tranquillement des couleurs, tandis qu'à Montréal, les arbres déployaient déjà leur feuillage vert tendre. Omer avait répondu à son frère Étienne quelques jours après avoir reçu sa demande.

Mon cher frère,

Mon pauvre enfant, y'a pas grand ouvrage dans le bout', mais viens t'en, je te donnerai de l'ouvrage au club, une piastre par jour, ça te fera ça, pis tu prendras l'air. Ça va être bon pour tes poumons. Si tu veux, tu pourras faire toutes sortes de jobs, comme travailler dans le bois ou dans le jardin.

Il y a une petite terre à vendre où tu pourrais t'installer. Ça se trouve à peu près à trois miles avant le Club Chapleau. C'est pas ben grand, mais y a une maison dessus, pis quelques bâtiments. Il y a un lac à cinq cents pieds, c'est le lac Désert. Tout ça appartient à monsieur Edgar Talbot. Il demande 500 piastres. Si ça t'intéresse, écris-moi pis on s'arrangera pour que tu viennes chez le notaire à Labelle. J'attends ta réponse.

Ton frère Omer

* * *

Un soir, après en avoir discuté préalablement avec sa mère, Étienne, à la fin du souper, annonça à ses enfants la grande nouvelle. Rose-Délima sirotait sa tasse de thé, Blanche et Eugénie étaient déjà debout pour desservir la table et laver la vaisselle. Elles attendaient l'eau chaude qui bouillait sur le poêle. Henri avait le nez dans le journal que son père avait rapporté et Louis finissait son pouding chômeur. Étienne regardait tout son monde graviter autour de lui. Il avait encore une fois une grande nouvelle à leur annoncer. Il les aimait tous tendrement et souhaitait que chacun puisse être heureux. Sa mère l'observait; il se levait, tournait dans la pièce, regardait par la fenêtre, revenait s'asseoir. En fait, il ne savait pas par où commencer. Il se sentait nerveux et fébrile. Comment allaient réagir ses enfants ?

Il finit par se tenir debout derrière sa chaise, les mains bien accrochées à son dossier, les jambes droites et la tête haute, et commença :

— Bon, les enfants assoyez-vous j'ai quelque chose d'important à vous dire.

Chacun retourna à sa place en se demandant bien ce qui se passait.

— Vous savez que je file un mauvais coton[7] de ce temps-là. Je tousse beaucoup pis je suis allé voir le docteur. Voyant l'inquiétude poindre sur les visages de ses enfants, Étienne se dépêcha de rajouter : inquiétez-vous pas, j'ai pas la tuberculose.

Sur ces paroles, les enfants recommencèrent à respirer... Étienne inspira un grand coup pour se donner du courage, mais il fut pris d'une quinte de toux. Il sortit sur la galerie pour prendre l'air, mais l'air du quartier ne lui apporta pas le soulagement escompté, car dehors ça sentait mauvais. Dans leur secteur seulement, il devait y avoir plus de cinq mille toilettes extérieures, des bécosses[8] qui laissaient échapper leurs odeurs. Une fois la toux passée, il rentra et

---

7   Québécisme : ne pas se sentir bien physiquement.

8   Québécisme né de l'anglais *back house* : toilettes extérieures.

reprit son discours où il l'avait laissé. Sa progéniture était toujours autour de la table et, dans le plus grand silence, attendait la suite.

— Le docteur m'a dit que mes poumons sont ben malades pis que c'est à cause de mon travail à la fonderie. Il m'a dit qu'il fallait que je m'en aille vivre dans le Nord. J'ai déjà écrit à votre oncle Omer qui travaille par là-bas. Il a été bien fin et il nous a trouvé une terre où on pourrait s'installer. Il dit qu'il y a une maison sur la terre et qu'il y a un petit ruisseau pis un beau grand lac. Par là-bas, dans les lacs, il y a beaucoup de poissons. C'est votre oncle qui m'a déjà parlé de ça. Le monde riche va dans ce coin-là pour pêcher pis pour chasser. C'est ça qu'il fait votre oncle, il s'occupe de ce monde-là. Nous autres on pourrait cultiver la terre. Votre grand-mère a pris la décision de venir aussi avec nous autres; elle va pouvoir s'occuper de la maison et pis veiller sur vous autres.

Sur ces mots, les enfants se tournèrent tous en même temps vers leur grand-mère et eurent un sourire de soulagement. Étienne reprit :

— Pis moi, ben je vais pouvoir travailler avec votre oncle au club. Je suis un bon travaillant, même si pour l'instant j'suis pas dans mon meilleur.

Sur ce, le petit Louis interrompit son père pour lui faire la remarque :

— Ben non, P'pa, vous pouvez pas travailler, vous êtes malade !

Étienne sourit à son petit dernier qui était assis juste à côté de lui à sa droite et, d'une main douce et tendre, lui caressa la joue en ajoutant :

— T'en fais pas, mon p'tit, ton papa va guérir. Mais pour ça, il faut qu'on parte le plus vite possible de la ville.

Puis, s'adressant de nouveau à toute la famille :

— J'en ai déjà parlé à mon boss, pis on pourrait partir juste après les classes, c'est-à-dire à la fin du mois de juin.

Maintenant qu'il avait laissé sortir ce qu'il avait sur le cœur, son angoisse s'était dissipée et il se sentait mieux. Il se rassit au bout de la table. Blanche se leva et demanda à son père :

— Voulez-vous une tasse de thé, P'pa ?

— Avec plaisir, ma fille.

La tension était tombée, c'était une bonne chose de faite. Blanche s'approcha avec la tasse de thé bouillant et, tout en la déposant devant son père, prit son courage à deux mains, et lui avoua :

— Moi P'pa, je partirai pas avec vous autres.

Puis elle alla se rasseoir à sa place, dos au poêle, à la gauche de sa grand-mère qui occupait la chaise à l'autre extrémité de la table, en face du père de famille..

Cette fois-ci, Rose-Délima répondit:

— Es-tu bien certaine de ton affaire, Blanche ? Où est-ce que tu vas rester ? Et pis, il me semble que tu vas t'ennuyer de nous autres. Pis nous autres, on va être inquiet sans bon sens !

Blanche, avec l'assurance de ses dix-neuf ans, se redressa les épaules et expliqua :

— Oui, mais j'suis plus une enfant. J'suis assez grande pour prendre soin de moi. Je travaille maintenant, pis j'aime ça moi confectionner des chapeaux. Pour le logement, je suis sûre qu'on peut trouver une solution. Je pourrais peut-être aller rester chez mon oncle Parfait ? Je suis sûre que ma tante Eugénie serait contente de m'avoir. Et pis je m'entends ben avec mes cousines. Ça me dérange pas de coucher dans le salon ou dans le grenier. J'ai pas besoin de grand-chose.

Sentant qu'Étienne était à court d'arguments, Rose-Délima se leva et se précipita sur la vaisselle en disant :

— Bon, et bien on reparlera de tout ça avec ton père un autre soir. Là, tout le monde est fatigué et ça fait ben des tracas en même temps. Les enfants, allez faire vos devoirs astheure; il est assez tard pis vous avez de l'école demain.

Chapitre 2

Le départ

Les dernières semaines avant le grand voyage furent remplies d'événements de toutes sortes. Tout d'abord, monsieur Garth, le patron d'Étienne, organisa une fête pour son contremaître qui lui avait donné vingt années de loyaux services. Tous les employés de la fonderie furent invités à prendre un goûter le samedi à la fin de leur journée de travail. Monsieur Garth s'était donné la peine d'écrire une adresse qu'il avait fait traduire dans un bon français, rédigée en lettres d'or. Il lui offrit aussi une très belle horloge de table, une statue de bronze représentant une femme. Étienne fut très flatté de tant d'attentions. Il avait cru que son patron lui en voulait de quitter l'usine. Dans la même semaine, on pouvait lire dans le journal, sous la rubrique Carnet Social : « M. Étienne Bruneau, depuis 20 ans contremaître chez Garth et Cie, a été l'objet d'une jolie démonstration, samedi soir, de la part du personnel de l'établissement et de nombreux amis. On lui a présenté une adresse accompagnée d'une magnifique pendule, comme marque d'estime. MM. Charland, Jolicoeur et A. P. Bruneau, les organisateurs de la fête, peuvent se féliciter du succès d'une réunion à la fois joyeuse et des plus amicales.

Après maintes discussions avec son père et sa grand-mère, Blanche avait enfin obtenu la permission de demander à son oncle Parfait s'il pouvait l'héberger. La réponse avait été positive et ses cousines, Juliette, Rose et Lucienne furent très excitées à l'idée de partager leur chambre avec Blanche. Celle-ci avait insisté pour apporter une contribution monétaire à son oncle et sa tante.

L'état de santé d'Étienne ne s'améliorait pas. Tout ce cham-
bardement le rendait très nerveux, ce qui n'aidait en rien à
le soulager de sa toux. Au contraire, ses quintes étaient de
plus en plus fréquentes. Il se surprenait à avoir hâte de se
retrouver là-bas et que tout ce chavirement en finisse une fois
pour toute. Il avait entreprit le voyage seul afin d'aller voir la
terre et de signer le contrat de vente chez le notaire. Il avait
trouvé le petit village bien loin. Plusieurs heures de train
pour se rendre à Labelle, puis plusieurs heures de carriole
de Labelle à La Minerve sur un petit chemin, pas plus large
qu'un sentier. Par contre, il avait trouvé cette campagne
éloignée très apaisante. Tout au long du chemin, il avait
remarqué plusieurs lacs, petits et grands, ainsi qu'une belle
rivière que les rails du chemin de fer longeaient tout au long
du parcours. Il comprenait mieux, en voyant ces paysages,
l'engouement des colons. Il y avait tout à faire.

La terre appartenait à Edgar Talbot. Il y vivait avec sa
femme Anna Charette depuis leur mariage le 19 novembre
1904, mais avait décidé de retourner à Montréal. Anna, qui
venait elle-même de la grande ville, trouvait la vie trop dure
dans le Nord et elle voulut retourner dans sa paroisse de
Sacré-Cœur. Au moins, se disait Edgar, il pourrait se trouver
du travail, recevrait un salaire et serait en mesure d'acheter
des provisions, ce que les colons ici avaient de la difficulté à
faire. Les 500 piastres que lui rapportait sa terre en la ven-
dant, lui donnait le temps de se revirer de bord, de trouver
du travail et apportaient l'assurance qu'il pourrait s'installer
convenablement.

Ses parents, Saül Talbot et Hortense Trépanier, avaient
un magasin général dans leur maison située juste à côté de
celle de leur fils. Mme Talbot était veuve depuis peu, son
mari étant décédé en février, et voulut rester pour continuer
à exploiter son commerce. Elle prit un arrangement avec
Étienne pour conserver un petit lopin de terre autour de la
propriété, un droit de passage pour se rendre au lac ainsi
qu'un approvisionnement en eau potable.

L'époque était difficile, l'argent était rare et les banques
étaient frileuses à faire crédit à des pionniers qui n'avaient
rien devant eux. Ces pauvres gens ne pouvaient donner en
garantie que leur deux bras et leur volonté à travailler chaque

jour pour gagner leur pitance. Afin de pouvoir acquérir la terre, Étienne dut donner toutes les économies qu'il avait mis une vie à accumuler : deux cents piastres *cash* et pour le reste, les trois cents piastres qui lui manquaient, il prit trois hypothèques. C'est-à-dire qu'il emprunta trois fois cent dollars à trois personnes différentes. Le premier créancier fut impitoyable et lui demanda 10 % d'intérêt. C'était un bonhomme qui avait de l'argent et profitait de la situation précaire des gens pour en faire plus. Il n'avait de pitié pour personne. Le deuxième demanda 5 % d'intérêt, ce qui était beaucoup plus raisonnable. Le troisième et dernier créancier était son frère Antoine-Parfait, celui chez qui Blanche allait habiter. Il était bijoutier et horloger et gagnait assez bien sa vie. Parfait était né un an seulement après Étienne, ils étaient donc très proches tous les deux. Ils avaient d'ailleurs marié les deux sœurs à trois ans d'intervalle. Eugénie Laflamme, la sœur de Laura, était de deux ans sa cadette et avait épousé Parfait le 25 septembre 1894 à la paroisse Ste-Cunégonde.

Dans les années où sa mère avait dû placer ses garçons, Parfait avait eu la chance de devenir apprenti chez un bijoutier-horloger et d'apprendre ce métier. Il avait dès lors su que c'est ce qu'il ferait toute sa vie. Son maître bijoutier était très satisfait de son travail, il le garda donc à son service pendant plusieurs années. En 1906, après 12 ans de mariage, et quelques enfants, Parfait, ayant acquis toutes les connaissances nécessaires, ouvrit son propre commerce. Il acheta quelques équipements et s'installa dans un petit local au 293 de la rue Roy. Il avait donc un peu d'argent de côté et avait insisté pour aider son frère. Il n'émit pas de condition et ne demanda rien en retour. Étienne ne savait pas encore comment il arriverait à rembourser tout ce monde-là, car ce montant était considérable et représentait plus que la moitié d'une année de salaire à la fonderie, mais il espérait que tout se passerait bien pour lui et ses enfants à La Minerve.

C'était un tout petit village, peuplé de seulement 500 habitants, mais situé sur un immense territoire, où, pour lui, tout semblait possible. Le désespoir qui l'avait occupé depuis les dernières années ne lui ressemblait pas. Étienne était plutôt d'un tempérament heureux et optimiste. Il faisait confiance à la vie, même si celle-ci ne lui avait pas fait de cadeaux.

Après tout, il avait encore sa mère, ses enfants, ses frères. Et tous ces gens-là qui gravitaient autour de lui, de près ou de loin, étaient tous préoccupés par son bien-être. C'était un cadeau du ciel. Le bon Dieu ne pouvait pas tout lui prendre ! Il gardait espoir et chaque soir, avant de s'endormir, priait en demandant au Seigneur de lui rendre la santé afin qu'il puisse continuer à élever sa famille.

Eugénie et les garçons avaient terminé l'école avec succès. Les bulletins rapportés à la maison furent récompensés par quelques *candies*[9] achetés chez son oncle Calixte qui tenait à ce moment-là un magasin de bonbons au 389 de la rue Duluth. Les enfants en avaient profité pour dire au revoir à leurs cousines Anna et Alice et leur cousin Émile. Ils avaient également fait leurs adieux à leurs copains sur la rue et étaient maintenant prêts pour le grand voyage. Henri avait très hâte de voir son nouveau coin de pays. Il rêvait de pêche et de chasse. Pour sa part, le petit Louis ne se souciait guère de ce qui l'attendait. Il faisait confiance à son père et à sa grand-mère; ils avaient l'air heureux, alors lui aussi l'était. Seule Eugénie se sentait insécurisée. Elle laissait derrière elle le couvent et ses amies, mais surtout sa grande sœur Blanche. Depuis sa naissance, elle partageait tout avec sa sœur. Que deviendrait-elle loin d'elle ? Saurait-elle s'adapter à la vie là-bas, la vie des colons ? Pourrait-elle continuer ses études ? Elle se préparait donc elle aussi pour le grand départ, mais ne ressentait pas d'excitation, plutôt de l'angoisse. Elle partagea un jour ses inquiétudes avec Blanche.

— Je ne suis pas sûre d'aimer ça là-bas. Penses-tu que je pourrai revenir si j'aime pas ça ? s'enquit-elle auprès de sa sœur.

— Je sais pas Eugénie, attends au moins de voir ce que ça l'air. P'pa dit qu'il y a des familles qui se sont installées; tu vas sûrement rencontrer des jeunes de ton âge. Et pis, tu pourras continuer d'aller à l'école, ça c'est important. J'irai vous visiter aussitôt que je pourrai. Je vais mettre de l'argent de côté à chacune de mes payes; comme ça, je pourrai aller passer le temps des fêtes avec vous autres. Mon oncle Parfait a dit qu'on irait peut-être toute la famille.

---

9   Anglicisme : bonbons.

Eugénie ne semblait pas vraiment convaincue, mais cette discussion lui apporta un certain réconfort. Sa sœur aînée avait raison; il ne fallait pas s'en faire avant d'avoir vu. Elle avait entendu dire que les gens des campagnes étaient très généreux, car ils étaient habitués à s'entraider. Elle reprit donc ses activités le cœur plus léger. Son travail consistait à prévoir tout ce dont la famille aurait besoin tout au long du voyage. De quoi se nourrir et s'abreuver, ainsi que de la lecture ou autre passe-temps, surtout pour le petit dernier. Ils n'avaient pas l'habitude de voyager alors ils préféraient être bien préparés. Elle devait aussi entasser ses choses personnelles dans une grosse malle que son père avait descendue du grenier. Cette malle avait appartenu autrefois à sa défunte mère. Eugénie avait pris tout un avant-midi pour la nettoyer. Il y avait de la poussière partout sur le dessus et lorsqu'elle l'ouvrit, elle y découvrit un vieux manteau mangé par les mites.

— Ouache ! Ça pue là-dedans !

En voulant sortir le manteau, Eugénie entendit quelque chose tomber. Elle jeta le manteau par terre et regarda partout dans la valise en passant sa main au fond. Elle trouva une jolie broche en forme de fleur sertie de pierres bleues.

— Mémère ! s'écria-t-elle en descendant l'escalier à toute vitesse, tenant la broche au bout de ses doigts. Mémère, regarde ce que j'ai trouvé !

— Montre-moi donc ça. Ah oui, c'est une broche qui appartenait à ta mère. C'est moi qui lui ai offert le jour de son mariage. Ton père et moi, on s'est toujours demandé où elle était passée. Tu la remettras à ton père.

— Je peux pas la garder ?

Rose-Délima soupira d'impatience et répéta :

— Tu la remettras à ton père et c'est lui qui décidera. Oublie pas que t'es pas la seule fille de la famille.

Eugénie, déçue, laissa la broche sur la table de la cuisine et retourna à ses affaires.

Le soir, en rentrant de la fonderie, Étienne aperçut la broche sur la table. Rose-Délima l'avait laissée bien en évidence afin qu'il la voit.

Chapitre 2

— Ah ben ! D'où ça sort ce bijou-là ?

— C'est Eugénie qui l'a trouvé dans le fond de la grosse valise que tu lui as sortie du grenier hier. Il y avait un vieux manteau de Laura dans le coffre; la broche devait être épinglée dessus parce que c'est tombé quand Eugénie a voulu le sortir. Le manteau n'est plus bon, il est troué par les mites, mais t'aurais dû voir la face de ta fille quand elle est descendue avec ça dans les mains. On aurait dit qu'elle avait trouvé un trésor, lui raconta sa mère.

— Bon, astheure je fais quoi avec ?

— J'ai dit à Eugénie de te la remettre. Elle pensait qu'elle pouvait la garder, mais je lui ai dit qu'elle n'était pas fille unique dans cette maison. J'ai bien vu qu'elle était déçue, mais qu'est-ce que tu veux ? C'est toi qui décide...

Étienne prit la broche dans ses mains et entreprit de monter l'escalier quand il se rendit compte qu'Eugénie descendait en même temps. Elle vit tout de suite que son père tenait le bijou dans ses mains. Son visage s'illumina d'un grand sourire. Elle était très fière de sa découverte. Et dans le fin fond de son cœur elle espérait tant pouvoir le garder.

— Avez-vous vu ce que j'ai trouvé, P'pa ? lui demanda-t-elle sur un ton enjoué.

— Ben oui, ma fille, j'ai vu ça. Ta grand-mère vient justement de tout me raconter.

— Oui, j'étais en train de nettoyer la valise pour mettre mes affaires, puis en sortant le manteau qu'il y avait dedans ça a tombé ! Mémère dit que c'est un cadeau de noces qu'elle avait fait à Maman !

— Oui, c'est vrai. Je me rappelle très bien de cette broche. C'était une des préférées de ta mère. Il faut dire qu'elle n'en avait pas beaucoup !

Il tenait toujours la broche et la faisait tourner entre ses doigts. Il sourit tout en scrutant du coin de l'œil le regard d'Eugénie. Il y perçut quelque chose de particulier. De l'envie, bien sûr, mais aussi une nostalgie qu'il n'avait jamais remarquée auparavant. Il oubliait trop souvent que ses enfants avaient également vécu deux deuils comme lui. Pourquoi s'apitoyait-il sur son sort uniquement ? Son cœur se remplit de tendresse.

— Je pense que ta mère aurait aimé ça que tu la portes, ajouta-t-il en l'épinglant sur le corsage de sa robe.

Eugénie n'osait pas bouger. Elle était tellement émue qu'elle ne parlait plus et ne respirait plus.

— Ben, l'aimes-tu ? demanda Étienne devant l'expression figée de sa fille.

— Ben oui, P'pa, je l'aime ! Ça veux-tu dire que vous me la donnez ? questionna-t-elle en effleurant la broche du bout des doigts.

— Qui trouve, garde. C'est comme ça que ça marchait quand j'étais petit. Tu l'as trouvée, c'est à toi.

— Oh ! Merci P'pa !

Comme elle allait embrasser son père pour le remercier, elle pensa soudain à sa sœur Blanche.

— Mais qu'est-ce qu'on va dire à Blanche ?

— T'en fais pas avec ça, ma fille. De toute façon, j'étais pour lui donner la montre de votre mère avant de partir d'ici. Je vais lui donner après le souper, comme ça elle va trouver normal que tu gardes la broche.

Il était fier de pouvoir gâter ses enfants. Les temps étaient durs et les cadeaux se faisaient rares. Pour lui, c'était une bonne façon de leur montrer qu'il les aimait. Étienne Bruneau était un homme bon et sensible et ce sont ces qualités, entre autres, qu'il lèguerait à ses nombreux héritiers.

* * *

— Allez, les enfants, on va arriver en retard pour prendre le train si ça continue !

Rose-Délima était nerveuse et courait quasiment dans la maison pour ramasser les derniers bagages.

Étienne avait loué la moitié d'un char[10] afin de transporter tout leur butin[11]. Il savait que la maison de La Minerve était meublée très humblement. Alors, ils avaient préféré tout emporter avec eux. Leurs affaires personnelles étaient entassées dans de grosses malles de voyage. Chaque membre de la famille en avait une. Tous les meubles étaient *cratés*[12]. Il y avait également plusieurs caisses en bois dans lesquelles étaient empaquetés les objets de la maison : chaudrons, vaisselle, literie, bibelots, sans oublier la précieuse horloge qu'Étienne avait reçue en cadeau de M. Garth en quittant la fonderie, qu'il avait placée seule dans une caisse remplie de paille afin qu'elle arrive intacte à destination.

Pamphile s'était offert pour amener la famille d'Étienne à la gare. Il attendait devant la porte avec sa charrette tirée par son vieux cheval. Les caisses et les malles étaient déjà chargées à bord, il ne manquait que les occupants. Étienne, dans sa nervosité, avait dû courir à la *bécosse* ! Il en ressortit couvert de sueurs. Il retourna une dernière fois dans l'appartement de la rue Panet. Il n'y était installé que depuis deux ans, ayant déménagé plusieurs fois au cours de sa vie. La dernière fois juste après le décès d'Angelina. Il en fit le tour et s'arrêta quelques minutes devant la chambre à coucher. Ces murs en auraient long à raconter sur ses états d'âmes, car ils avaient été témoins de plusieurs nuits sans sommeil. Mélancolique, il se sentit happé par le passé et revit défiler les événements importants de son existence. Naissances, décès, joie, peine. Comme la vie pouvait être dure. Était-ce vraiment le dessein du Créateur ?

Après avoir fait le tour et s'être assuré qu'ils n'avaient rien oublié, il sortit enfin sur la galerie et constata avec joie et soulagement que tous étaient assis dans la charrette, prêts à partir.

— Bon, ben, on va y aller. On dirait bien que vous attendez après moi ! dit-il en montant à son tour. Il prit place à côté de son ami sur le siège du chauffeur, se retourna et exhiba un large sourire :

---

10   Wagon de train.
11   Leurs avoirs, leurs biens.
12   De l'anglais *crate*. Entouré avec des planches de bois pour le transport.

— Ça y est, tout le monde est là ? Puis, se retournant vers Pamphile, lui lança sur un ton humoristique :

— En route chauffeur, direction la gare Windsor !

Le p'tit train du Nord du *Canadian Pacific Railways* partait de la gare Windsor, située à l'extrémité sud-ouest du Square Dominion. En arrivant, Étienne alla acheter les *tickets*[13] pour tous les membres de la famille. Le prix était de 2 ¢ par mille, donc 2 $ par personne, plus le prix du demi-wagon qui servait à transporter leurs affaires. Les wagons qui accueillaient les passagers étaient plutôt modestes avec leurs bancs de bois non rembourrés, mais personne n'en fit de cas, car tous étaient très excités par ce voyage. On entendit enfin le chef de train siffler et crier « *all aboard* ! »[14], puis la locomotive se mit en route. C'était comme si toute la misère du monde empêchait les grosses roues de fer d'avancer. Elle crachait le feu et avait peine à souffler puis, petit à petit, le train atteint sa vitesse de croisière. Personne n'avait osé parler pendant ces quelques minutes d'effort. Puis, les sourires revinrent sur les visages et les discussions reprirent de plus belle.

La locomotive, cette immense machine qui crachait une épaisse fumée couleur du charbon, fit forte impression sur Henri et Louis. Ils avaient souvent demandé à leur père de les amener voir les trains à la gare, mais comme Étienne travaillait six jours par semaine, il n'avait jamais trouvé le temps. À l'intérieur de leur wagon, il y avait des commis voyageurs, des gens riches qui partaient en vacances au Gray Rock au Mont-Tremblant, des religieuses qui se rendaient dans différents couvents, dont probablement celui de Nominingue, des malades qui se rendaient au sanatorium de Ste-Agathe-des-Monts et qui rêvaient de guérison. Ils se sentirent importants et privilégiés de faire ce long voyage.

Les garçons se disaient qu'ils avaient hâte de voir la forêt, le lac, le ruisseau, tandis que les filles, Eugénie et sa grand-mère, se demandaient comment serait la maison et si elles allaient avoir un gros ménage à y faire avant de s'installer. Étienne observait sa marmaille et se perdait également dans ses pensées.

---

13   De l'anglais, billets.

14   Tout le monde à bord !

Chapitre 2

Qu'est-ce que sa nouvelle vie allait lui réserver ? Le Docteur avait-il raison ? Allait-il vraiment guérir en respirant l'air du Nord ? Saurait-il faire ce qu'il faut pour protéger sa famille et la mettre à l'abri du besoin ? L'aventure ne faisait que commencer.

Les adieux avec Pamphile avaient été touchants et ils s'étaient promis de s'écrire le plus souvent possible.

Maintenant, il était trop tard pour reculer. Tout avait été mis en place pour un avenir différent et meilleur si le bon Dieu le voulait. Finie la ville, finie la fonderie, finie la vie qu'il connaissait. Étienne « Steve » Bruneau allait devenir un colon. Il allait léguer un sentiment d'appartenance très fort à sa descendance, une sorte d'héritage qui grandirait au fil des générations.

Chapitre 3

Arrivée à la campagne

Le voyage en train s'était bien passé. Il avait fallu quatre heures pour parcourir les cent milles qui séparaient Montréal du village de La Chute aux Iroquois, rebaptisé Labelle en l'honneur du curé Antoine Labelle, « le Roi du Nord », depuis 1896. C'était long, d'abord parce que le train ne roulait qu'à trente milles à l'heure et aussi en raison des arrêts à chaque village traversé. Comme un chapelet, St-Jérôme, Val Morin, Ste-Adèle, Mont-Rolland, Ste-Agathe-des-Monts, St-Faustin, voyaient le p'tit train du Nord arriver puis repartir pour se rendre à son ultime destination, Mont-Laurier, village situé à environ cinquante milles au nord de Labelle.

Il faisait beau et chaud en cette journée du début juillet. Le bleu du ciel contrastait admirablement avec le vert des forêts. La chaleur sèche des rayons du soleil frappait tout ce qu'elle trouvait sur son passage. Déjà l'été s'annonçait sec et torride. Ce qui n'était pas pour déplaire aux habitants, car l'hiver avait été particulièrement difficile.

Le frère d'Étienne, Omer, les attendait à leur arrivée à la gare de Labelle. Ils n'avaient pas fini de débarquer que ce dernier se lança à leur rencontre :

— Bonjour la p'tite famille !

Puis, tout en aidant sa mère à descendre les quelques marches qui la séparaient de la terre ferme, Omer embrassa celle-ci sur la joue :

— Bonjour la mère ! Ça fait plaisir de vous voir ! Comment ça va ? Avez-vous fait un bon voyage ?

Eugénie fut la première à prendre la parole :

— Bonjour mon oncle ! Ah! C'était long ! Mon Dieu que je suis contente d'être enfin rendue ! Je commençais à avoir mal partout. J'vous dis que c'est pas très confortable ces p'tits bancs de bois-là.

— Plains-toi donc pas, ma pauvre fille, vous êtes pas encore arrivés. On a douze milles à faire avant de débarquer à La Minerve, enchaîna son oncle. Allez, où sont vos bagages que je vous emmène enfin dans votre nouvelle maison ?

Étienne s'approcha de son frère, lui serra la main et lui fit une accolade tout en le remerciant :

— Salut mon frère ! J'suis ben content de te voir. Ouais, c'est vrai, Eugénie a raison, on a hâte d'arriver.

Louis, qui était resté en retrait jusqu'à maintenant, s'approcha de son oncle Omer, tira sur son pantalon en demandant :

— Est-ce que c'est votre cheval ? demanda-t-il en pointant le canasson attelé à une vieille carriole.

Omer se pencha et le souleva dans ses bras :

— Hé, tout d'abord on dit : bonjour ! Qu'est-ce que c'est que ces manières ? Et puis, lui chuchotant à l'oreille, il ajouta :

— T'inquiète pas, mon attelage est beaucoup mieux que celui-là. Regarde plutôt par là-bas, dit-il tout en lui indiquant la direction. C'est pas mal mieux celui-là, hein, mon Louis ?

En effet, Omer était venu avec un *team*[15] de chevaux attelés à un *boghei*.

Puis, on entendit le chef de gare crier vers Étienne et Omer :

— *Hurry up guys, we have to go.*

— Viens Steve, dit Omer à son frère, il est temps qu'on décharge le char, le chef de gare a pas l'air commode.

Henri suivit son père et son oncle et donna un coup de main pour vider le wagon. Même Louis voulut aider, mais il était plus nuisible qu'autre chose. Sa grand-mère le rappela :

---

15   Anglicisme : équipe de deux chevaux.

— Louis, viens ici, tu vas manger un coup sur la tête. T'es trop petit, ils te voient pas, viens à côté de nous autres, en lui indiquant du doigt une place entre elle et sa petite-fille.

Louis se rapprocha en bougonnant :

— Pourquoi je peux pas les aider, Mémère ?

Rose-Délima lui prit la main tendrement et lui répondit en souriant :

— Tu vas nous aider rendu à la maison. Tu vas nous être bien utile pour aller nettoyer dans les petits coins ! Hein Eugénie ?

Après avoir déchargé le char de tout leur ménage, Omer expliqua à son frère que ce serait lui qui les amènerait tous dans leur nouvelle maison, dans son boghei et qu'un dénommé Ti-Noir ferait l'aller-retour pour apporter leurs affaires. Ces gars-là, qui faisaient le taxi entre les gros chars et le village, savaient qu'ils étaient indispensables et chargeaient le gros prix. Cinq piastres du voyage. En plus, ils ne pouvaient apporter que quelques meubles et quelques caisses à la fois. C'était un petit commerce assez lucratif.

Comme Étienne n'avait pas le choix, il conclut l'accord avec Ti-Noir et lui remit le premier cinq piastres en avance. Sur cette entente, Étienne questionna le chef de station en lui faisant part de sa crainte de laisser ses biens au beau milieu de la place.

— Vous en faites pas, m'sieur, j'vais vous surveiller tout ça. Et puis, vous êtes chanceux, il pleut pas aujourd'hui, dit-il en se référant à la semaine précédente. Il devrait faire beau toute la semaine, ajouta-t-il en levant les yeux pour scruter le ciel.

— Bon, on y va ? Si vous êtes prêts, moi j'suis prêt, questionna Omer. La petite famille prit place en ordre : Eugénie, en arrière, avec Louis assis sur les genoux de sa grand-mère et en avant, Henri assis entre son père et son oncle. Le cadet de la famille Bruneau n'avait pas assez de ses deux yeux pour enregistrer dans sa mémoire tout ce qu'il voyait.

Labelle était un joli petit village installé sur le bord de la rivière Rouge. La gare était située sur un promontoire et les nombreux méandres du cours d'eau qui formaient cette rivière ressemblaient à une carte postale. Les eaux de cette rivière provenaient du lac Maison de Pierre ainsi que du lac Rouge situés plus au nord. C'est l'oxyde de fer qui provenait du lac Rouge et qui gisait maintenant dans son lit qui fut à l'origine de son nom. Les autochtones vivant sur ses rives utilisaient cette substance pour peindre leur corps lors de diverses cérémonies. Quant aux colons, ils l'utilisaient pour peinturer leurs bâtiments. Il y avait un pont à traverser pour se retrouver du côté de la route qui menait à la municipalité du Canton de La Minerve.

En quittant la gare, l'attelage descendit une petite côte et longea la rivière, qu'ils traversèrent au-dessus des rapides. Son niveau était plus haut que d'habitude à cause de toute la neige qui était tombée pendant la saison froide. Arrivé de l'autre côté, la route continuait de suivre le cours d'eau sur près de deux milles. Ensuite, le chemin bifurquait vers la gauche, vers l'ouest.

C'était la fin de l'après-midi, mais le soleil était encore haut dans le ciel et dégageait une chaleur étouffante. Lorsque l'attelage s'enligna entre les grands arbres bordant la route, l'ombre fut la bienvenue pour ses passagers, ce qui fit un effet direct sur Rose-Délima.

— Ouf ! Ça fait du bien un peu d'ombre. J'en reviens pas comment le soleil est encore chaud à cette heure de la journée ! dit-elle tout en s'épongeant le front et la nuque de son petit mouchoir brodé qu'elle avait pris la peine de cacher dans son corsage.

Étienne se retourna, et tout en tendant les bras, répondit :

— C'est à cause du p'tit qui est sur vos genoux, la mère. Passez-le-moi, je vais le prendre en avant.

Louis tendit les bras vers son père à son tour et Étienne le passa par-dessus le dossier pour le prendre avec lui.

Rose-Délima remercia son fils de cette attention et se sentit aussitôt soulagée.

— Merci, mon grand. C'est vrai qu'il dégage de la chaleur le p'tit v'limeux[16]. Pis, en plus, il arrête pas de gigoter.

---

16   Québécisme : de velimeux : coquin.

Chemin faisant, tout un chacun y allait de ses commentaires ou de ses questions. Tout ce qui les entourait leur semblait irréel, tiré d'un rêve. Chaque détour leur réservait une surprise : un animal, un son, un arbre, une fleur, une odeur. Tout était différent ici. Rien ne pouvait être comparé à la ville et pour toutes ces raisons, le trajet leur sembla plus court qu'il ne l'était en vérité. Ce chemin étroit, traversant les bois, contournait plusieurs lacs, petits et grands. Le plus impressionnant fut sans contredit le lac Labelle, et Omer les instruisit en leur apprenant qu'il faisait douze milles de long. Par contre, de la route, on ne le voyait pas en entier; sa plus longue partie étant cachée. Ils traversèrent plusieurs calvettes[17] qui étaient placées à des endroits stratégiques afin que les chevaux et leurs voitures puissent passer en tout temps et en sécurité. En plus des multiples lacs, il y avait plusieurs marécages qu'il fallait contourner et le terrain était humide presqu'en permanence. Dans ces cas, les colons plaçaient des troncs d'arbre pour prévenir les carrioles de s'enfoncer dans la boue. On retenait son souffle quand on les traversait et on priait afin que l'attelage soit assez fort pour nous sortir d'un faux pas.

C'était le temps des mouches noires et, selon Omer, c'était le pays des bibittes de toutes sortes. Les petites mouches noires qui vous arrachaient un morceau de peau harcelaient tous ceux qui se trouvaient dehors du début mai à la fin juin; ensuite, venait le temps des maringouins[18] en juillet et pour finir, au mois d'août, on avait droit aux brûlots et aux mouches à chevreuil. C'était ça aussi le Nord !

Enfin, après plusieurs heures et douze milles plus loin, ils finirent par arriver. La maison était située sur la gauche, tandis que le lac Désert s'étendait sur la droite. C'était un beau grand lac entouré de forêts et Henri eut un coup de cœur immédiat pour ce coin de paradis. Étienne ne ressentait pas le même enthousiasme et Rose-Délima semblait découragée à la vue de la petite maison de planche recouverte de papier noir goudronné qui se trouvait devant elle.

---

17   Québécisme : ponceau traversant une rigole ou une tranchée.
18   Québécisme : moustiques.

Chapitre 3

Louis débarqua le premier et se mit à courir vers cette maison qui serait leur demeure pour plusieurs années à venir. Eugénie descendit lentement tout en tenant la main de sa grand-mère.

— Mémère, c'est-tu ça notre maison ? osa-t-elle demander discrètement à l'oreille de son aïeule.

— On dirait ben que oui, ma fille. Allez, viens, on va aller voir en dedans avant de chialer. Arrange-toi pas pour que ton père te voit faire la baboune[19]. Il a l'air assez déboussolé de même.

Rose-Délima se dirigea vers la porte d'entrée avec Eugénie à ses trousses. Pendant ce temps, Étienne demanda à Henri d'aller chercher une chaudière d'eau au lac pour les chevaux de son oncle.

— Ben, avec quoi je rapporte l'eau, P'pa ?

Omer, surprenant la conversation, tendit une cuve en métal qu'il avait dans son boghei.

— Tiens, prends ça.

— Merci, mon oncle, je reviens tout de suite, s'écria Henri qui était déjà parti en courant vers le lac.

Arrivé en coup de vent, Henri s'arrêta, reprit son souffle et fit une pause de quelques minutes pour admirer le paysage. Il fut totalement subjugué. Juste devant lui, dans la baie, il y avait une grande île, puis son regard s'étendit vers la droite et il fut conquis par la beauté de ce qu'il voyait. Un superbe lac, à perte de vue, avec une autre grande île un peu plus loin. C'était comme dans les livres qu'il avait lus à l'école. Il se prenait pour Christophe Colomb qui découvrait l'Amérique ou Champlain qui débarquait à Québec. Les vacances scolaires commençaient et il allait devenir explorateur de son nouveau pays. Il avait déjà des projets plein la tête quand il entendit la voix de son père le sortir de sa rêverie.

— Henri, qu'est-ce que tu fais ?

— J'arrive, P'pa !

---

19   Québécisme : bouder.

Il remplit sa chaudière et revint vers la maison en claudiquant puisque sa lourde charge le débalançait[20].

— Excusez-moi, P'pa, je regardais le lac. Il est grand ! Je vois même pas le bout ! Je trouve ça ben beau icitte ! J'pense que je vais aimer ça le Nord !

— Ben tant mieux, mon garçon, parce que c'est ici qu'on va finir nos jours. J'suis ben content qu't'aime ça. Bon, astheure, donne l'eau à ton oncle; nous autres, on va aller voir de quoi a l'air la maison.

La main sur l'épaule de son fils, ils se dirigèrent vers leur nouvelle demeure. Omer les suivit quelques pas derrière, après avoir pris soin de placer le seau pour faire boire ses chevaux.

Rose-Délima et Eugénie étaient déjà à l'intérieur et venaient de monter à l'étage. De la cuisine, on entendait leurs pas qui faisaient craquer le plancher. De la poussière sortit par les fentes du plafond et leur tomba sur la tête.

— Aye ! s'écria Henri en se tapotant les cheveux, qu'est-ce que c'est ça ? Steve et Omer éclatèrent de rire en voyant l'air ahuri d'Henri.

— C'est rien, c'est juste un peu de poussière. C'est parce que la maison a pas été habitée depuis un p'tit bout de temps. Un bon nettoyage, pis ça se reproduira plus !

Au rez-de-chaussée, il y avait une pièce principale dans laquelle était installé le poêle à bois. Cette pièce servait à la fois de cuisine et de salle à manger. Il y avait également un petit salon et une chambre à coucher. Au deuxième, il y avait trois petites chambres. La petite-fille et sa grand-mère avaient déjà fait l'attribution des chambres : les garçons occuperaient la chambre donnant sur les bois, Eugénie prendrait la chambre qui se trouvait à l'opposé de celle-ci, c'est-à-dire celle du côté du chemin et du lac. Quant à Rose-Délima, elle s'installerait dans la plus petite des chambres; celle qui était située la plus près de l'escalier. Étienne, lui, dormirait dans la chambre du rez-de-chaussée afin d'être près du poêle, car c'est au père qu'il revenait de mettre les attisées pendant la nuit.

---

20   Québécisme : perdre l'équilibre.

Elles redescendirent le sourire aux lèvres.

— C'est parfait Étienne. C'est pas très joli, mais c'est plus grand que l'appartement qu'on habitait à Montréal. Une fois qu'on aura mis des rideaux aux fenêtres, ça va être pas mal.

La toilette se trouvait à l'extérieur, à quelques dizaines de pieds de la maison. Il y avait comme une petite grange, plutôt une sorte de remise où il y avait un restant de bois de chauffage entassé dans un coin. Le plancher était en terre battue et on pouvait voir, d'après la saleté de l'endroit, qu'il y avait eu des chevaux hébergés à cet endroit pendant un certain temps.

Rose-Délima s'adressa à Omer.

— Coudon ![21] Le gars qui transporte notre ménage y'arrive pas ben vite. Comment ça se fait que ça lui prend autant de temps ?

— Ben, voyons, la mère, patience ! T'as vu ce que le chemin a l'air. Imagine-toi la petite charrette ben remplie, les côtes sont pas faciles à monter. Les chevaux doivent en suer un coup !

— C'est juste qu'astheure qu'on est rendu, j'ai hâte qu'on s'installe.

Cherchant Henri des yeux, elle le trouva en train de faire boire les chevaux.

Elle lui cria :

— Henri, viens ! Tu vas nous aider à nettoyer le poêle qu'on puisse faire un feu pour l'essayer. Il faut savoir s'il boucane pis s'il chauffe bien. Et puis, il va falloir que je pense à faire le souper. Si le gars peut arriver avec nos affaires. J'ai préparé un bol de *beans*[22] avant de partir de la ville, on va pouvoir manger ça avec du pain. J'espère qu'il s'est pas trompé quand je lui ai montré les caisses que je voulais qu'il apporte en premier, ajouta-t-elle en retournant dans la maison.

---

21   Québécisme: mais enfin !
22   Anglicisme: fèves au lard.

Henri était déjà entré, à la demande de sa grand-mère, et s'affairait à vider la cendre du petit poêle à bois. Il était loin d'être neuf, mais Rose-Délima avait dans l'idée de le nettoyer de fond en comble, comme toute la maison d'ailleurs. Cette dernière s'adressa à sa petite-fille.

— Eugénie, va chercher les draps pis les taies d'oreillers dans ma grosse malle et commence à faire les lits dans la chambre de tes frères. Les matelas ont l'air pas pire, je pense bien qu'on va les garder. Examine-les quand même avant, pour être sûre qu'y a pas de punaises. Louis, va aider ta grande sœur.

Le benjamin était sur la galerie et faisait le guet. On l'avait mis en charge d'avertir les autres lorsqu'il verrait la charrette arriver. Il s'écria soudain, en sautant de joie :

— Mémère, P'pa, mon oncle, ça y est, v'là le monsieur avec nos affaires !

Il courut au-devant de la charrette qui arrivait sur un bon train, car les chevaux descendaient maintenant la petite pente qui se trouvait juste avant l'entrée de la cour. Il était tellement excité ! On aurait cru qu'il avait vu Saint-Nicolas !

Son père revenait d'une petite promenade sur le bord du lac avec son frère Omer lorsqu'il aperçut Louis se précipiter en avant de l'attelage. Étienne eut un moment de panique craignant que les chevaux piétinent son petit dernier. Il s'écria :

— Louis, arrête ! Reste où tu es !

L'enfant reconnut la voix de son père, mais ne sachant pas d'où elle venait, regarda tout autour de lui sans pour autant s'arrêter de courir. Tout en cherchant son père du regard, il s'enfargea dans une grosse roche et trébucha, ce qui arrêta net sa course. Étienne arriva près de lui tout essoufflé et ramassa le petit dans ses bras.

— Bon Dieu que tu m'as fait peur ! Refais plus jamais ça ! Est-ce que ça va ? T'es-tu fait mal ?

Louis, un peu sonné par sa chute, n'avait pas eu le temps de se rendre compte de ce qui s'était passé. Il serra le cou de son père avec ses petits bras et se mit à pleurer.

— Pourquoi vous me chicanez, P'pa ? J'ai rien fait !

Étienne le serra à son tour dans ses bras et lui tapota le dos en lui expliquant le danger auquel il s'était exposé.

— C'est correct astheure, mon p'tit gars. T'es pas blessé, c'est ça qui est important.

Il le déposa par terre, lui prit la main et rajouta en souriant :

— Viens, on va aller aider le monsieur à décharger nos affaires. C'est Mémère qui va être contente. Elle va pouvoir commencer son ménage.

Louis s'essuya le bout du nez avec sa manche de chemise, renifla un bon coup et suivit son père sans rouspéter.

L'effort de la course pour rattraper le petit avait fait en sorte de déclencher une quinte de toux chez Étienne. Il en eut pour un bon quinze minutes à s'époumoner. Même si les membres de sa famille étaient habitués de l'entendre tousser, ses enfants arrêtaient de respirer tant que la toux ne se calmait pas. Ils avaient tellement entendu leur mère s'étouffer comme ça sans arrêt. Louis reprit la parole :

— Excusez-moi, P'pa, je voulais pas vous rendre malade.

— T'en fais pas mon p'tit, t'es pas responsable. C'est pas toi qui me rends malade, c'est à cause de la fonderie, t'as rien à voir là-dedans.

Étienne avait le cœur gros. Il voyait bien que ses enfants étaient inquiets. Il y avait tant de changements dans leur vie. Il se demandait bien comment il allait passer à travers cette nouvelle épreuve. Guérir, c'est tout ce qu'il souhaitait pour l'instant. Chaque soir, à l'heure du chapelet, il demandait au bon Dieu de le guérir et de l'aider dans cette nouvelle vie qu'il imposait à sa famille.

Tout le monde aidait maintenant à vider la charrette. Les caisses s'empilaient sur le pas de la porte tandis que Rose-Délima et Eugénie nettoyaient l'intérieur. Après avoir vidé le premier chargement, Henri termina de dégager le poêle de ses cendres et partit avec son oncle dans la remise faire des éclisses de cèdre pour allumer le feu. Omer lui montra comment faire et au bout de quelques minutes, Henri se débrouilla très bien. Étienne sortit de la maison pour les rejoindre. Il souriait et semblait heureux de voir que tout son petit monde trouvait sa place.

— Regarde-moi ça, Steve, dit Omer en parlant d'Henri. Il apprend vite ton gars ! C'est lui qui a fait tout ce paquet d'éclisses-là, dit-il en lui montrant le contenu d'une petite boîte de bois.

— Ouais, c'est beau ça, mon Henri, lui dit son père en lui donnant une tape d'encouragement dans le dos, je pense bien que ça va être une de tes jobs à partir d'astheure. Il faudra qu'il y en ait toujours à côté du poêle. Comme ça on sera toujours prêt à allumer un feu.

Omer sortit sa montre de sa poche.

— Saint-Sicroche, il est déjà six heures. J'cré ben que je vais y aller. Exilia va se demander qu'est-ce que je fais pis ils vont m'attendre pour souper.

Sur ces paroles, il s'engouffra dans la maison pour aller saluer sa mère et sa nièce. Les femmes voulurent le garder à souper pour le remercier, mais il préférait rentrer.

— De toute façon, vous avez assez d'affaires pour vous occuper pendant un bon bout. Je reviendrai dans quelques jours.

Il sortit sur la galerie et s'adressa à son frère.

— Toi, Steve, tu viendras me voir aussitôt que t'auras un peu de temps. Je vais te faire visiter la place où je travaille pis on parlera de ce que tu peux faire comme job. On a toujours besoin de bons travailleurs. Tu vas voir c'est une ben belle place.

— Merci Omer, j'oublierai jamais ce que tu fais pour moi. J'vais aller te voir quand on aura fini de se placer icitte. Je peux pas laisser la mère toute seule avec tout le travail qu'il y a à faire, fit-il remarquer à son frère en lui indiquant du regard les alentours de la maison.

— C'est correct, Steve, j'comprends ça. Dans ce cas-là, on se revoit dans une couple de jours.

Chapitre 3

Omer prit place sur son boghei et, tout en faisant claquer les guides, cria un « dia » retentissant à ses chevaux afin de les faire avancer. Son attelage sortit de la cour et tourna à gauche en direction du village et du lac Chapleau.

Tout le monde mit la main à la pâte et la maison fut nettoyée en quelques jours seulement. Le poêle fut astiqué, les armoires nettoyées, les planchers de bois brossés, les murs et plafonds lavés et la toilette extérieure reçut une poche de chaux. Ce ne serait jamais un château, mais avec quelques améliorations, ils en feraient une maison confortable et chaleureuse.

Chapitre 4
La première année

Étienne commença à travailler au Club Chapleau quelques jours seulement après son arrivée à La Minerve. Il était demeuré avec sa mère et ses enfants pour les aider à organiser la maisonnée et les alentours, mais comme il n'avait plus de salaire, il avait préféré commencé à travailler rapidement. Il en avait discuté avec les membres de sa famille et tout le monde fut d'accord. L'habitation demandait quelques réparations urgentes et pour ça, il fallait de l'argent. Son frère Omer, gérant du club, l'avait engagé comme homme à tout faire. Avec son expérience de *foreman*[23] à la fonderie, Steve avait acquis toutes sortes de connaissances. Il était débrouillard et se disait qu'avec de la volonté, on pouvait arriver à faire à peu près n'importe quoi. La seule chose qu'il ne connaissait pas, c'était l'agriculture. La culture des légumes et des céréales conservait encore tous ses secrets, mais encore là, Étienne se disait qu'il n'y avait probablement rien de bien sorcier. Il se répéta à plusieurs reprises ce qu'il disait depuis longtemps à ses enfants : « Quand on veut, on peut ! » Ou bien : « Aide-toi, le ciel t'aidera ! » Il utilisait ces phrases lorsqu'il manquait de courage pour réaliser quelque chose. Ces formules avaient pour effet de lui remonter le moral.

Il devait se lever à six heures tous les matins. La première chose qu'il faisait après avoir fait sa toilette, c'était d'allumer le poêle. Ensuite, il prenait un bon déjeuner et quittait la maison vers les sept heures pour se rendre au lac Chapleau. Il y avait une distance de trois milles qui séparaient les deux lacs et Étienne les marchait matin et soir, car il n'avait pas d'argent pour s'acheter un cheval. Pendant ce trajet où il se retrouvait seul, il pensait. Il réfléchissait à toutes sortes

---

23   Anglicisme : contremaître.

d'idées. Depuis quelques jours, toutes ses pensées étaient dirigées vers le même but. Il avait dans la tête de s'acheter une vache, mais ne savait pas encore comment il y arriverait, car le peu d'argent qu'il gagnait au Club Chapleau était dépensé pour nourrir sa famille. En plus, il devait mettre quelques dollars de côté à chaque semaine pour rembourser les hypothèques et payer sa terre.

Il avait réussi à acheter quelques poules et un petit cochon qu'il avait installés dans la remise. Ses poules pondeuses leur donnaient au moins des œufs frais chaque matin. Quant au petit cochon, et bien, il deviendrait gros et il pourrait faire boucherie à l'automne de l'an prochain. Ce qui le préoccupait vraiment maintenant c'était l'achat d'une vache. Sans vache, il n'avait pas de lait, pas de crème, pas de beurre. C'était des produits essentiels à la survie d'une famille qui vivait sur une terre. En attendant, il devait s'approvisionner en produits laitiers chez d'autres cultivateurs et devait payer ces produits. Le déménagement et l'installation dans la nouvelle maison avaient grugé ses dernières économies. Et ce n'était pas avec le petit salaire qu'il faisait, une piastre par jour, qu'il réussirait à mettre de côté les 35 dollars nécessaires pour acheter sa vache. « Comment allait-il y arriver ? » se demandait-il continuellement.

Le deuxième lundi du mois d'août, Rose-Délima se leva en même temps que son fils et descendit à la cuisine pour lui parler. Étienne fut surpris de la voir debout si tôt.

— Bon Dieu, la mère, qu'est-ce que vous faites levée à cette heure-là ? lui demanda-t-il d'un air étonné tout en sortant sa montre de sa poche pour vérifier l'heure. Êtes-vous malade ?

— Ben non, j'suis pas malade. J'étais réveillée, pis je tournais dans mon lit. J'suis aussi bien de me lever. Il fait beau dehors, je vais en profiter pour laver les draps des p'tits gars. Ils se couchent les pieds sales les p'tits torrieux[24]. J'ai beau leur dire de se laver le visage, les mains pis les pieds avant d'aller se coucher, ils ne m'écoutent pas toujours, ajouta-t-elle en s'installant à table auprès de son fils. Je voulais te parler de quelque chose.

---

24   Québécisme: de tort à Dieu. Rusé, méchant.

Étienne la regarda dans les yeux s'interrogeant déjà du sujet auquel elle voulait l'entretenir. Soucieux du bien-être de sa mère, il tâta le terrain en lui demandant :

— Les enfants vous font pas des misères au moins, la mère ? Parce que si c'est ça, je vais les mettre au pas !

— Non, non c'est pas ça. Les enfants sont ben corrects.

Elle se releva et se dirigea vers le poêle pour se servir une tasse de thé qu'Étienne venait de préparer.

— C'est à propos de la vache que tu veux acheter.

Étienne ne parlait pas et attendait la suite. Rose-Délima revint à la table et continua.

— Je veux pas me mettre le nez dans tes affaires, mais j'vois ben que ça risque d'être long avant que tu ramasses l'argent que t'as besoin pour nous acheter une vache. Ça fait que j'ai pensé que t'avais besoin de ça.

Elle fouilla dans la poche de sa robe et en sortit 35 piastres. Elle lui tendit la somme.

— Tiens, tu iras l'acheter aujourd'hui.

Étienne regardait fixement l'argent sur la table, mais se sentait incapable de le prendre.

— Ben voyons, la mère, si ça a du bon sens. J'suis pas pour vous faire payer mes affaires astheure ! J'vais ben finir par l'avoir cet argent-là !

Rose-Délima poussa l'argent vers son fils et insista.

— Prends-le, ça me fait plaisir.

Etienne hésitait encore. Il se décida finalement à prendre l'argent et déposa sa main dessus pour montrer qu'il acceptait.

— Merci ben M'man, c'est vrai qu'à une piastre par jour...

Il avait quand même le sentiment qu'il profitait de la situation et voulut se racheter :

— J'vais vous le remettre aussitôt que je peux.

— Laisse faire, lui répondit-elle en faisant un signe de la main, c'est un cadeau. Pis, t'as pas besoin de t'en faire, ça va rester entre nous deux. Les autres ont pas besoin de savoir ça, lui dit-elle en souriant et en lui tapotant le revers de la main.

Le fils réalisant ce que sa mère venait de lui offrir, ressentit un grand moment de bonheur et de la reconnaissance aussi.

— Bon ben, je devrais revenir avec une vache à soir dans ce cas-là, conclut-il avec un air de satisfaction. Vous êtes ben bonne avec moi, M'man, dit-il en lui souriant affectueusement.

— C'est correct, t'es mon gars après tout. Oublie jamais que la famille c'est sacré. Quand tu deviens parent, tu l'es jusqu'à la fin de ta vie. T'es un bon gars, tu l'as pas eu facile depuis un bout'… ça fait que ça me fait ben plaisir de t'aider.

Sentant qu'ils allaient s'attendrir, elle se leva de table, ajoutant :

— Bon, ben c'est pas tout ça, y faut que t'ailles travailler.

Étienne comprit le message et se leva à son tour. Il changea le sujet de la discussion en parlant de ce qu'il allait devoir faire au club dans la journée. Il aimait tendrement sa mère, mais n'oserait jamais lui dire. Ces choses-là se sentent, mais ne se disent pas facilement avec des mots. Il le lui démontrait depuis plusieurs années en la gardant près de lui. C'était sa façon de lui dire qu'il tenait à elle.

* * *

Ce lundi matin donc, Étienne partit avec les 35 piastres dans ses poches. Il se sentait tellement heureux. Il allait enfin poser un geste concret qui servirait à améliorer le sort de sa famille. Ce serait un grand souci de moins.

Parmi les premiers colons qui s'étaient installés à La Minerve, il y avait la famille d'Isaac Grégoire. M. Grégoire avait en effet plusieurs vaches à lait. Il se faisait un honneur de dire à qui voulait bien l'entendre qu'il avait les plus belles génisses du village.

Arrivé au club, le bon père de famille discuta avec son frère de l'achat qu'il prévoyait faire le plus tôt possible.

— Omer, c'est aujourd'hui que j'achète ma vache, lui lança-t-il avec la mimique enjouée de celui qui va réaliser un rêve.

— C'est une bonne nouvelle ça. Sais-tu de qui tu vas l'acheter ? interrogea Omer, curieux. Il y a monsieur Grégoire qui pourrait peut-être t'en vendre une, mais as-tu demandé à monsieur Séguin en haut de la côte ?

— Ben non. T'es le premier à qui j'en parle. Il paraît que les vaches de monsieur Grégoire sont ben belles pis en santé. De toute façon, je sais pas si monsieur Séguin en a assez pour m'en vendre une. J'avais dans l'idée d'aller chez M. Grégoire à la fin de la journée pour voir quel prix il me ferait. Penses-tu que tu pourrais me prêter ton boghei pour y aller ?

— Ben sûr, mais je vais faire mieux que ça, je vais y aller avec toi, proposa Omer. Puis après, j'irai te reconduire chez vous.

Étienne se réjouit de la réponse de son frère.

— Ah ben, c'est pas de refus. T'es ben fin, c'est sûr que ça m'accommode.

Après leur journée de travail au club, Omer et Étienne prirent la direction de la ferme de M. Grégoire qui ne se trouvait pas très loin. La route n'était pas trop mauvaise, sauf pour la grande côte qui commençait juste après le cimetière. Les chevaux en arrachaient dans cette montée-là.

En arrivant, Etienne remarqua, près de l'étable, un grand gaillard, au front large et aux cheveux clairsemés. Il portait fièrement une barbe taillée à la Souvorov. Omer lui fit signe de la main tout en se rapprochant avec son attelage.

— Monsieur Grégoire ! cria-t-il dans sa direction en formant un porte-voix avec ses mains.

L'homme marcha vers eux.

— Ah ! Monsieur Bruneau ! C'est ben vous ?

Les deux frères descendirent du boghei et s'approchèrent du fermier. Étienne voulut faire les premiers pas et tendit la main en se présentant.

— Bonjour Monsieur, je suis Étienne Bruneau, Steve pour les intimes ! Je suis le frère d'Omer. Ça me fait plaisir de vous rencon...

Il n'avait pas fini sa phrase qu'une quinte de toux le prit par surprise. Ça faisait déjà quelques jours que ses poumons ne lui avaient pas causés de problème et il s'était surpris à penser qu'il allait mieux. Omer s'excusa pour son frère pendant que Steve s'éloignait pour reprendre son souffle.

L'homme qui arrivait tout juste de faire le train, s'essuya les mains sur ses *overalls*[25] et s'approcha d'Étienne en lui tendant la main. Celui-ci avait réussi à contrôler sa toux et revenait vers les deux hommes. Monsieur Grégoire prit la parole.

— Je suis content de vous connaître, monsieur Bruneau. C'est vous qui avez acheté la terre d'Edgar Talbot, à ce qu'on dit ?

Étienne fut un peu surpris d'entendre que ce villageois, qui habitait à quelques milles de chez lui, ait déjà entendu parler de leur installation au lac Désert.

— Les nouvelles vont vite, dit-il en toussotant et souriant à la fois et regardant du coin de l'œil son frère.

Omer souriait également, mais il n'ajouta rien. C'est plutôt monsieur Grégoire qui poursuivit.

— C'est sûr que dans un petit village comme icitte, on se tient au courant des nouveaux arrivants. En tout cas, on est ben heureux d'avoir du nouveau monde. C'est ben de valeur pour ceux qui décident de partir, mais on est contents quand y'en a d'autres qui s'installent dans notre beau coin de pays.

Il enchaîna sans attendre de réponse.

— C'est pas toujours facile de vivre dans le Nord, mais y'a ben des compensations, et, pour appuyer ses dires, il fit un grand signe de la main en montrant le paysage tout autour. C'est pas beau ça ? questionna-t-il. Et pis l'air est pur icitte, rajouta-t-il en s'adressant à Steve comme s'il devinait ses graves problèmes de santé.

Étienne et Omer l'écoutaient et attendirent qu'il finisse ses politesses pour parler affaires. Mais la curiosité de l'homme n'était pas assouvie et il continua de questionner.

---

25   Anglicisme: salopette, par-dessus de travail.

— Vous êtes venu avec toute votre famille, j'imagine. Êtes-vous marié ? Avez-vous des enfants ?

Selon son habitude, il ajouta :

— Moi pis ma femme on en a eu huit. Cinq gars pis trois filles. Louis, mon plus vieux, s'est marié avec Laurette Ste-Marie, la fille d'Arthur pis ils ont déjà trois enfants : Lucien, Paul-Émile pis la p'tite dernière Laurence. Ça fait ben du monde autour de la table, mais astheure j'ai laissé le gros du travail à mon gars. C'est lui qui a repris la terre. J'ai soixante-dix ans vous savez ? Il faut que je pense à me reposer. On a travaillé dur, ma femme pis moi depuis qu'on est arrivés icitte en 1885. J'vous dis qu'y avait pas grand monde dans ce temps-là. Les deux frères se regardèrent. Ils auraient bien voulu l'écouter raconter son histoire, mais le jour tombait rapidement et ils souhaitaient conclure le marché le plus rapidement possible afin d'arriver à la maison avant la noirceur.

Omer se gourma pour attirer l'attention du propriétaire, et celui-ci comprit que ses visiteurs avaient quelque chose à lui demander. Il ajouta donc pour finir :

— En tout cas, si je peux vous aider en quoi que ce soit, vous avez juste à demander.

Puis il se tut. Étienne profita des quelques secondes de silence pour lancer sa demande.

— Justement, Monsieur, je me demandais si vous pouviez me vendre une de vos vaches. Pour l'instant, j'ai juste un cochon pis quelques poules. On dit que vous avez des belles vaches en santé. Je suis prêt à en acheter une aujourd'hui, si vous voulez. J'ai apporté de l'argent, termina-t-il en sortant les billets de sa poche de pantalon.

Ce pionnier qui avait besogné toute sa vie et qui en avait vu de toutes les couleurs était heureux de rendre service à un nouveau venu. Lui aussi y trouvait son compte. L'argent se faisait rare dans les contrées où les colons s'étaient établis et cet argent-là servirait à acheter des denrées essentielles. Peut-être même quelques gâteries pour sa Marie. Ils conclurent donc le *deal*[26] sur le champ et Étienne repartit chez lui

---

26   Anglicisme: un marché, une affaire.

avec une jeune génisse d'un an. Comme il avait payé sa vache moins chère qu'il avait pensé, il lui restait onze piastres sur les 35 que sa mère lui avait données. Ce montant allait servir à acheter une tonne de foin pour nourrir sa nouvelle acquisition pour l'année à venir.

* * *

L'été passa à une vitesse incroyable. Il avait fait beau et chaud et la canicule avait sévi durant les derniers dix jours du mois de juillet. Les enfants en avaient profité pour se baigner dans les eaux fraîches du lac Désert. C'était un nouveau jeu pour eux et ils apprirent à nager très rapidement. Le lac Désert était ce qu'on appelle un lac de tête. Il était alimenté par de nombreuses sources souterraines et plusieurs petits ruisseaux y jetaient leurs eaux claires et froides tout autour. Il n'y avait qu'un petit lac plus haut qui s'y déversait. La température de l'eau ne montait que très rarement au-dessus de 75° F. Henri, avec l'aide de son père, avait construit un quai. Ils avaient commencé à empiler, sur la rive, les nombreuses roches qui jonchaient le rivage. Les pierres ainsi accumulées formaient peu à peu un petit muret. Sous les roches, on découvrait parfois des huîtres de lac qu'affectionnaient les rats musqués et les castors. Les enfants s'amusaient à les faire sécher en plein soleil. Sous l'effet de la chaleur, les huîtres finissaient par s'ouvrir d'elles-mêmes et au moment où il y avait une petite ouverture, Louis et Henri qui attendaient patiemment, couchés à plat ventre sur le quai, se dépêchaient de glisser une branche dans la mince ouverture. C'était à celui qui réussirait à en ouvrir le plus. Si, par malheur, on touchait à la coquille, elle se refermait aussitôt, et tout était à recommencer. Un autre jeu consistait à crever une boule de gomme de sapin directement sur le tronc de l'arbre avec un bout de bois. La gomme ainsi ramassée, les garçons revenaient vers le lac et déposaient leurs branches une à côté de l'autre sur la surface de l'eau. C'est Henri qui donnait le coup d'envoi : « Un, deux, trois, go ! Vas-y Louis, lâche ta branche. » Aussitôt que le petit bout de bois touchait l'eau, il filait tel un bateau propulsé par un moteur. C'était un jeu que tous les enfants adoraient.

Quand leur grand-mère n'avait pas besoin d'eux, les enfants partageaient leur temps entre la baignade, les escapades dans le bois ou la cueillette de petits fruits. Au début du mois de juillet, suite à la demande de leur grand-mère, les enfants avaient ramassé des fraises des champs. Eugénie avait fait des confitures et des tartes et toute la famille avait été impressionnée par son talent de cuisinière. Elle avait maintenant presque seize ans et avait acquis pas mal de connaissances dans l'entretien d'une maison. Elle espérait pouvoir se marier un jour et avoir des enfants à son tour. Après les fraises, ce fut le temps des framboises, puis des bleuets. Mémère exigeait que tous les enfants participent à la cueillette. Henri avait bien essayé de se défiler en prétextant qu'il avait des corvées bien plus importantes.

— Mémère, avait-il argumenté un jour, c'est moi qui fais les éclisses, c'est moi qui nourris les poules pis le cochon. Il me semble que je devrais pas être obligé d'aller cueillir des framboises en plus ! De toute façon, Louis et Eugénie sont meilleurs que moi parce qu'ils ont des plus petits doigts. Moi, je les écrase quand je les ramasse !

La grand-mère n'avait rien voulu entendre et avait répondu du tac au tac :

— Henri, arrête-moi ça tout de suite. C'est toi le plus vieux des garçons, t'es capable d'en faire plus que les autres. Et puis, tu dois donner l'exemple. Tout le monde va y aller, comme ça, ça va être moins long.

Et la discussion s'était terminée ainsi. Quand Mémère demandait, on s'exécutait.

Dans ses temps libres, Henri avait découvert les joies de la pêche. Avec son petit frère, il s'était fabriqué un manche de ligne avec une branche d'arbre, une petite corde fournie par son père et un hameçon que son oncle lui avait offert avec plaisir. Le matin, il se levait avant tout le monde, sortait sur la pointe des pieds, attrapait au passage un morceau de pain qu'il fourrait dans la poche de son pantalon, ramassait sa ligne à pêche et se dirigeait vers le lac. Il y demeurait jusqu'à ce qu'il entende sa grand-mère l'appeler. La plupart du temps, il revenait avec quelques truites. Il s'y trouvait souvent à l'heure où le soleil se levait. Il aimait admirer cette boule de feu qui prenait forme à l'est, tout au fond du lac. Henri n'avait jamais vu de paysage pareil à Montréal. Il était très heureux de son sort, même si vivre à la campagne était plus exigeant pour lui que vivre à la ville. Cela lui rappelait un peu les quelques semaines passées chez sa grand-mère maternelle à Saint-Benoît. Suite au décès de sa mère, Mémère Corbeil, Joséphine Tessier-Lavigne, l'avait pris en charge pour un été. Elle habitait ce village depuis qu'elle avait épousé en deuxièmes noces Louis Corbeil, le 5 mai 1896, huit mois seulement après le décès de son premier mari Edmond Laflamme.

Louis, qui était plus jeune, avait reçu comme directive de ne pas s'éloigner de la maison sans son frère ou sa sœur. Il jouait donc autour, ainsi sa grand-mère pouvait avoir un œil sur lui. Son père lui avait fabriqué une balançoire qu'il avait accrochée à une branche de la grosse épinette derrière la maison. Il s'amusait aussi à ramasser des vers de terre pour la pêche d'Henri, et à attraper des papillons.

Blanche, qui était restée à Montréal, écrivait régulièrement à sa famille. Elle aimait bien habiter chez son oncle Parfait et sa tante Eugénie. Celle-ci étant une des sœurs de sa mère, elle prenait grand soin de sa nièce qu'elle affectionnait. En effet, deux des frères Bruneau, Parfait et Étienne, avaient marié trois des sœurs Laflamme, Eugénie, Laura et Angelina. Les cousins et cousines étaient donc très proches. Leurs liens familiaux étaient en réalité des frérots et des sœurettes, car ils avaient exactement la même parenté, autant du côté de leur père que du côté de leur mère. Blanche était donc satisfaite de son sort. Elle travaillait toujours à confectionner des chapeaux et avait rencontré dernièrement un jeune homme du nom d'Oscar Caron.

* * *

Un matin de la fin du mois d'août où il pleuvait à boire debout, Rose-Délima et Eugénie s'affairaient déjà dans la cuisine. Après avoir vu la température à l'extérieur, elles s'étaient entendues pour préparer quelques plats à l'avance ainsi que des confitures et des marinades qui se conserveraient tout l'hiver. Il y avait déjà un ragoût qui mijotait sur le feu et des galettes à la mélasse au fourneau. Les garçons, quant à eux, tournaient en rond et se chamaillaient n'ayant rien trouvé de mieux à faire.

Eugénie regarda sa grand-mère d'un air exaspéré.

— Franchement, Mémère, ils sont ben tannants[27] à matin. Vous avez rien à leur faire faire ? J'sais pas moi, ils pourraient nous aider à faire du ménage pendant qu'on fait la cuisine !

Rose-Délima s'essuya les mains sur son tablier et se retourna vers ses petits-fils.

— Bon, c'est assez les gars ! Calmez-vous ! On n'arrive plus à s'entendre penser ici dedans. Venez donc vous installer à la table.

Henri et Louis, obéissants, se calmèrent et vinrent s'asseoir tout penauds. Louis prit la parole.

— Qu'est-ce qu'on va faire, Mémère ? On est en pénitence ? Allez-vous le dire à P'pa qu'on n'a pas été fins ?

Rose-Délima quitta la pièce sans répondre et monta à l'étage. On pouvait l'entendre ouvrir et fermer les tiroirs de sa commode. Elle redescendit quelques minutes plus tard avec une planchette et une petite pochette de coton qui cliquetait en suivant le rythme de ses pas.

— Qu'est-ce que c'est, Mémère ? questionna Louis, curieux.

— C'est un jeu de dames. Je l'ai acheté avant de partir de Montréal. Mais je le gardais justement pour une journée comme aujourd'hui, dit-elle en s'adressant à l'aîné de ses petits-fils.

— Henri, tu sais comment jouer, ça fait que tu vas montrer à ton petit frère. Apprends-lui comme il faut, pis triche pas !

Elle leur remit les pièces du jeu et retourna à ses victuailles.

— On va avoir la paix pour un p'tit bout de temps, ajouta-t-elle en souriant à sa petite-fille.

---

27   Québécisme: enfant espiègle.

Chapitre 4

Les enfants reprirent l'école le mardi après la Fête du travail. Depuis l'année 1894, cette fête avait été instaurée pour honorer les ouvriers. C'était toujours le premier lundi du mois de septembre. Eugénie voulut continuer ses études, mais le couvent le plus proche était à Nominingue. Son père lui apprit qu'elle ne pourrait pas y aller puisqu'il ne serait pas en mesure de payer les frais de pensionnat. Elle fut très déçue de cette décision. Le cœur gros à l'annonce de la nouvelle, elle s'enfuit dans sa chambre et pleura une partie de la soirée. Sa grand-mère alla frapper à sa porte.

— Eugénie ! Ouvre la porte, c'est Mémère. Arrête de pleurer. On va te trouver des livres, tu pourras continuer à apprendre. T'es quand même chanceuse d'avoir pu aller à l'école aussi longtemps. Eugénie, ouvre !

Elle avait eu beau insister, Eugénie n'avait pas répondu. Elle se sentait seule sans sa sœur et n'avait personne à qui se confier. En ce moment précis, Blanche lui manquait énormément. Elle aurait voulu qu'elle soit là, près d'elle, pour la consoler et lui dire quoi faire. Sa mère étant morte jeune, sa grande sœur avait toujours été très importante pour elle. Elle trouvait que ses frères étaient chanceux de pouvoir aller à l'école du village et éprouvait une certaine jalousie. Elle pensait : « On sait ben, c'est des gars ! Y'en a toujours que pour eux ».

Quelques semaines plus tard, la crise était passée. C'est Henri qui, un soir autour de la table, pendant le souper, osa se plaindre à son père.

— P'pa, vous savez à l'école c'est pas fameux.

Il arrêta après cette première phrase pour sonder l'expression sur le visage de son père, puis reprit de plus belle lorsqu'il vit qu'il avait obtenu son attention.

— Tout ce que nous enseigne Mlle Bellefleur, je le sais déjà, c'est toutes des affaires que j'ai apprises à l'école en ville.

Son père l'écouta et lui demanda s'il en avait parlé à son institutrice.

— Elle te connaît pas, elle le sait peut-être pas que c'est des affaires que tu sais déjà. Faudrait que tu lui dises. Elle pourrait peut-être te prêter des livres ou te faire faire des calculs plus compliqués.

— Ben non, P'pa, j'suis trop gêné pour lui en parler. J'aimerais mieux que ce soit vous.

Étienne, qui finissait son morceau de tarte au sucre, se lécha les doigts et se redressa pour s'accoter sur le dossier de sa chaise. À son air, on pouvait imaginer qu'il réfléchissait à ce qu'il allait répondre à son plus vieux. Il se leva, remit en place ses grosses bretelles qu'il avait laissées tomber pendant le repas et se dirigea vers sa chaise berçante.

— Je vais essayer de lui parler après la grand-messe dimanche prochain. On va ben voir ce qu'elle pense de ça. En attendant, tu vas continuer d'aller à l'école.

Rose-Délima avait écouté la discussion avec intérêt. Elle se versa une tasse de thé, ainsi qu'une à son fils et proposa :

— Étienne, si ce qu'Henri dit est vrai, il pourrait rester à la maison pis nous donner un coup de main sur la terre. Toi, tu travailles presque tous les jours au club; pendant ce temps-là, le travail ici se fait pas. On va avoir besoin de bois de poêle pour l'hiver. On n'aura pas assez de ce qu'il y a dans la remise.

Le père regarda son fils. Il ne le trouvait pas bien fort pour la grosse besogne. Par contre, il savait qu'il devrait en arriver là un jour. Il fallait effectivement qu'il lui apprenne à s'occuper de la terre. Lui, vieillirait, et il lui faudrait de l'aide un jour ou l'autre.

— Bon, ben si ta grand-mère est d'accord pour te garder, pis si tu veux ben donner un coup de main, c'est correct avec moi. J'suis ben content des études que t'as faites. Tu sais lire, écrire pis compter. Ça devrait être assez pour que tu puisses te débrouiller dans la vie. Demain, tu iras quand même à l'école. Je veux que tu ailles reconduire Louis, le temps qu'il connaisse les autres p'tits gars. En même temps, t'avertiras ta maîtresse que c'est ta dernière journée.

Étienne se sentait un peu coupable, mais que pouvait-il faire de mieux ? Ici, dans le Nord, il n'y avait pas d'école pour faire des hautes études. L'école c'était la vie, et la vie c'était la terre. Henri apprendrait, comme il le faisait lui-même depuis son arrivée à La Minerve. Le lendemain, donc, Henri accompagna son frère à l'école du rang comme lui avait recommandé son père. Il répéta à sa maîtresse la discussion qu'il avait eue avec son père et sa grand-mère la veille. Mlle Bellefleur comprit et accepta la situation. Elle lui souhaita bonne chance. Elle était habituée à ce que les enfants arrêtent l'école très jeune. Certains arrêtaient après la troisième année, tandis que les plus chanceux se rendaient en septième année. C'était le cas d'Henri.

Henri fut donc assigné, à partir de ce jour, à fournir la maison en bois de poêle. Au début, il partait dans le bois à la recherche d'arbres déjà tombés et les sciait en bûches avec un *buck-saw*[28]. Son père venait l'aider lorsqu'il avait une journée de congé. À cette période de l'année, il y avait encore beaucoup d'hommes qui venaient au club. La saison de la pêche était finie, mais la chasse ne faisait que commencer.

Le mardi 17 octobre était le jour de l'anniversaire d'Henri. Après un bon souper fait de ragoût de perdrix, Eugénie se leva en douce et revint avec un gros gâteau dans les bras. Tous se mirent à lui chanter une nouvelle chanson à la mode pour célébrer les anniversaires de naissance :

Happy Birthday to you, Happy Birthday to you, Happy Birthday, cher Henri, Happy Birthday to you !

— Allez, souffle les chandelles ! lui ordonna Louis qui applaudissait en sautillant sur sa chaise. C'est pour envoyer les démons, hein Mémère ?

— Oui, mon p'tit gars. La lumière des chandelles va protéger Henri pour toute l'année. En tout cas c'est c'qu'on dit.

— Attends, Louis, je veux les compter.

Henri se tenait debout avec son gâteau juste en face, le sourire fendu jusqu'aux oreilles. Les bougies brûlaient rapidement et la cire coulait sur le glaçage au beurre.

— Allez, souffle ! répéta Louis.

---

28   Anglicisme: scie à bois.

— C'est moi qui l'ai fait, dit Eugénie. Ben vas-y, Henri, souffle, sinon on va manger plus de cire que de gâteau !

Sur ces paroles, tout le monde se mit à rire. Henri inspira un bon coup et souffla sur les bougies qui s'éteignirent toutes en même temps. Il venait d'avoir quinze ans.

— Bon, astheure les cadeaux, s'empressa de dire son père.

Il se leva et disparut dans sa chambre à coucher. Il revint avec quatre paquets emballés de papier brun et attachés avec de la ficelle. Henri se rassit et commença à déballer ses présents. Sa grand-mère lui offrit une nouvelle chemise de coton ainsi qu'un pantalon d'étoffe qu'elle avait cousu. Son père lui donna de nouvelles bottes de cuir qu'il avait obtenues grâce à un client du club. Eugénie lui avait tricoté une nouvelle tuque et un foulard pour l'hiver qui s'en venait, et Louis lui avait emballé une de ses toupies qu'il avait reçues à un Noël précédent. Henri était heureux. Il avait le cœur rempli d'amour. Il aimait beaucoup sa famille et il eut une pensée pour sa grande sœur Blanche qu'il n'avait pas revue depuis le mois de juin.

* * *

Les premières neiges arrivèrent à la mi-novembre. Il faisait de plus en plus froid et la maison mal isolée était une vraie glaciaire. C'était une habitation de bois construite sur un solage de fortune, fait d'un amas de pierres renchaussées par de la terre. Le vent s'engouffrait dans les murs à plusieurs endroits. Les membres de la famille avaient ordre de ne plus laisser le poêle s'éteindre. Par contre, c'était la responsabilité du père de se lever la nuit pour l'alimenter. Le plancher devenait de plus en plus froid et les femmes avaient commencé à tricoter des bas de laine pour tenir les pieds au chaud. Étienne avait commencé à calfeutrer les trous avec de la barbe de blé d'Inde ramassée chez un voisin cultivateur et il s'était promis qu'il finirait l'extérieur de sa maison en bardeaux de cèdres le printemps prochain. Il ne passerait plus un deuxième hiver comme celui-là.

La veille de Noël était un dimanche. Ce qui faisait deux messes dans la même journée. La grand-messe du dimanche matin et la messe de minuit. Ce fut Louis, le petit, qui s'en plaignit. Il ne comprenait pas grand-chose à ce que racontait le curé et trouvait que c'était long et ennuyant. Pour l'encourager, sa grand-mère lui rappela que c'était pendant la messe de minuit que Saint-Nicolas apportait les cadeaux et les déposait sous le sapin.

Quelques jours auparavant, Étienne était allé couper un beau sapin de sept pieds qu'il avait installé dans un coin du salon. Lorsqu'on y entrait, on sentait tout de suite cette odeur très particulière et tellement agréable. Le même soir, après le souper, il se rendit dans sa chambre, sortit deux caisses de bois de sous son lit et les apporta au pied du sapin. Les trois enfants se tenaient auprès de lui et attendait avec curiosité que leur père ouvre les caisses. Ils savaient que c'était les décorations pour l'arbre de Noël qui s'y trouvaient, mais d'une année à l'autre, l'émerveillement demeurait le même. La magie revint instantanément lorsque leur père souleva le premier couvercle.

— Wow ! Que c'est beau ! Qu'est-ce que c'est ? s'empressa de demander Louis, ses petites mains fouilleuses déjà à l'intérieur de la boîte.

— Touche pas, Louis, répondit son père. Attends, je vais tout sortir de la boîte et vous allez tous m'aider à décorer l'arbre.

Puis, s'adressant à Eugénie, il ajouta :

— Toi, ma belle, tu peux accrocher les boules en verre *mercury*[29]; ce sont les plus fragiles, ça prend des p'tits doigts de fée comme les tiens pour pas les casser.

Eugénie, toute fière, prit en charge la boîte de boules que son père lui avait confiée et commença à les accrocher dans le sapin.

— Toi, Henri, tu vas monter dans l'escabeau pour installer l'étoile du berger sur le faîte du sapin.

— Ok, P'pa, répondit-il, partant en courant chercher l'escabeau dans la remise.

— Pis moi, P'pa, interrogea Louis d'un air attristé en tirant sur la veste de son père, j'peux pas en placer des décorations ?

---

29   Anglicisme : verre mercurisé

— Ben sûr que tu peux nous aider, répondit Steve tout en se penchant vers son benjamin. Et tu vas faire quelque chose de très important. Je dirais que c'est la décoration la plus importante. Tu vas monter la crèche. C'est toi qui va placer Marie, Joseph, l'âne, le bœuf et les trois rois mages. Si je me souviens bien, il devrait y avoir aussi un berger et des moutons blancs.

En entendant ce que son père lui demandait, le visage de Louis s'illumina. Son père avait confiance en lui puisqu'il lui donnait un travail très important à faire. Son petit cœur battait à tout rompre quand Étienne lui tendit la boîte de personnages.

— Attends, il manque la crèche. Il tourna les talons et se dirigea vers la grande armoire du salon. Il en ouvrit la porte, descendit de la dernière tablette une jolie crèche faite de petits rondins de bois et la déposa au pied du sapin. Les enfants s'extasièrent devant le travail minutieux que leur père avait accompli.

— Maintenant, tu peux ouvrir la boîte et commencer, dit-il à son petit garçon qui attendait avec impatience l'accord de son père.

Louis s'amusa pendant des heures à placer les personnages de la crèche. Il prit du temps à se rendre compte que le petit Jésus manquait. Il n'était pas sûr de vouloir le dire à son père de peur d'être puni, car c'était peut-être lui qui l'avait perdu en jouant. Il était resté seul dans le salon, car tous les autres avaient terminé leurs besognes. Il entra dans la cuisine sur la pointe des pieds avec un air piteux. C'est sa sœur Eugénie qui le vit arriver ainsi.

— Qu'est-ce que t'as, Louis ? Dis-moi pas que t'as cassé une boule ? P'pa, j'suis certaine que Louis a fait une bêtise, regardez-le !

Étienne leva les yeux de son journal qu'il lisait tranquillement assis dans sa chaise berçante installée en permanence près du poêle.

— Louis, as-tu cassé quelque chose ?

— Non, P'pa, j'ai rien cassé. Mais... ajouta-t-il la larme à l'œil, je trouve pas le petit Jésus. Je pense que je l'ai perdu. Et il se mit à sangloter.

Étienne se leva et se dirigea vers son garçon. Il s'accroupit pour se mettre à sa hauteur et en lui essuyant les yeux avec ses pouces, le rassura.

— Ben non, Louis, tu peux pas avoir perdu le petit Jésus, puisqu'il est dans mon tiroir de bureau, dans ma chambre.

Louis cessa aussitôt de pleurer et releva la tête pour plonger ses yeux dans ceux de son père. Il n'avait pas besoin de parler, à son regard seulement, Étienne savait qu'il lui demandait des explications.

— J'ai enlevé le petit Jésus de la boîte parce qu'il n'est pas encore né ! Je voulais pas le placer tout de suite dans la crèche. La veille de Noël, quand on va revenir de la messe de minuit, on ira tous les deux le chercher et tu le placeras avec ses parents Marie et Joseph.

Les autres assistèrent à la scène sans dire un mot. Ils avaient encore la preuve que leur père était un homme attentif et qu'il aimait tendrement ses enfants.

Le 24 décembre au matin, il neigeait. Heureusement, il ne faisait pas très froid. Le mercure du thermomètre oscillait autour du point de congélation. Par contre, il y avait de fortes bourrasques de vent. Le lac était gelé, mais pas encore assez pour le traverser avec la *sleigh*[30]. Les habitants du village disaient que la température douce et l'épaisse couche de neige ne favorisaient pas la prise de glace, et que, pour l'instant, c'était de la folie de vouloir traverser. Steve avait donc averti ses enfants qu'il ne voulait pas les voir jouer près du lac.

La neige s'était accumulée dans la cour et lorsque vint le temps d'aller à la messe de minuit, il fallut qu'Henri sorte avec son père afin de dégager un passage pour laisser passer la *sleigh*. Comme la famille ne possédait pas encore de cheval, c'est l'oncle Omer qui viendrait les chercher pour les amener à la messe de minuit. Le vent soufflait toujours autant et ce ne serait pas une balade de tout repos pour se rendre à l'église. Heureusement qu'ils n'avaient que deux milles à

---

30   Anglicisme : traîneau.

faire. Lorsque l'horloge sonna onze heures, Étienne entendit les grelots de l'attelage conduit par son frère approcher de la maison.

— Bon, préparez-vous, votre oncle Omer vient de rentrer dans la cour. Si on veut pas manquer le début de la messe, on est mieux d'y aller tout de suite.

Tout le monde enfila manteaux, tuques, bottes, foulards sans oublier les mitaines. Rose-Délima prit soin de vérifier que ses petits étaient bien habillés pour affronter le froid.

— Que j'en vois pas un sortir sans sa tuque, leur lança-t-elle tout en attachant sa capine[31] de feutre. Louis, viens ici que je regarde comment tu t'es attriqué. Si ça a du bon sens de s'habiller comme ça, t'es-tu vu ? Tu t'es boutonné en jaloux ! lui dit-elle tout en le reboutonnant comme il faut. La grand-mère se retourna vers Eugénie tout en continuant sa phrase.

— Ta grande sœur aurait pu t'aider, hein Eugénie ? Ou bien si t'es trop occupée à te mettre sur ton trente-six pour les p'tits gars ? dit-elle pour l'agacer.

— Ben non, Mémère, répliqua-t-elle sur-le-champ, arrête de me faire étriver, tu sais ben que j'suis ben trop gênée.

Et elle s'emmitoufla dans un grand foulard qu'elle avait tricoté spécialement pour l'occasion.

— Bon, j'suis prête.

Étienne ouvrit la porte en même temps qu'Omer s'apprêtait à entrer. Il commençait à être impatient : « Êtes-vous prêts là ? Parce qu'il faut partir, il est rendu onze heures et quart. Grouillez-vous ! »

Louis sortit, suivi de sa sœur, de son frère et de sa grand-mère. Étienne suivait et ferma la porte derrière lui. Arrivée dehors, Rose-Délima sentit le vent glacé s'infiltrer sous son manteau. La température devait avoir baissé de dix degrés depuis l'après-midi.

---

31   Québécisme : de capeline, chapeau de femme à grands bords souples.

— Attendez une minute, demanda-t-elle, je vais aller chercher des piqués, sinon on va arriver gelés comme des cortons[32] à l'église.

Elle reprit la direction de la maison et en ressortit quelques minutes plus tard avec deux grosses couvertures fabriquées avec de vieux vêtements coupés en petits carrés et cousus ensemble.

— Avec ça, on n'aura pas froid.

Henri avait préparé un contenant en métal, à la demande de son père, dans lequel il avait mis des braises du poêle à bois. Il le déposa aux pieds des dames, ce qui les aiderait à garder leurs pieds au chaud pendant le trajet pour se rendre au village.

L'église de la paroisse Ste-Marie de La Minerve était assez récente, construite seulement depuis 1903. Son emplacement définitif avait fait beaucoup jaser. D'abord, en 1888, le diocèse d'Ottawa avait donné un lot d'une superficie de 50 acres au lac Désert pour la construction d'une chapelle. Ce qui avait du sens, car il y avait déjà un moulin à farine et un moulin à scie installés auprès de ce lac. Sauf que les gens qui habitaient plus près du lac Chapleau ne l'entendaient pas de cette façon. Eux aussi voulaient que l'église soit construite près de chez eux.

Dix ans plus tard, en 1898, Wilfrid Desmarteaux, habitant à La Minerve, fit parvenir une lettre à Mgr Duhamel en mentionnant dans sa correspondance qu'il donnait un terrain pour la construction de l'église si celle-ci s'érigeait au « village ». Encore là, ce n'était pas dans la poche. Il fallut attendre encore un an pour que Mgr Duhamel demande au curé Ouimet de Saint-Jovite d'agir en tant que modérateur en lui disant de trancher la question une fois pour toutes. Plusieurs habitants suivirent l'exemple de Wilfrid Desmarteaux qui ajouta à sa donation de terrain sa propre maison plus 10 $ en argent. Son frère, Arthur Desmarteaux donna 50 $ et Georges Grégoire 20 $. La décision ne fut donc pas difficile à prendre

---

32   Québécisme : être transi de froid. Couramment on disait aussi geler comme des cretons.

pour le curé de St-Jovite. Il rendit compte à Mgr Duhamel qui donna finalement son accord pour la construction dans un emplacement qu'on appelait maintenant le « village ».

Le curé Pierre Delabre, nouvellement arrivé dans l'année, patientait depuis longtemps. Ses servants de messe étaient deux garçons de l'âge d'Henri, Émile Poupart et Albert Sauriol. La messe commença à minuit tapant. Monsieur le curé n'appréciait pas que ses ouailles arrivent en retard à ses offices. Il s'apprêtait à célébrer sa première messe de minuit avec ses paroissiens et se sentait légèrement nerveux. La cérémonie débuta par le « Minuit Chrétien » chanté par Pharaïde Séguin. Tout le village était présent, sauf quelques vieilles personnes qui avaient de la difficulté à se déplacer et quelques jeunes mamans qui avaient préféré rester avec leur nouveau-né à la maison. Étienne, Rose-Délima et les enfants s'installèrent sur le même banc que la famille d'Omer.

En ce temps-là, la messe se disait en latin, sauf pour l'homélie. Justement, le curé s'était surpassé cette année avec un sermon qui s'étira pendant près d'une heure. Résultat, les paroissiens sortirent de l'église à une heure et demie du matin. Louis s'était endormi sur les genoux de son père qui, lui-même, commençait à cogner des clous quand enfin il entendit le chant annonçant la finale « Les anges dans nos campagnes ». Il trouva touchant les « gloooria » chantés par la chorale. En fin de compte, il se trouvait heureux ici à La Minerve. Il appréciait tout particulièrement le fait d'habiter dans un petit village où tous les gens se connaissaient et s'entraidaient. Il se surprit à regarder le Christ sur sa croix et à le remercier de ce que la vie lui avait donné jusqu'à maintenant. Sa santé avait pris du mieux, il ne toussait presque plus et ne crachait plus de sang. Est-ce que ça voulait dire que ses poumons guérissaient ?

Rose-Délima et Eugénie avaient préparé à l'avance tout ce qu'il fallait pour un beau réveillon. Des tourtières, du ragoût, des cretons et de la tête à fromage. Tout ça servi avec des patates, des carottes et des navets coupés en morceaux. Pour dessert, il y avait de la tarte au sucre, de la tarte aux œufs, de la tarte aux raisins, des galettes à la mélasse, des meringues et des biscuits au sucre qu'Eugénie s'était amusée à découper en forme de sapins et d'étoiles pour l'occasion.

Chapitre 4

En arrivant de la messe de minuit, les femmes avaient mis les plats à réchauffer dans le four du poêle à bois et tout le monde s'était retrouvé devant le sapin. Comme à chaque année, le Saint-Nicolas était passé pendant que tout le monde était à la messe. Il avait laissé à Louis un traîneau en bois, à Henri une paire de raquettes, à Eugénie une nouvelle robe, à Rose-Délima de nouveaux gants pour le dimanche et à Étienne un foulard et des mitaines ainsi qu'un sac de *papparmanes*[33]. Après la distribution des cadeaux, tout le monde s'assit autour de la table et mangea de bon appétit.

Étienne avait invité son frère Omer, sa femme Exilia et ses cinq enfants à venir réveillonner chez lui. Étaient présents également leur cousin Eddy Laflamme, arrivé depuis peu chez Omer et une domestique, Alphonsine Fugère, que personne n'avait voulu abandonner un soir de Noël. Il avait tenu à offrir le réveillon. C'était sa façon de le remercier pour tout ce qu'il avait fait pour lui et sa famille depuis leur arrivée à La Minerve. Il savait qu'il ne pouvait pas leur offrir de festin, mais il tenait à ce que tous ses proches soient réunis. Il avait eu la mauvaise nouvelle que Blanche ne viendrait pas pour Noël, quelques semaines auparavant, par une lettre qui lui fut apportée par le postillon. C'est Henri qui avait voulu lire la lettre et tout le monde s'attendait à ce que Blanche soit de la fête, mais son contenu disait tout le contraire. Tout d'abord, son oncle et sa tante ne feraient pas le voyage avec leurs enfants, car c'était trop de dépenses et Blanche, pour sa part, avait été invitée à souper le soir de Noël dans la famille de son prétendant Oscar Caron. Elle semblait très attachée et préférait demeurer près de son amoureux plutôt que de venir dans le Nord. Elle s'excusait et avait promis, à la fin de sa lettre, de faire son possible pour venir les visiter à Pâques.

À la lecture de cette lettre, Étienne n'avait pas dit un mot. Il était sorti pour aller « faire je ne sais quoi » dans la remise. Enfin, c'est ce qu'il avait donné comme raison pour aller passer son chagrin tout seul. Il était revenu au bout d'une demi-heure avec l'air un peu morose.

— Qu'est-ce que vous avez, P'pa ? demanda Louis, curieux.

---

33   De l'anglais peppermint : bonbon à la menthe.

— C'est rien, mon p'tit gars, c'est juste que des fois les grandes personnes ont besoin d'être un peu seules, pour réfléchir.

Il s'assit dans la berçante, près du poêle, l'air songeur.

— C'est à cause de la lettre de Blanche que vous avez de la peine ? questionna Louis de nouveau, grimpant sur les genoux de son père et se blottissant dans ses bras.

Étienne serra son petit garçon contre lui et lui répondit tendrement tout en le berçant.

— C'est sûr que j'aurais aimé ça que Blanche vienne faire son tour. Ça fait plus de six mois qu'on l'a pas vue. Toi, aurais-tu aimé ça voir ta grande sœur ?

— Oui, mais ça me dérange pas d'attendre jusqu'à Pâques parce qu'elle va peut-être m'apporter des surprises !

Cette réponse spontanée fit éclater Étienne d'un rire moqueur.

— Ah ben ! T'es un p'tit sacripant toi !

Encore une fois, Louis avait réussi à dérider son père.

Chapitre 5

Un travail d'homme

Au début de février de la nouvelle année, par un beau matin ensoleillé, Rose-Délima vit arriver une *sleigh,* sur le chemin d'habitude tranquille, qui entra dans la cour. Un homme en descendit et se dirigea vers la porte de derrière, car celle d'en avant était condamnée pour l'hiver. Rose-Délima laissa le temps au visiteur de frapper et s'empressa de lui ouvrir. Elle reconnut Pharaïde Séguin, un voisin qui n'habitait pas très loin, en haut de la côte.

— Bonjour madame Bruneau, excusez-moi de vous déranger dans votre quotidien, s'excusa-t-il.

— Entrez monsieur Séguin, vous me dérangez pas pantoute[34], lui répondit-elle pour le mettre à l'aise. Le jeune homme entra, mais demeura sur le tapis, car ses bottes étaient enneigées. Il enleva poliment son chapeau. C'est Rose-Délima qui enchaîna en demandant à son visiteur :

— Qu'est-ce qui vous amène de même si tôt à matin ? Votre femme est pas malade toujours ?

— Non, ma Maria va bien, merci. Les enfants aussi.

— Ah bon, tant mieux. Ils ont quel âge déjà vos p'tits ?

— Notre plus vieille Fernande va avoir deux ans en avril, pis Vianney, le p'tit dernier, a juste trois mois, répondit-il. Je venais pour vous parler de votre petit-fils Henri, continua-t-il en s'essuyant le nez du revers de sa mitaine de laine.

— Dites-moi pas qu'il a fait des bêtises ? questionna la grand-mère, inquiète.

Penser que son Henri pouvait avoir fait quelque chose de <u>répréhensible</u> était inconcevable pour elle.

34   Québécisme : pas du tout, aucunement.

— Non, non, au contraire. J'ai cru remarquer qu'il allait plus à l'école. Est-ce qu'il travaille ? s'enquit-il, curieux, en se grattant les oreilles qui dégelaient à cause de la chaleur que le poêle à bois dégageait.

— Ben, il travaille autour de la maison. C'est lui qui s'occupe de me faire du bois de poêle. Il va me chercher des voyages de croûte au moulin à scie, pis il me les recoupe en morceaux avant de les rentrer dans la maison. Il se rend utile. Il se débrouille pas mal pour un p'tit gars de la ville !

Le jeune marié de vingt-neuf ans se mit à raconter le motif de sa visite.

— Il viendrait pas travailler pour moi ? À vrai dire, ça serait plus pour m'accompagner que pour travailler. Quand je pars dans le bois, j'suis tout seul, pis ma femme ça l'inquiète comme le maudit. Vous savez, s'il fallait qu'il m'arrive un accident, que je me fasse estropier, je crèverais gelé dans le bois pis ma femme le saurait même pas. En plus, elle ferait ben une crise d'apoplexie ! Avec des bébés à maison, c'est pas ben bon de la faire s'inquiéter. Henri pourrait venir bûcher avec moi. Je le ferais pas travailler ben fort, avoua-t-il pour donner du poids à ses arguments.

Rose-Délima écouta attentivement tout ce que son voisin avait à dire. Elle connaissait la valeur du travail, mais savait très bien que son petit-fils n'avait pas d'expérience dans ce que Pharaïde Séguin lui demandait de faire. Elle pouvait pourtant se montrer dure quand on parlait d'argent. Elle prit quelques minutes en ayant l'air de réfléchir à la situation et lui demanda enfin :

— S'il travaille pour vous, allez-vous le payer ?

Monsieur Séguin, constatant que la grand-mère n'était pas contre l'idée, avança d'abord une idée.

— Ben, il faudrait voir qu'est-ce qu'il est capable de faire.

Ne constatant aucune réaction chez la grand-mère, il risqua donc une proposition.

— Je pourrais lui donner cinquante cents par jour.

Toujours pas de réaction de madame Bruneau. Alors il renchérit.

— Ben, vu qu'il va passer la journée avec moi, je pourrais le nourrir le midi. Et il attendit la réponse de son interlocutrice.

Rose-Délima réfléchit de nouveau quelques minutes puis donna son verdict.

— Je vais en parler avec Henri pis si tout est correct, je vous l'enverrai lundi matin. Ça fais-tu votre affaire ? lui demanda-t-elle en guise de conclusion.

Pharaïde retira sa mitaine et tendit sa main droite à Rose-Délima pour conclure l'accord et ajouta avec son plus beau sourire :

— C'est parfait de même, je vais dire ça à ma femme, je pense qu'elle va être bien contente. Astheure, il me reste juste à attendre jusqu'à lundi.

Un petit doute persistait quand même dans sa tête et il rajouta, en réfléchissant à haute voix :

— Je prendrai pas de chance pis demain à la grand-messe je vais faire brûler un lampion pour être ben sûr de mon affaire.

Rose-Délima partit à rire en entendant sa réflexion et sans vouloir être impolie, ajouta :

— Ben là, monsieur Séguin, c'est pas mal plus la décision d'Henri que celle du bon Dieu !

Le jeune homme, la main sur la clenche de la porte, prêt à partir, s'esclaffa lui aussi, salua Rose-Délima et sortit.

Henri était sorti pour soigner les animaux et lorsqu'il rentra dans la maison, sa grand-mère lui raconta la discussion qu'elle venait d'avoir avec leur voisin. Henri fut d'abord surpris.

— Ben là, Mémère, vous auriez pu m'en parler. J'aurais aimé ça que vous me demandiez mon avis avant de lui dire que c'était correct, lui envoya-t-il prêt à entrer dans une colère. En plus, qui va faire l'ouvrage ici, si je travaille ailleurs ? Certainement pas Louis, il est pas capable de vous couper du bois, il est encore trop petit. J'comprends pas pourquoi vous voulez que je parte travailler quand il y a de l'ouvrage à faire icitte ! À part de ça, j'suis pas sûr que P'pa va être d'accord, voulut-il rajouter pour inciter sa grand-mère à réviser sa position.

Rose-Délima prit conscience qu'elle était peut-être allée un peu vite et voulut se reprendre.

— Henri ! Calme-toi ! Commence par enlever ton manteau et viens t'asseoir à table; je vais te servir ton déjeuner pis on va en parler ensemble. De toute façon, j'ai dit à M. Séguin que je devais t'en parler.

Henri enleva son manteau et l'accrocha derrière la porte d'entrée. Il avait perdu sa bonne humeur naturelle. Il n'avait peut-être que quinze ans, mais il aurait bien voulu qu'on le considère comme un adulte puisqu'il n'allait plus à l'école. Lorsqu'il s'installa à la table pour manger, il semblait fermé à toute discussion. C'était la première fois qu'il osait parler ainsi à son aïeule. Il se sentait dans une position inconfortable et ne savait pas trop comment attaquer la suite. Il décida donc de laisser parler sa grand-mère pendant qu'il dévorait son repas à belles dents.

Rose-Délima se servit une tasse de thé et prit place à la droite d'Henri. Elle entama la discussion.

— Bon, d'abord, il faut que tu saches que l'idée ne vient pas de moi. C'est Pharaïde, lui-même, qui est venu me demander ce que tu faisais de ton temps. Il a dû savoir par d'autres petits gars que t'allais plus à l'école. Il dit que sa femme est inquiète quand il part pour bûcher tout seul dans le bois. Il m'a dit que c'est plus pour l'accompagner qu'il voudrait t'avoir. Ben sûr, tu travaillerais, mais il m'a promis qu'il ne te maganerait pas.

Henri écoutait sans faire de commentaires, la tête dans son assiette.

— En plus, continua sa grand-mère, sournoisement, il va te payer !

À ces mots, Henri releva les yeux vers sa grand-mère et déposa sa fourchette. Son air avait soudain changé, dessinant un étrange sourire. Bien sûr, il ne voulait rien laisser paraître. Enfin, pas tant qu'il ne connaissait pas toutes les conditions. Il ne voulait surtout pas avoir l'air facile à amadouer et reprit donc sa fourchette, continuant à avaler œufs, jambon et pain toasté en silence.

Rose-Délima reprit donc avec son argument le plus important.

— Il m'a dit qu'il te donnerait cinquante cents par jour, pis qu'il te fournirait le dîner.

Elle attendit quelques secondes, mais Henri ne disait toujours rien. Elle continua.

— Pis pour les travaux de la maison, t'as juste à te garder le samedi. Je pense que tu pourrais essayer pour quelques temps. Oublie pas que ton père travaillait déjà à ton âge. Et pis, si tu peux te faire un peu d'argent de poche, ça serait bien pour toi.

Se rendant compte qu'elle avait épuisé tous ses atouts, elle attendit la réplique finale de son petit-fils.

Henri s'était levé pour se servir une tasse de thé. Il avait le dos tourné et versait le liquide bouillant dans sa tasse. Rose-Délima le regardait et pensait : « C'est vrai qu'il n'est pas encore ben gros pour l'envoyer travailler dans le bois comme un homme ». Henri était grand, mais, malgré la puberté, ses muscles tardaient à se développer. Lorsqu'il habitait en ville, il n'en avait jamais fait de cas, mais ici, en se comparant avec les garçons de la campagne, il se trouvait maigre et feluet[35].

Il revint s'asseoir à côté de sa grand-mère, but une gorgée de thé chaud, s'éclaircit la gorge et répondit avec une nouvelle assurance dans la voix :

— C'est correct, Mémère, je vais y aller travailler avec monsieur Séguin. De toute façon, il va ben falloir que je commence à travailler un jour, ajouta-t-il fataliste.

C'est ainsi que le jeune Henri commença sa vie d'homme.

Le lundi matin, il se rendit donc chez Pharaïde Séguin comme entendu. Il emprunta le chemin qui passait devant le moulin à scie et qui montait la grande côte. Il mit quinze minutes pour faire le trajet, mais il faisait tellement froid qu'il lui semblait avoir passé des heures dehors. Il était huit

---

35   Québécisme: chétif, peu résistant.

heures moins quart lorsqu'il frappa à la porte de la grande maison en bardeaux de cèdre. La jeune épouse de Pharaïde vint lui ouvrir.

— Bonjour Henri, lui dit-elle avec son plus beau sourire, entre, reste pas dehors. Viens te réchauffer un peu, lui offrit-elle en lui approchant une chaise près du poêle à bois. Tiens, assis-toi en attendant mon mari. Il devrait pas être long, il finit de faire le train.

Henri salua la dame, la remercia et prit place, mal à l'aise, sur la petite chaise de bois dépeinturée. Son regard fit machinalement le tour de la pièce. C'était la première fois qu'il entrait dans cette maison. Un jeune enfant dormait dans un berceau près du poêle et une petite fille accourut examiner le visiteur.

— Qui Maman ? balbutia-t-elle en pointant Henri du doigt.

La dame attisait le feu dans le poêle.

— C'est Henri. Dis bonjour, Fernande.

Mais la petite repartit de plus belle pour aller se cacher derrière le mur de la cage d'escalier.

— Excuse-la, elle est toujours gênée la première fois qu'elle voit quelqu'un. C'est pas chaud à matin hein ? J'espère que tu t'es habillé chaudement parce que Pharaïde pense qu'on va avoir cette température-là pour un bout. Il dit que c'est à cause de la pleine lune. Moi, je comprends rien dans ces affaires-là, dit-elle en souriant à Henri.

Henri, assis sagement, les coudes sur les genoux, n'osait pas bouger. Il avait enlevé sa tuque et ses mitaines qu'il tripotait nerveusement dans ses mains. Il osa quand même ouvrir la bouche pour dire quelques mots.

— Ouais, c'est ça que mon père dit aussi. Je veux dire, à propos de la lune.

Il trouva sa remarque ridicule et décida de se taire en attendant son nouvel employeur. Heureusement, celui-ci ouvrit la porte au même moment. Lorsqu'il vit Henri assis près du poêle, il s'exclama :

— Ah! ben là j'suis content. J'étais pas certain que t'allais venir, mais j'avais bon espoir.

Henri se leva et tendit la main de l'homme.

— Bonjour Monsieur.

Pharaïde sentit de la crainte et de l'appréhension de la part de son nouvel employé et voulut le rassurer :

— Tu vas voir, on va ben s'entendre. Tu peux demander à ma femme, j'suis pas ben dur pour ce qui est du travail. Hein, ma douce ? s'enquit-il auprès d'elle.

La jeune femme eut pour toute réponse un sourire. Elle connaissait bien son mari. C'était un homme bon et patient.

Henri prit la parole.

— Faites-vous en pas avec moi, monsieur Séguin. J'ai pas d'expérience comme bûcheron, mais j'suis prêt à apprendre. Pis, y'a pas beaucoup d'argent qui rentre à la maison, ça fait que ça fait l'affaire de tout le monde !

— Bon, ben, si c'est comme ça, on va y aller d'abord, lui lança-t-il en se levant. Mais là, reprit-il, t'as pas l'air ben habillé pour travailler dehors toute la journée. T'as pas remarqué qu'il faisait fret à matin ? lança-t-il à Henri pour le taquiner.

Il se dirigea vers sa chambre à coucher qui était attenante à la cuisine. Il en ressortit avec une paire de pantalon et la tendit à Henri.

— Tiens, mets ça par-dessus tes culottes, pis mets-toi d'autres chaussons aussi, ajouta Pharaïde en se retournant vers sa femme. As-tu une paire de bas pour Henri ?

Sa femme acquiesça, fouilla dans le coffre en cèdre qui était placé sous la fenêtre de la cuisine et dénicha une paire de bas de laine qu'elle avait elle-même tricotée. Pharaïde remit son manteau, sa tuque, ses mitaines et son foulard pendant qu'Henri faisait de même. La main sur la clenche, il se retourna vers sa femme et lui confirma qu'ils allaient être de retour à midi.

— Prépare-nous une bonne soupe ben chaude, ça va nous prendre ça pour nous dégeler.

Puis les deux hommes sortirent. Une bourrasque d'air froid pénétra dans la maison et se transforma en buée.

Chapitre 5

La maison des Séguin était située sur le sommet d'une montagne. Elle surplombait un paysage magnifique. De chez eux, on pouvait admirer à gauche, le lac Désert, à droite le lac Chapleau, et entre les deux, le petit lac Shaughnessy. Tous ces lacs étaient entourés soit de forêts, soit de terres cultivées. C'était vraiment un point de vue exceptionnel.

En sortant de chez Pharaïde, Henri happa en passant la petite hache d'ouvrier qu'il avait apportée avec lui et qu'il avait laissée sur le côté de la porte.

— Montre-moi donc ça, demanda l'homme qui l'avait engagé. C'est bon à rien pour travailler dans le bois ça. Viens avec moi, je vais t'en arranger une qui a de l'allure. En même temps, je vais te montrer mes bâtiments. Tu sais, c'est moi qui a repris la terre de mon père quand y est mort. Ça fait déjà six ans. Ma mère est restée avec nous autres, mais elle a pas une ben bonne santé.

Après la visite rapide des installations de l'habitant, les deux hommes prirent la direction du bois. Ils avaient eu le temps de chausser des raquettes, car la neige ne portait pas. Il n'avait pas plu encore, donc il n'y avait pas de croûte épaisse qui pouvait les supporter. C'était plus encombrant, mais beaucoup moins fatiguant que de caler à chaque pas dans un pied et demi de neige. Ils marchèrent donc l'un derrière l'autre, Pharaïde ouvrant la marche, Henri sur ses talons et s'engouffrèrent dans la forêt. D'où ils étaient, ils ne voyaient plus la maison, mais distinguaient encore la fumée qui sortait de la cheminée et montait dans le ciel bleu.

— Bon, on est arrivé, dit-il à Henri s'arrêtant soudainement de marcher. C'est icitte que je suis rendu. Il y a deux ou trois érables qui semblent être ben vieux et pas trop en santé, expliqua-t-il à son protégé. Tiens, on va commencer par celui-là, ajouta-t-il en montrant du doigt à Henri l'arbre qu'il avait décidé d'abattre.

— Qu'est-ce que je fais ?

— Ben, pour commencer tu vas me regarder faire. Place-toi pas trop loin pour voir qu'est-ce que je fais. Tiens, mets-toi de c'bord-là, précisa-t-il en le déplaçant en arrière de lui à environ 20 pieds.

Pharaïde prit sa hache à deux mains, s'élança et commença à tailler une encoche dans le tronc de l'arbre. Un coup à angle vers le bas, un autre coup vers le haut. À chaque coup de hache, on voyait revoler des copeaux de bois. La fente était de plus en plus grande et le tronc de plus en plus mince.

Henri examinait, mais ne savait pas quoi faire ni à quoi s'attendre. L'arbre se mit soudain à pencher. Tout d'abord doucement, puis il prit de la vitesse dans sa descente. On entendit des craquements et le silence de la forêt fut rempli des sons provenant de la chute de l'arbre et de l'écho. Henri fut pris de panique et se mit à courir. Pharaïde lui cria aussitôt :

— Henri ! Où tu vas ? Sauve-toi pas !

S'il avait pu, Henri serait allé se cacher n'importe où ! Pharaïde l'accrocha par le collet.

— Qu'est-ce que tu fais ? Reste à côté de moi ! Si tu restes avec moi, il n'y a pas de danger. C'est ben plus dangereux si tu cours partout. Je vais te montrer comment il faut faire pis tu vas voir que c'est le bûcheron qui décide où l'arbre va tomber, lui expliqua-t-il pour le rassurer.

Henri essayait d'écouter du mieux qu'il pouvait les conseils du bon homme, mais il avait eu tellement peur. Il s'en voulait d'avoir agi de la sorte. Que diraient ses amis, qui n'avaient connu que la campagne, s'ils apprenaient qu'il s'était sauvé en entendant un arbre tomber ?

C'est Pharaïde qui le sortit de sa torpeur.

— Henri ! lui lança-t-il d'un ton sec, c'est pas tout' ça, il faut le débiter cet arbre-là. Prends ta hache, tu vas m'aider. T'as juste à faire comme moi. Fais attention de pas te couper !

C'est ainsi qu'Henri fut initié aux travaux de chantier. Il se rendait en haut de la côte tous les matins. Monsieur Séguin l'attendait et ils faisaient le train ensemble. Dans l'avant-midi, c'étaient quelques travaux sur la ferme, puis ils revenaient pour dîner et partaient travailler dans le bois couper quelques billots, souvent jusqu'à la brunante.

Rose-Délima et Étienne encourageaient de leur mieux Henri. Ils voyaient bien qu'il trouvait ça dur de travailler en dehors de chez eux et à l'extérieur en plus. C'était l'hiver et il faisait froid. C'était aussi la première fois qu'il se re-trouvait sous les ordres de quelqu'un. Tous ces changements arrivaient peut-être un peu trop rapidement pour lui. La vie à la campagne était tellement différente de celle de la ville. Il lui semblait que ce qu'on attendait de lui était toujours plus exigeant ou était-ce simplement qu'il devenait un homme?

— Cinquante cents par jour, Henri, lui disait sa grand-mère, t'as ton dîner, pis t'apprends à travailler.

— Ah ! finit-il par dire en signe de conclusion, c'est correct Mémère. C'est vrai qu'il me magane pas. En fin de compte, je l'aime ben mon boss !

Chapitre 6
Blanche

Blanche, pour sa part, avait commencé sa vie d'adulte. Elle demeurait toujours chez son oncle et ses fréquentations avec Oscar étaient de plus en plus sérieuses. L'oncle Parfait et la tante Eugénie s'en étaient bien aperçus ! Les visites d'Oscar pour voir sa belle se faisaient plus fréquentes et duraient de plus en plus longtemps. Blanche était aussi régulièrement invitée à dîner chez les parents d'Oscar, les dimanches, après la grand-messe.

Le père, Napoléon Caron, était charretier de rues. Il gagnait 800 $ par année. Bien sûr, comme tout le monde, pour arriver à faire ce salaire, il devait travailler 60 heures par semaine, 52 semaines par année. Il avait commencé sa carrière en travaillant dans les écuries. Sa femme Emma, née Desjardins, avait donné naissance à cinq enfants : Cordélia, l'aînée, qui était gérante chez Bell, Oscar, commis dans un magasin de nouveautés, Alice, Clodora et René. Oscar, voyant son père évoluer dans le domaine des transports, rêvait, lui aussi, de devenir chauffeur un jour. Plusieurs de ses amis travaillaient à La Presse; il aurait donc pu y aller lui aussi, mais il ne voulait pas être enfermé entre quatre murs. Ce qu'il désirait plus que tout c'était de pouvoir un jour s'acheter une de ces nouvelles voitures mécaniques que M. Ford avait mises sur le marché.

Blanche était toujours à l'emploi de la compagnie de chapeaux. Elle aimait beaucoup son travail. Premièrement parce qu'elle gagnait de l'argent, elle n'avait donc pas à dépendre de qui que ce soit, et deuxièmement, parce qu'elle s'était faite de bonnes amies à la manufacture et aimait bien s'y rendre tous les matins de la semaine afin de les revoir et de discuter avec elles. Chanceuses qu'elles étaient, leur

97

patron, Mr Broomfield, était assez gentil et permissif. Elles avaient le droit de parler tout en travaillant et pouvaient prendre une demi-heure pour dîner, ce qui leur permettait de continuer leurs conversations tout au long de la journée. Les deux meilleures amies de Blanche étaient Marie et Constance. Deux filles avec qui elle s'entendait comme des sœurs. Marie était une petite blonde, très mince au teint pâle. Elle semblait toujours au bord de perdre connaissance, mais elle était pourtant celle des trois qui avait le plus de vigueur. Lorsqu'elles sortaient ensemble, c'était elle qui entraînait les autres et était toujours prête à tout, ou presque. Constance était une petite brune, un peu boulotte. Elle se plaignait souvent d'avoir de trop gros seins, ce qui n'allait pas du tout avec les nouvelles tendances de la mode. Les nouveautés semblaient avoir été dessinées sur des poupées de carton tellement les lignes étaient fines et allongées. Toutes les trois s'aimaient beaucoup et partageaient tout.

Le lundi 15 avril 1912, Blanche arriva plus tôt à la manufacture et se planta devant la porte des employés pour attendre Marie et Constance. Lorsque celles-ci arrivèrent, Blanche se mit à rire nerveusement tout en sautillant de joie.

— Les filles, j'ai quelque chose de très important à vous annoncer, leur dit-elle.

Les amies de Blanche accouraient vers elle et arboraient un air attristé.

— On sait Blanche, lança Constance qui avait l'air dans tous ses états. C'est effrayant !

Blanche ne comprenait pas l'attitude de ses amies.

— Mais qu'est-ce qui est si effrayant ? De quoi vous parlez ?

— Mais Blanche, t'as pas lu le journal ? Le Titanic, tu sais le paquebot qui faisait son premier voyage hier ? Il a frappé un iceberg et il a coulé ! Personne y croit, mais c'est pourtant sur la première page du journal La Presse. Regarde !

La Presse titrait : « *Un drame en pleine mer. À 10 h 25, la nuit dernière, le nouveau paquebot de la ligne White Star était signalé comme étant dans la plus grande détresse... Il sombrait de l'avant à 11 heures. Il avait à son bord au-delà de 1300 passagers.* »

Le plus grand paquebot au monde, le *Titanic*, surnommé *l'insubmersible,* heurta un iceberg au large de Terre-Neuve lors de son voyage inaugural entre Southampton en Angleterre et New-York. Quelques heures plus tard, le bateau coula. Le navire mal équipé en canots de sauvetage ne put accueillir que la moitié de ses passagers. Ce fut un drame terrible. Les filles en parlèrent un peu entre elles, mais ses amies voyaient bien que Blanche avait de la difficulté à retenir ce qu'elle avait à leur dire.

— Allez, dis-nous ce qui te rend tellement souriante, encouragea Marie, toute aussi excitée.

— Ha ! Je sais ! Oscar t'as enfin demandé en mariage ! s'écria Constance, se tenant le visage à deux mains en attendant la réponse.

— OUI ! C'est ça ! Je vais me marier ! avoua Blanche en sautant dans les bras de ses amies.

Toutes les trois se mirent à sautiller sur place tout en se tenant par le cou. Elles criaient et pleuraient tout à la fois.

— Mon Dieu, Blanche, comme je suis heureuse pour toi, lui dit enfin Constance.

Marie, quant à elle, lui sauta au cou et l'embrassa sur les deux joues.

— C'est merveilleux, Blanche. Depuis le temps que tu attendais ce moment. Allez, raconte ! Comment a-t-il fait sa grande demande ?

Les trois complices reprirent leurs esprits et Blanche commença à raconter ce qui s'était passé la veille.

— Et bien, hier après la messe, je suis allée dîner chez les parents d'Oscar comme je le fais souvent. Mais lorsque je suis arrivée là-bas, il y avait quelque chose de différent. Je n'arrivais pas à savoir ce que c'était. Ses parents, qui sont toujours avenants avec moi, semblaient un peu distants.

Chapitre 6

C'est seulement lorsqu'on est passé à la salle à manger que j'ai tout compris. Mon oncle et ma tante étaient présents. « Ah, quelle belle surprise ! », ai-je dit tout d'abord en allant les embrasser. Et puis je me suis tournée vers madame Caron pour la remercier de cette délicate attention. Elle sait que je considère mon oncle Parfait et ma tante Eugénie comme mes parents. Alors, nous nous sommes tous assis autour de la grande table pour dîner, mais après avoir dit le bénédicité, le père d'Oscar s'est levé et a donné la parole à son fils. Tout semblait tellement cérémonieux ! Oscar s'est levé, a remercié son père et s'est tourné vers mon oncle et lui déclara : « Monsieur Bruneau, j'ai l'honneur de vous demander la main de votre filleule. Je vous promets de la chérir et d'en prendre soin jusqu'à ma mort ». Mon oncle, sans être vraiment surpris, ne s'attendait pas à ça. Il se racla la gorge, regarda ma tante qui lui fit un sourire d'approbation, puis se leva à son tour, appuya les poings sur le bord de la table et, s'adressant à mon fiancé, lui donna sa bénédiction en nous souhaitant beaucoup de bonheur. Voilà ! Et puis après, nous avons discuté tous ensemble de la date du mariage et de ce que nous pourrions nous permettre comme réception. Tous ont discuté. On s'est mis d'accord pour le début du mois d'août. Mon oncle et ma tante ne voulait pas que ça se fasse trop vite. Et puis, il faut que je prenne le temps d'écrire à mon père qui habite dans le Nord. Il faudrait bien qu'il soit au courant du mariage de sa fille quand même, dit ma tante. J'ai alors eu un doute : je ne sais même pas s'il va pouvoir faire le voyage pour venir à mes noces.

Blanche Bruneau et Oscar Caron se marièrent le 6 août 1912 à l'église de la paroisse Saint-Pierre-Apôtre sur la rue de la Visitation à Montréal. Les oncles, tantes, cousins et cousines qui habitaient encore Montréal furent invités. Malheureusement les frais étaient trop élevés pour qu'Étienne puisse faire le voyage. Ce fut donc l'oncle Parfait qui mena Blanche à l'autel pour la donner à Oscar.

Chapitre 7
Oiseau de malheur

Quelques événements malheureux firent que l'année 1914 commença bien tristement pour certains habitants de La Minerve. D'abord, il y eut le décès de la mère de Pharaïde, Sophie Séguin, née Villeneuve, le 19 janvier. Encore plus triste, fut la mort prématurée du petit dernier d'Omer, Léopold. En voulant sauter dans la neige du haut du toit de la maison, il se fractura les deux jambes. Le petit bonhomme fut alité, les jambes plâtrées suspendues dans les airs pendant un mois. Malgré les bons soins que sa mère lui prodigua et les visites du docteur, son état de santé s'aggrava. Il fut finalement transporté dans un hôpital de Montréal pour y être soigné, mais il était trop tard. Il mourut le 28 février à l'âge de six ans. Le petit cercueil fut transporté en train jusqu'à Labelle puis envoyé au charnier du cimetière de La Minerve en attendant le printemps. Omer et sa femme, Exilia, eurent beaucoup de mal à oublier leur bébé comme ils avaient pris l'habitude de l'appeler. « *Le Seigneur a besoin de petites âmes pures* » avait dit le curé Delabre dans son sermon. C'était une bien piètre consolation pour les parents.

* * *

Après un long hiver froid et enneigé, les premiers signes du printemps arrivèrent enfin. Un matin de la fin avril, les habitants de La Minerve se réveillèrent sous un soleil resplendissant. Une vague de chaleur inattendue arriva et repoussa les dernières reliques de la saison froide. On pouvait voir et entendre les vols d'outardes. La neige fondait sur les toits des maisons et ça dégouttait de partout. On allait enfin revivre. Les femmes de la maison se levèrent ce matin-là avec une lueur d'espoir dans les yeux. On pourrait enfin se mettre le nez dehors sans devoir s'emmitoufler.

Chapitre 7

— Mémère, fit Eugénie toute joyeuse, avez-vous vu comment il fait beau aujourd'hui ? Pensez-vous qu'on pourrait étendre le linge dehors ?

— Pourquoi pas ? La température devrait monter assez pour faire sécher notre lavage.

Elle s'approcha de la fenêtre tout en attachant son tablier.

— Regarde-moi ça ce beau soleil-là. Hé ! que ça fait du bien au moral. Sais-tu Eugénie ? On pourrait commencer notre grand ménage du printemps.

Les femmes se mirent donc à laver et à frotter dans tous les recoins de la maison. Eugénie avait entrepris de laver le mur derrière le poêle à bois qu'on avait laissé s'éteindre pour l'occasion pendant que Rose-Délima secouait les tapis sur la galerie. Elle entendit soudain sa petite-fille accourir vers elle en s'écriant :

— Mémère ! Mémère ! Venez vite !

— Mon Dieu ! Veux-tu ben me dire qu'est-ce qui t'arrive ? questionna Rose-Délima tout en suivant Eugénie qui semblait affolée.

— Chut ! Écoutez ! dit simplement la jeune fille.

— Écouter quoi ?

Eugénie se tenait derrière sa grand-mère et était bien accrochée à son bras. Elle ne bougeait pas et suppliait son aïeule de garder le silence.

— J'entends rien, conclut Rose-Délima en faisant demi-tour. Laisse-moi finir ce que j'ai commencé.

Elle retourna vers la galerie où elle avait abandonné sa besogne.

— Attendez ! supplia Eugénie. Je vous dis qu'il y a quelque chose. J'pense que ça vient du tuyau de poêle.

Rose-Délima, ne voulant pas la décevoir, s'arrêta et attendit quelques secondes de plus.

Elles entendirent finalement gratter et piailler.

— Tiens, je vous l'avais bien dit ! lança Eugénie en regardant sa grand-mère avec un petit air de triomphe.

Rose-Délima s'avança vers le poêle et cogna à quelques reprises sur le tuyau. Le bruit se fit encore entendre.

— Il y a juste un moyen de savoir ce que c'est. Il faut ouvrir la porte du poêle, conclut Rose-Délima.

— Ben, moi, je m'en vais dehors. Je reste pas ici d'dans pendant que vous faites ça. Vous m'appellerez quand vous aurez fini, lança Eugénie en se dirigeant vers la porte.

— T'es donc ben peureuse ! C'est sûrement pas un ours, Eugénie ! Ça doit être un écureuil ou un oiseau.

Eugénie, qui était déjà sortie sur la galerie, observait derrière la porte moustiquaire. Elle entendit le commentaire de sa grand-mère et répliqua aussitôt :

— Dites pas ça, Mémère. Vous savez ben qu'un oiseau dans une cheminée, ça porte malheur !

Rose-Délima fit une moue de désapprobation à sa petite-fille et décida quand même d'ouvrir la porte du poêle. Un oiseau en sortit dès qu'il vit la lumière du jour. Rose-Délima eut le réflexe de relever les bras au-dessus de sa tête pour se protéger. Eugénie, quant à elle, se tenait toujours derrière la porte. Voulant bien faire, elle ouvrit la porte afin que l'oiseau retrouve sa liberté. Malheureusement, le petit volatile semblait avoir perdu son sens de l'orientation. Se retrouvant enfermé entre quatre murs, il s'affola et alla se fracasser la tête sur le carreau d'une fenêtre. Il s'effondra aussitôt.

Eugénie rentra dans la cuisine.

— Pensez-vous qu'il est mort, Mémère ?

— Si y'est pas mort, y'est pas fort, répondit Rose-Délima en s'approchant de l'oiseau qui gisait sur le sol, inerte.

Elle s'accroupit et utilisa un coin de son tablier pour le prendre dans ses mains. Il ne bougeait toujours pas. Elle se rendit ensuite dehors et le déposa sur une roche plate à côté de la maison. Eugénie suivit sa grand-mère.

— Mémère, vous savez ce que ça veut dire, hein ? Un oiseau qui rentre dans une cheminée ? demanda-t-elle, un peu paniquée.

Ne recevant pas de réponse, elle crut bon de donner une explication.

— Un oiseau qui rentre dans une cheminée, ça veut dire qu'il va y avoir de la mortalité. C'est pire quand il est noir ! murmura-t-elle en s'empressant, sur ces paroles de mauvaises augures, de faire son signe de croix, comme pour conjurer le mauvais sort.

— Arrête donc de croire à toutes ces affaires-là. Tu t'inventes des histoires. À part de ça, va pas raconter ça devant tes frères, des plans pour que le petit fasse des cauchemars. Le moins qu'on parle de la mort, le mieux qu'on se porte. Envoye, rentre, y'a du ménage à faire.

Vers la fin de l'après-midi, Eugénie et sa grand-mère prenaient quelques instants de repos sur la galerie après une bonne journée de grand ménage. Elles étaient assises dehors, cachées par le mur qu'Étienne avait fabriqué et qui servait d'abri contre le vent pendant l'hiver. Elles venaient de se servir une tasse de thé qu'elles buvaient tranquillement et se prélassaient en silence tout en profitant des rayons du soleil. Étienne était parti travailler et le petit Louis était à l'école. Le lac dépris de ses glaces depuis quelques jours à peine, Henri avait décidé d'aller taquiner la truite sur le quai.

Elles entendirent des pas venir du côté de la maison, mais n'eurent pas le temps de se lever pour voir qui venait. Un grand gaillard leur apparut au coin du portique.

— Bonjour madame, mademoiselle, dit-il en retirant sa casquette pour saluer ces dames. Je m'excuse de vous déranger. C'est monsieur Potvin du moulin à scie qui m'envoie.

— Bonjour monsieur. Qu'est-ce qu'on peut faire pour vous ? interrogea Rose-Délima.

Il s'approcha d'elles et tendit la main vers cette dernière pour se présenter.

— Je m'appelle Wilfrid Charbonneau. M. Potvin m'a dit que vous pourriez peut-être me louer une chambre. Je viens de me faire engager pour travailler à son moulin à scie, mais comme je viens pas d'icitte, je connais pas grand-monde. J'suis passé au magasin à côté, et la dame m'a suggéré la même chose, ça fait que, me v'là ! Je me cherche une place pour rester en pension.

Rose-Délima l'écouta attentivement. Elle était déjà en train de réfléchir à cette proposition. Comment ça se fait que j'ai jamais pensé à ça, se demandait-elle. Ses réflexions ne durèrent pas très longtemps. L'idée de se faire un peu d'argent en prenant un pensionnaire prenait rapidement racine dans sa tête.

— Je crois qu'il n'y aura pas de problèmes, mon cher monsieur. Pourriez-vous revenir me voir à soir après le souper ? Je dois en parler avec mon fils. Je vous donnerai ma réponse, pis si ça marche, le prix.

— Ben sûr, y'a pas de problèmes. Je vais être icitte vers les sept heures. Merci ben madame.

Il salua les femmes en touchant le revers de sa casquette de lainage qu'il avait remis sur sa tête, puis tourna les talons et repartit aussi vite qu'il était arrivé.

Eugénie, offusquée de la réponse rapide de sa grand-mère, devint écarlate.

— Mémère ! Franchement ! Vous allez pas prendre un étranger dans la maison ? Qu'est-ce qu'ils vont penser les voisins ? P'pa sera pas d'accord qu'on laisse n'importe quel étranger rentrer chez nous. Pis, à part ça, je vais être ben trop gênée, moi, de vivre avec lui dans la maison.

Eugénie s'était levée de sa chaise et se tenait bien droite, les poings fermés, placés fermement sur les hanches, devant sa grand-mère qui était demeurée assise.

— Mémère, dites quelque chose ! rajouta-t-elle comme pour sortir son aïeule de la lune.

Rose-Délima attendit patiemment que sa petite-fille se calme. Elle savait comment la prendre.

— Veux-tu bien arrêter ton manège. Me prends-tu pour une folle ? J'ai une tête sur les épaules quand même. Je prendrais pas quelqu'un chez nous sans référence. Tu sauras, ma p'tite fille, que Mme Talbot, au magasin, m'en a parlé pas plus tard qu'à matin. Il paraît que c'est une connaissance d'un de ses gars qui est en ville. On dit que c'est un bon travaillant, pis qu'il prend pas un coup.

Chapitre 7

C'était maintenant au tour de Rose-Délima d'être debout et à tourner en rond sur son petit bout de balcon.

— Laisse-moi faire avec c't'affaire-là. J'vais en parler avec ton père, pis on verra ben.

Le sujet resta clos jusqu'au souper. Une fois que tout le monde fut servi, celle qui avait pris en main la maisonnée, récita la prière habituelle, mais rajouta à la fin une demande un peu spéciale qui mit la puce à l'oreille de la tablée.

— Et s'il vous plaît, mon Dieu, aidez-nous à prendre les bonnes décisions.

Tous les yeux se levèrent en même temps vers la grand-mère qui était assise à un bout de la table. Eugénie ne passa pas de commentaire et Louis était déjà en train de dévorer le pâté au poulet qui avait été déposé dans son assiette. Henri, quant à lui, ne semblait pas s'en faire outre mesure. C'est Étienne, le premier à se poser des questions, qui relança sa mère.

— De quelle décision vous parlez, M'man ?

— Justement, je voulais t'en parler. Et elle lui raconta la visite qu'elle et sa petite-fille avaient eue dans l'après-midi.

— Vous dites qu'il doit se présenter après le souper ? On va ben voir de quoi y'a l'air et ce qu'il a à dire. On pourrait lui offrir une tasse de thé pis un morceau de tarte, comme ça il va rester plus longtemps et on va avoir le temps d'y poser des questions, proposa Étienne.

Rose-Délima acquiesça.

— C'est une bonne idée ça. Mais, en attendant on pourrait parler du prix qu'on va lui demander. Comme ça, si jamais on décide d'y dire que c'est correct pour qu'il reste icitte, on va pouvoir lui donner le prix.

Rose-Délima, Étienne, Henri et Eugénie échangèrent sur le sujet pendant le repas et, à la fin, ils étaient arrivés à une entente. Ils lui demanderaient deux piastres et demie par semaine. Un homme avec son expérience devait bien gagner une piastre et demie par jour. Ça lui faisait donc à peu près le quart de son salaire pour être logé et nourri.

C'était peut-être le fait d'en avoir parlé ensemble, ou bien l'idée d'avoir un petit revenu supplémentaire, le fait est, que lorsque Charbonneau se présenta à la porte, tous les quatre étaient ravis de le recevoir. Étienne et Henri le trouvèrent plutôt sympathique, Rose-Délima remarqua qu'il sentait bon et qu'il s'était rasé la barbe, et Eugénie le trouva très poli et discret. Il fit donc l'unanimité.

Après discussion, ils s'entendirent pour que ce nouveau venu s'installe dans une chambre en haut de la *shed*[36]. Il prendrait ses repas avec la famille et aurait le droit d'utiliser le bain une fois par semaine. Le reste du temps, il devrait se débrouiller avec l'eau du lac pour faire sa toilette. Ce dernier fut enchanté de l'arrangement qu'on lui proposa et s'installa le même soir. Pour tout bagage, il n'avait qu'une grande poche de coton contenant tous ses biens : deux pantalons, trois ou quatre chemises, quelques sous-vêtements et paires de bas de laine étaient tout ce qu'il possédait. Rose-Délima avait aussi proposé à ce monsier de faire son lavage pour 50 ¢ de plus par semaine. Proposition qu'il avait acceptée sur-le-champ.

Ce monsieur en question se révéla d'agréable compagnie. Le soir, après le souper, il restait volontiers lorsqu'on lui proposait de jouer quelques parties de 500. Il avait pris l'habitude de jouer avec Rose-Délima qui appréciait son nouveau co-équipier. Il fut vite accepté par tous les membres de la famille. Il n'était pas avare de son temps lorsqu'arrivait le temps de donner un coup de main pour les travaux autour de la maison. Étienne et Henri appréciait son aide.

C'est ainsi qu'il prit racine tranquillement dans la famille Bruneau et tout se déroula très bien. Les appréhensions d'Eugénie s'estompèrent. De toute façon, il était rarement avec eux à l'intérieur, car il travaillait du lever au coucher du soleil.

Bien occupé à tout nettoyer dans la maison, on se retrouva en mai sans s'en rendre compte. Le premier mai au matin, Eugénie se leva en chantant :

— *C'est le mois de Marie, c'est le mois le plus beau, à la Vierge chérie, disons un chant nouveau.*

---

36   Anglicisme : remise.

En entrant dans la cuisine, elle retrouva toute sa famille assise autour de la table.

— Bonne fête Eugénie ! lui lancèrent-ils tous en chœur.

Et sa grand-mère d'enchaîner :

— Oui c'est le premier mai aujourd'hui. Mais c'est d'abord ton anniversaire de naissance. C'est bien toi ça de penser à la Vierge Marie au lieu de penser à toi ! T'es tellement pieuse ! J'suis pas sûre que les sœurs prient autant que toi !

— C'est le mois de Marie ! C'est important pour moi.

Après une pause, elle demanda à sa grand-mère :

— Mémère, pensez-vous qu'on va pouvoir aller à l'église à matin ? J'aimerais tellement ça. Il va y avoir une belle messe spécialement pour honorer Marie. Il paraît que l'église va être encore plus belle que l'année passée. Ça serait mon cadeau de fête !

Rose-Délima répondit à Eugénie tout en servant le déjeuner à ses petits-fils ainsi qu'à monsieur Charbonneau.

— Ton oncle Omer est supposé venir nous chercher avec sa voiture pour nous amener à la messe de neuf heures. Ça fait que si tu veux y aller, t'es mieux de courir te préparer, il est presque huit heures !

Toujours au-devant des autres, la grand-mère se retourna vers Henri et ajouta :

— Toi aussi, tu peux y aller. Moi, je vais rester ici avec le petit. Je vais attendre que le curé vienne bénir la croix de chemin. Il est supposé être là à deux heures après-midi. J'irai prier Marie à ce moment-là.

— Attends Eugénie, j'ai un p'tit quelque chose pour toi, dit sa grand-mère en lui tendant un paquet enveloppé de papier brun et de ficelle, ouvre-le.

Eugénie sortit de l'emballage une jolie robe.

— Oh ! Mémère, comme elle est belle. Merci !

Et elle lui sauta au cou.

— J'ai pensé que t'étais due pour une robe neuve. Je l'ai fait faire par une dame du village. C'est un beau tissu hein ?

— Ah oui ! J'suis tellement contente. Je vais la porter pour aller à la messe. Mais ça dû vous coûter une fortune !

— Bah ! y'a rien de trop beau pour ma p'tite-fille. Allez, va l'essayer, ajouta-t-elle en lui donnant une petite tape sur les fesses.

Puis la fêtée disparut dans l'escalier qui menait à l'étage.

Eugénie était bien heureuse de célébrer son anniversaire le même jour que la Vierge, car c'est à elle que toutes ses prières étaient adressées.

Ainsi, chaque jour du mois du mai, les fidèles allaient prier la vierge Marie et méditer sur une de ses vertus, en fonction de laquelle ils vivaient leur journée, puis faisaient une invocation et chantaient un cantique en son honneur. Pour ce faire, les paroissiens qui habitaient au village se rendaient à l'église, mais les familles les plus éloignées avaient pris l'habitude de se recueillir à la croix de chemin la plus près de chez eux.

* * *

Juin arriva avec ses journées plus longuement ensoleillées et plus chaudes. Il y avait, malgré ce beau temps, quelque chose qui clochait pour Rose-Délima. Elle sentait qu'elle avait moins d'énergie. Ce devait être normal, se disait-elle, puisqu'elle vieillissait. Elle n'en parlait à personne et ne s'en plaignait pas.

Pourtant, un certain matin vers la fin du mois, elle se réveilla avec un gros mal de tête accompagné d'étourdissements. Elle s'assit d'abord sur le bord de son lit pour essayer de reprendre ses esprits.

« Veux-tu ben me dire ce que j'ai à matin ? » se demanda-t-elle, inquiète.

Elle essaya de se lever, mais n'y parvint pas. Elle décida d'attendre quelques minutes puis de réessayer une seconde fois mais, se rendit vite compte que ses étourdissements persistaient. Elle décida d'appeler sa petite-fille.

— Eugénie ! réussit-elle à articuler d'une petite voix faible. Elle ne reçut aucune réponse.

— Eugénie ! lança-t-elle un peu plus fort ayant pris soin de prendre une bonne inspiration avant, afin de s'assurer que, cette fois-ci, sa voix porte plus loin.

Quelques secondes plus tard, elle entendit le lit grincer dans la chambre voisine et le plancher craquer. Eugénie l'avait entendue.

La jeune fille s'était réveillée au premier appel, mais, croyant que cette voix venait de son rêve, était restée couchée. Par contre, la deuxième fois qu'elle entendit son prénom, elle reconnut la voix de sa grand-mère. Elle se leva aussitôt et se rendit en chemise de nuit à la porte de sa chambre.

Toc ! Toc ! Elle cogna doucement et poussa la porte déjà entrouverte.

— Mémère, m'avez-vous appelée ? demanda-t-elle, le nez dans l'entrebâillement de la porte.

— Entre !

Eugénie s'approcha sur l'invitation de sa grand-mère. Elle s'accroupit devant Rose-Délima qui était toujours assise sur le bord de son lit, les pieds pendants dans le vide. Elle lui demanda :

— Ça va pas, Mémère ? Qu'est-ce que vous avez ?

— Je l'sais pas pantoute. J'arrive pas à me mettre debout. Et, se touchant le front, rajouta :

— Pis j'ai mal à la tête.

Eugénie se releva et, avec son air le plus compatissant, proposa à sa grand-mère :

— Je pense que vous seriez mieux de rester couchée. Vous devriez vous reposer. C'est pas pour une femme de votre âge ça, les gros ménages du printemps. Vous avez travaillé trop dur ces derniers temps. J'aurais pas dû vous laisser faire, conclut-elle, certaine d'avoir trouvé la raison du malaise de sa grand-mère.

Rose-Délima, qui n'en menait pas large, eut quand même la réplique facile :

— Toi non plus, ma pauvre p'tite fille, t'as rien que la peau pis les os.

— Peut-être. Mais moi, j'ai juste dix-neuf ans pis j'ai de l'énergie à revendre.

De plus en plus convaincue de ce qu'elle avançait comme hypothèse, Eugénie aida Rose-Délima à se recoucher. Elle la borda comme une enfant et lui dit tendrement :

— Aujourd'hui, c'est moi qui vais s'occuper de vous. Vous allez vous reposer pendant que je m'occupe de la maisonnée. Pour commencer, je vais vous faire une tisane de saule pour votre mal de tête, puis après, je vais vous préparer votre déjeuner et vous l'apporter au lit.

Soulagée d'entendre ces paroles de réconfort, Rose-Délima ne trouva pas la force de rouspéter.

— Ah ! oui, la tisane c'est une bonne idée, mais pour le déjeuner, j'pense que je vais attendre un peu. J'ai pas ben faim pour le moment. On dirait que mon mal de tête me donne mal au cœur.

Eugénie sortit de la chambre et se dirigea vers la sienne pour s'habiller et se préparer pour la journée. Elle ne voulait pas décevoir sa grand-mère et souhaitait lui montrer qu'elle pouvait se débrouiller toute seule dans la maison.

Elle enfila donc rapidement une robe de coton bleue, par-dessus son jupon, se passa un peu d'eau fraîche dans le visage et fit de ses longs cheveux châtains, une toque. Ensuite, elle replaça rapidement les couvertures de son lit et descendit à la cuisine.

Henri était assis à la table avec Wilfrid Charbonneau. Étienne venait de partir pour aller travailler. Le poêle commençait juste à être assez chaud pour faire bouillir de l'eau pour le thé. Depuis quelques temps, Rose-Délima avait décidé de garder le café pour les grandes occasions et de boire du thé qui coûtait moins cher.

La sœur d'Henri passa en trombe devant eux pour se diriger vers l'arrière du poêle où elle avait accroché son tablier la veille.

— Bonjour tout le monde ! leur lança-t-elle rapidement sans rien ajouter de plus. Puis, ayant attaché son tablier autour de sa taille, elle entreprit de préparer le déjeuner des hommes.

Chapitre 7

— Bon, qu'est-ce que vous diriez de manger de la galette de sarrasin à matin ?

Les deux hommes se regardèrent et répondirent que ce serait parfait. Henri trouva cependant que sa sœur agissait drôlement et remarqua soudain que sa grand-mère ne descendait pas.

— Eugénie, qu'est-ce qui arrive avec Mémère ? Pourquoi c'est toi qui fais le déjeuner et pas elle comme d'habitude ?

Sa sœur était en train de mélanger la farine de sarrasin avec de l'eau à l'aide d'une fourchette. Sans lever les yeux vers son frère, elle lui répondit simplement :

— Mémère file un mauvais coton à matin, ça fait que je lui ai dit qu'elle pouvait rester couchée.

Elle arrêta de brasser et lança un regard de désapprobation à son frère Henri en rajoutant :

— Elle a ben le droit de se reposer des fois !

Surpris de la réaction de sa sœur face à une question toute simple, Henri voulut apaiser l'ambiance.

— Ben oui, elle a le droit de se reposer. J'ai jamais dit le contraire. Je demandais juste où elle était ! Penses-tu que je devrais aller la voir ?

— Tu peux y aller si tu veux. Mais, après qu'elle aura bu la tisane que je vais lui préparer, je ne veux plus que personne ne la dérange. Elle a besoin de dormir si elle veut reprendre des forces.

Henri se leva et rejoignit sa sœur près du poêle à bois.

— Veux-tu que je lui apporte sa tisane, d'abord ?

Eugénie se tourna pour observer si l'eau bouillait dans le canard qui avait été placé sur le poêle à bois quelques minutes auparavant.

— Ok. Si tu veux attendre encore une couple de minutes je vais lui préparer et tu pourras aller lui porter. L'eau est pas encore assez chaude. Elle ouvrit la porte de la grande armoire où étaient placées toutes les victuailles.

— Henri, sais-tu où Mémère garde ses herbes ? Je trouve pas le saule.

Henri s'approcha de sa sœur et tendit sa main vers l'arrière de la tablette qui se trouvait tout en haut de l'armoire. Il la dépassait d'une tête.

— C'est pratique d'être grand, hein ? dit-il pour l'agacer.

— Ha ! Ha ! Très drôle ! répliqua-t-elle en faisant la moue, ça doit être dans ce coin-là parce que je l'ai déjà entendu dire qu'il fallait pas que ces médicaments-là soient à la portée de Louis. Elle dit que même si c'est naturel, ça pourrait être dangereux pour le petit.

— Tiens, dit Henri en lui brandissant un gros bocal de verre avec à l'intérieur quelques sacs de papier brun, ça doit être là-dedans.

Eugénie prit le bocal en remerciant son frère.

— Bon, astheure il me reste plus qu'à trouver le bon produit.

— Ouais, ça serait pas drôle si tu lui donnais les herbes qui nettoient les intestins ! Il se mit à rire ainsi que Charbonneau qui avait suivi la conversation.

Eugénie fronça les sourcils et les regarda de son regard perçant :

— Franchement, vous êtes pas drôles. Rire d'une pauvre femme malade et alitée en plus. Vous irez vous confesser à monsieur le curé. Qu'est-ce que vous faites de la charité chrétienne ? s'offusqua-t-elle.

— Bah ! Eugénie, c'était juste pour rire un peu. Depuis que t'es levée que tu cours dans la cuisine comme une queue de veau pis que t'es sérieuse comme un pape. Tu sais ben que j'aime pas ça que Mémère soit malade, expliqua-t-il pour rassurer sa sœur en utilisant un ton doucereux. Astheure que t'as trouvé ce qu'il te faut, prépare-moi la tisane que j'aille lui porter. Veux-tu que je réveille Louis en même temps ?

— Oui, c'est une bonne idée. J'étais en train de l'oublier celui-là. Tiens, apporte-lui ça aussi, lui dit-elle en lui tendant un manche à balai.

— Qu'est-ce que tu veux qu'elle fasse d'un balai, la sœur ? Es-tu tombée sur la tête ? Tu veux toujours ben pas qu'elle balaye sa chambre !

Chapitre 7

— Ben non ! Dis-lui qu'elle s'en serve pour m'appeler. Au lieu de crier, elle aura juste à frapper quelques coups sur le plancher. Comme ça je saurai qu'elle a besoin de moi !

La journée se déroula donc ainsi, sans Mémère aux commandes.

Lorsque Louis s'éveilla et sut que sa grand-mère était au lit, il en fut très peiné. La première chose qu'il fit en arrivant à la maison à la fin de sa journée d'école, après avoir déposé son ardoise et son coffre à crayons, fut de partir vers le champ où poussaient naturellement de jolies fleurs : des pissenlits et des marguerites. Il revint avec un petit bouquet qu'il tenait caché dans son dos.

— Regarde ce que j'ai ramassé pour Mémère, dit-il à sa sœur avec fierté en lui montrant la poignée de fleurs sauvages.

— Oh ! C'est donc ben beau ! Va lui donner tout de suite ! Elle a dû trouver la journée longue à rester toute seule dans sa chambre. Elle va sûrement être contente d'avoir de la visite.

Louis monta les marches en courant et arriva près de la porte de la chambre de sa grand-mère. Il cacha de nouveau le bouquet derrière son dos et pénétra dans la pièce qui baignait dans la pénombre, sur la pointe des pieds. Rose-Délima avait les yeux fermés, mais ne dormait pas. Elle fut surprise de constater, en entendant un soupir d'enfant, que son petit-fils se tienne à son chevet, en silence, les deux mains dans le dos.

— Bonjour Louis. Tu viens d'arriver de l'école ? crut-elle bon de demander. Elle avait dormi une partie de la journée et ne savait plus l'heure qu'il était.

Pour toute réponse, Louis hocha la tête en signe d'approbation. Puis, il tendit les fleurs à sa mémère qu'il aimait tant.

— Tiens, c'est pour toi. C'est pour que tu guérisses plus vite.

— Oh ! Mais t'es donc ben fin ! Elles sont magnifiques. C'est toi qui les as cueillies ?

— Ben oui ! répondit-il comme si la réponse allait de soi.

Rose-Délima les sentit et fit semblant qu'elles sentaient bon.

— Hum ! fit-elle.

— Vous trouvez que ça sent bon vous, les marguerites ? Moi, je trouve que ça pue ! Mais c'est les plus belles fleurs par exemple !

Rose-Délima éclata de rire sur le commentaire innocent de Louis puis elle lui remit le bouquet en lui demandant :

— Demande à ta grande sœur de les mettre dans l'eau, sinon elles vont mourir. Pis, après, tu me les rapporteras, je vais les placer sur ma commode.

Louis redescendit aussi vite qu'il était monté. Il redonna les fleurs à sa sœur en lui répétant ce que sa grand-mère lui avait demandé. Puis, il quitta la maison en courant pour aller jouer dehors. Eugénie partit à ses trousses et lui cria :

— Louis, t'éloigne pas trop de la maison. Je veux pas être obligée de te courir après à l'heure du souper.

Quelques jours plus tard, Rose-Délima n'allait toujours pas mieux. La veille, elle avait réussi à se lever et à venir s'asseoir quelques heures dans sa chaise berçante. Cependant, Etienne et les enfants commençaient à s'inquiéter.

— Penses-tu qu'on devrait faire venir le docteur ? demanda Eugénie à son père le matin du quatrième jour.

Etienne s'apprêtait à sortir pour aller travailler. Il enleva sa casquette et se gratta la tête comme si ça l'aidait à trouver une réponse. Il demeura planté là devant la porte et, après quelques instants de réflexion, replaça sa coiffe sur sa tête et dit à sa fille, en guise de conclusion :

— Ouais, je pense que t'as raison. C'est peut-être mieux de faire venir le docteur. Je m'en occupe. Puis il partit.

Eugénie resta seule dans la cuisine. Elle se servit une tasse de thé et sortit sur la galerie d'en arrière pour s'asseoir un peu avant d'entreprendre le ménage quotidien et ainsi, réfléchir à la situation. Elle se sentit seule et démunie. Elle aurait aimé en faire plus pour sa grand-mère, mais ne savait pas comment. « Moi, si j'étais un gars, je serais médecin. » pensa-t-elle. « On sait bien, ces métiers-là c'est bon juste pour les hommes ! Comme si les femmes connaissaient rien à la maladie ! Pourtant ce sont les sages-femmes qui aident les mères à accoucher. Ce sont elles aussi qui concoctent des tisanes pour soulager les malaises. » Perdue dans ses pensées, elle demeura ainsi quelques temps à se faire chauffer par le soleil, assise sur une grosse bûche qui n'avait pas été fendue et qui servait de tabouret. Elle rentra dans la maison, qui lui sembla fraîche après avoir été exposée au soleil ainsi, et monta à la chambre de Rose-Délima. Elle entra en faisant attention de ne pas faire de bruit, au cas où celle-ci dormirait. Lorsqu'elle vit qu'elle était réveillée, elle engagea la conversation.

— Bonjour Mémère, allez-vous mieux à matin ?

— Bonjour ma fille. Sais-tu, je me sens un peu mieux. Mais, je me sens comme si toutes mes forces m'avaient abandonnée. Je commence à trouver ça long avant qu'elles reviennent.

— Écoutez, Mémère, P'pa et moi on se demandait si ce serait pas mieux de faire venir le docteur. Qu'est-ce que vous en pensez ?

— Non, non, non. C'est pas nécessaire. J'suis pas malade, j'suis juste fatiguée ! À part de ça, le docteur ça coûte cher. On n'est pas pour dépenser l'argent que ton père gagne à la sueur de son front pour un oui ou pour un non. Non, non, répéta-t-elle, j'suis sûre que ça va aller mieux dans quelques jours. Sur ces paroles, Rose-Délima crut bon de s'asseoir dans son lit pour montrer à sa petite-fille qu'elle n'allait pas si mal que ça.

— D'ailleurs, je vais me lever aujourd'hui. Trois jours au lit, c'est assez ! Si tu veux m'aider, je vais faire ma toilette pis m'habiller.

Mais lorsqu'elle voulut faire un mouvement, ses étourdissements la reprirent de plus belle. Elle se recoucha aussitôt. Elles demeurèrent ainsi, en silence, l'une assise sur le lit et l'autre debout, à se regarder et à se questionner sur ce qu'il fallait faire. Mais, qu'est-ce qui n'allait pas ?

Eugénie eut tout à coup un éclair dans les yeux et un sourire surgit aux coins de ses lèvres.

— Mémère, j'ai une idée ! La femme de M. Fafard, vous savez, la belle-mère de mon amie Parmélia ? Et bien, il paraît qu'elle prépare un tonique qui ressuscite les morts ! Elle en donne tout le temps à Parmélia quand elle va aux États pour aider ses cousines à se relever de leurs accouchements. Je sais pas ce qu'elle met là-dedans, mais ça a l'air de marcher. Quand Henri va revenir pour dîner, je vais lui demander d'aller vous en chercher. Qu'est-ce que vous en pensez ?

Rose-Délima, découragée de ne pas retrouver ses forces aussi vite qu'elle avait prévu, accepta la proposition.

— De toute façon, j'ai rien à perdre. Ça peut juste me faire du bien, consentit-elle.

À l'heure du midi, Eugénie fit part à son frère de l'idée qu'elle avait eu. Henri trouva que ça valait le coup d'essayer et partit tout de suite après avoir ingurgité son repas. Il marcha en direction du village jusque chez les Fafard. Leur petite maison était située juste en bas d'une grande côte qui montait à pic. Comme il ne vit personne dehors, il alla frapper à la porte de la petite maison.

— Entrez ! entendit-il crier.

Ce qu'il fit. Il demeura cependant poliment sur le pas de la porte. François Fafard, qu'on surnommait Frank, et sa femme Mary étaient assis chacun dans leur chaise berçante en train de siroter leur thé. C'est Frank Fafard qui prit la parole le premier. Il se leva et s'approcha d'Henri en lui tendant la main.

— Ah! Tiens, c'est le p'tit Bruneau. Rentre, reste pas là, viens t'asseoir.

— Bonjour monsieur Fafard, dit-il en lui serrant la main, puis il enleva sa casquette et salua sa femme également.

Il s'approcha de la table et s'assit sur la chaise que Frank lui avait tirée. Il était mal à l'aise et ne savait pas trop comment formuler sa demande. Heureusement, monsieur Fafard continua de faire la conversation.

— Veux-tu une bonne tasse de thé ? Il est frais fait !

— Ah ben ! J'dis pas non. Après avoir marché en plein soleil je dois dire que j'ai soif !

Frank fit signe à sa femme Mary. Celle-ci se leva en rechignant en anglais à son mari :

— *Where's your daughter ? She's never here when we need her.* Elle s'exécuta néanmoins, et s'activa autour du poêle pour finalement déposer une tasse de thé noir devant Henri.

Henri la remercia et but une gorgée. Il avait très soif, mais le goût âcre du thé l'empêcha d'en boire autant qu'il aurait voulu. « Qu'est-ce que c'est que ce thé-là ? » se questionna-t-il.

— Pis, à part ça, demanda M. Fafard, comment vous vous arrangez chez vous ?

Henri se replaça sur sa chaise pour faire face à l'homme qui lui parlait. Il ne voulait surtout pas lui sembler impoli. Frank Fafard avait la réputation d'être un homme dur et de ne pas avoir la langue dans sa poche. Si ça ne faisait pas son affaire, il ne passait pas par quatre chemins pour le dire. Henri reprit donc une gorgée de thé avant de répondre. Le liquide chaud et amer lui fit faire la grimace qu'il essaya de cacher du mieux qu'il put.

— Ça va pas pire. On s'arrange assez bien. Mais là, justement, ma grand-mère se sent pas très bien depuis quelques jours. Ma sœur a eu l'idée de m'envoyer ici pour demander à votre femme si elle pourrait nous préparer une bouteille de son fameux tonique. Ma grand-mère pense que ça lui ferait du bien.

Frank regarda sa femme qui était retourné s'asseoir dans sa berçante et lui demanda :

— As-tu compris ? *Did you understand ? Mrs. Bruneau wants to try your tonic. She is not feeling well. Can you do that ? Can you help her ?*

— *Ok, but ask Parmelia to stay in the house to help me. I can't do everything !*

— Ben oui, ben oui, c'est correct, lui répondit son mari, impatient. Il se retourna vers Henri :

— C'est correct. Ma femme va te préparer ça. Tu pourras revenir demain, ça va être prêt. Il faut qu'elle fasse bouillir des racines, pis toutes sortes d'affaires. En tout cas, je sais pas trop comment elle fait ça, mais je sais qu'il faut que ça trempe toute une nuit.

En même temps que Frank donnait ses explications à Henri, Mary était sortie dehors. On pouvait l'entendre crier avec son gros accent anglais, comme si elle avait une patate chaude dans la bouche :

— Parmelia ! Parmelia ! *Where are you ?*

Quelques minutes plus tard, elle rentrait suivie de sa belle-fille. Celle-ci s'excusa d'abord auprès de son père :

— J'étais avec les moutons, expliqua-t-elle. Les p'tits moutons, ils sont tellement *cutes,* ajouta-t-elle sur un ton attendrissant. Elle était entrée par la porte de derrière, tandis que Henri était sur le point de sortir par la porte d'en avant. Elle ne l'avait donc pas aperçu tout de suite. Se sentant observée, elle se retourna et vit Henri qui semblait attendre son tour pour parler. De son côté, Henri fut un peu surpris de la voir, car aux dernières nouvelles, elle était encore aux États-Unis. Il attendit qu'elle ait fini de parler à son père, puis s'approcha d'elle pour la saluer en lui tendant la main.

— Bonjour Mademoiselle Fafard. Vous êtes revenue des États ?

Parmélia lui sourit.

— Bonjour Henri. Oui, je suis revenue par le train de vendredi dernier. Je vais passer l'été sur la terre au rang 12 avec mon frère Arthur.

Henri, ému devant cette jolie fille, se racla la gorge et poursuivit :

— C'est ma sœur qui va être contente d'apprendre ça.

Puis ne sachant plus quoi dire, ajouta :

— Bon, ben, je vais y aller, moi ! Y'a de l'ouvrage qui m'attend. À part de ça, ma sœur doit se demander pourquoi je reviens pas.

Il replaça sa casquette sur sa tête, pressa sur la clenche de la porte et salua tout le monde avant de sortir.

— Bonjour là ! Je vais revenir demain pour le tonique.

Puis s'adressant à Mme Fafard, ajouta :

— Merci ben !

Lorsqu'Henri revint à la maison, il annonça à sa sœur que la décoction serait prête le lendemain et rajouta à son intention :

— Tu vas être contente, la sœur, ton amie Parmélia est revenue des États.

— Qui t'a dit ça ? s'enquit-elle déjà excitée à l'idée de revoir sa meilleure amie.

— J'invente rien, je viens de la voir. Elle était chez son père. Je lui ai même parlé, répondit Henri un peu frustré de ne pas être pris au sérieux.

— Ah ben, si c'est comme ça, dit-elle toute heureuse, c'est moi qui vais aller chez eux demain. Je vais en profiter pour passer lui dire bonjour !

Le fameux tonique de Mary Fafard ne fit pas de miracle, mais redonna suffisamment d'énergie à Rose-Délima pour qu'elle puisse reprendre ses occupations quotidiennes. Elle demeura néanmoins plus fatiguée qu'avant et ne recouvra jamais totalement sa santé.

Chapitre 8
Le malheur frappe

Étienne était effondré. Il se tenait agenouillé au chevet de sa mère et lui tenait la main en la caressant tout doucement. Il ne pensait plus, n'entendait plus, ne parlait plus. Ne ressentant que cette douleur fulgurante tel un couteau sans pitié qui lui traversait le cœur. Il se retrouvait plongé dans un brouillard de peine, comme si son univers s'était évaporé. La tête entre les mains, il n'avait pas osé pleurer devant ses enfants, par pudeur. Un homme, ça ne pleure pas lui aurait dit sa mère.

— Les enfants, réussit-il à articuler, la gorge serrée, laissez-moi seul avec ma mère.

Eugénie, Henri et Louis sortirent sans dire un mot, les yeux rougis par les larmes. Eugénie referma la porte doucement et ils descendirent l'escalier à pas feutrés pour se retrouver dans la cuisine. Louis se jeta dans les jupes de sa sœur en pleurant.

— Eugénie, j'veux pas qu'à meure, Mémère ! Fais quelque chose, laisse-la pas partir au ciel, s'il-te-plaît ! dit-il en gémissant.

Eugénie s'avança vers la chaise berçante et, dans un geste de compassion, malgré sa propre peine, elle prit son petit frère sur ses genoux et tenta de le consoler en le berçant.

— Moi non plus j'veux pas qu'elle parte, mais on peut rien faire. C'est comme ça. C'est le bon Dieu qui décide, pas nous autres.

Henri, demeuré debout, les mains dans les poches, sortit sur la galerie. Malgré la chaleur accablante qui régnait en ce 20 juillet 1914, se retrouver au grand air lui fit du bien. Il appuya ses avant-bras sur la rampe et prit une grande inspiration tout en contemplant le lac. Une immense tristesse l'envahissait lui aussi. Cette grand-mère avait été plus que ça. Elle avait été leur mère, leur confidente, leur bouée de sauvetage.

À l'étage, dans la petite chambre de Rose-Délima, la pénombre régnait toujours. Personne n'avait osé ouvrir les rideaux de peur de voir la réalité en face. Ce matin-là, Rose-Délima ne s'était pas réveillée. Sachant que sa mère n'était pas bien depuis quelques semaines, Étienne redoutait le pire. Ce qu'il craignait tant était malgré tout arrivé. Sa mère venait de s'éteindre à l'âge de 72 ans. Seul, auprès de cette femme qu'il avait aimée et tenté de protéger toute sa vie, Étienne se laissa enfin aller et pleura toutes les larmes de son corps. Il demeura auprès d'elle pendant des heures, ne voulant pas la quitter, elle qui ne l'avait jamais abandonné. Pourquoi le destin s'acharnait-il sur lui ? Pourquoi, si jeune, perdait-il toutes les femmes importantes dans sa vie ? Il se sentit, une fois de plus, perdu et sans ressource. Ses pensées s'embrouillaient. Une nouvelle angoisse surgit soudainement. « Mon Dieu, pensa-t-il, protégez mes filles Blanche et Eugénie, qu'elles ne subissent pas le sort qui semble être réservé aux femmes de ma famille. » Sur cette idée lugubre, il se remit à pleurer de plus belle, ne pouvant plus s'arrêter.

Henri se rendit au magasin général pour annoncer le décès de sa grand-mère. M. Vallée, qui se trouvait au magasin à ce moment-là, partit aussitôt avertir Omer au Club Chapleau. Celui-ci se présenta chez son frère vers la fin de l'avant-midi. Il entra dans la maison sans frapper. Eugénie s'affairait autour du poêle, en sueur à cause de la chaleur, à préparer le dîner. Elle pensait à sa grand-mère qui lui disait : « Tu vas te rendre compte, ma p'tite fille, que peu importe ce qui arrive dans la vie, les corvées, elles, ne s'arrêtent jamais ». En voyant son oncle, elle se jeta dans ses bras.

— Ah ! Mon oncle ! Je suis contente que vous soyez là, et elle éclata en sanglots.

Les larmes qu'elle retenait depuis ce matin, afin de laisser les autres vivre leur peine, c'était maintenant, dans les bras réconfortants de son oncle Omer, qu'elle les laissait sortir.

Omer tenta de consoler sa nièce du mieux qu'il le pouvait, mais, lui-même bouleversé, n'arrivait pas à trouver les mots.

— Où est ton père ?

Eugénie releva la tête, prit son mouchoir pour éponger ses larmes et renifla.

— Dans la chambre, avec Mémère. Il est pas sorti de là depuis ce matin. J'ose pas y aller.

Quelques secondes s'écoulèrent avant qu'elle n'ajoute :

— Je sais pas quoi faire, je sais pas quoi lui dire non plus, lui précisa-t-elle pour montrer son désarroi, et elle se remit à pleurer, le nez dans son chaudron.

— Je vais y aller.

Omer se rendit à l'étage, mais s'arrêta sur le palier. Il entendait son frère parler. Il se rapprocha et demeura sur le pas de la porte quelques instants avant de frapper.

Toc ! Toc ! Il prit un grand respir.

— Étienne, c'est moi, Omer. J'peux-tu entrer ?

Pour toute réponse, Étienne se leva et ouvrit la porte. Il avait le regard vide. Son visage était déformé par la peine et ses yeux rougis par les larmes qu'il avait versées. Ils se tendirent les bras en se tapotant le dos. Omer s'approcha du lit et s'agenouilla. Étienne se retira sans faire de bruit. Il descendit à la cuisine et retrouva Eugénie assise à la table. Dans la pièce flottait une odeur de soupe au travers d'un silence envahissant. Les sens se côtoyaient provoquant des sentiments totalement différents les uns des autres.

— Où sont tes frères ?

— Au bord du lac, je pense. Henri dit que Mme Talbot s'est offerte pour venir préparer Mémère pour la veillée au corps. Elle dit qu'elle va venir après le dîner avec madame Vallée. Si vous me permettez, j'aimerais ça les aider moi aussi. J'ai jamais fait ça, arranger un mort, mais il faut que j'apprenne. Pis, je veux le faire pour Mémère.

— On a des bons voisins, furent les seuls mots qu'Étienne réussit à prononcer.

Chapitre 8

Cinq minutes plus tard, Omer rejoignit son frère.

— Il va falloir avertir nos frères. Je pensais aller à Labelle pour envoyer des télégrammes, c'est plus vite.

— Penses-tu que Georges va venir de Chicago ?

— J'en ai aucune idée. En tout cas, s'il vient, y'a besoin de s'grouiller parce qu'avec la chaleur qui fait, on pourra pas garder le corps dans la maison ben ben longtemps.

Pour conclure la discussion, Omer ajouta :

— Au pire, il sera là pour l'enterrement.

Gérer le décès de quelqu'un qu'on aime est probablement la plus grande épreuve que tout être humain affronte dans sa vie. Se sentir à la fois troublé par les émotions tout en essayant de garder les deux pieds sur terre, à cause des décisions pratiques qu'il y a à prendre, relève du miracle. C'est pourtant ce que réussit à faire Étienne. Avec l'aide de son frère, il avait acheté le cercueil la journée même. Le charpentier du village en avait toujours quelques-uns de fabriqués au cas où...

Ses frères Parfait, Napoléon et Calixte firent le voyage en train ensemble et arrivèrent les premiers, accompagnés de leurs femmes. Blanche et son mari, Oscar Caron, firent également partis du voyage. Malgré la peine d'avoir perdu sa grand-mère, Blanche fut très heureuse de revoir sa famille. Les deux sœurs profitèrent de ces quelques jours ensemble pour se raconter leur vie respective. Georges, leur frère qui habitait Chicago, arriva le jour des funérailles, seul.

Rose-Délima fut préparée pieusement et installée dans le salon avec la plus grande dignité. Eugénie fut tout à la fois impressionnée et émue de participer aux préparatifs de sa grand-mère. Les trois femmes pénétrèrent dans la chambre de Rose-Délima avec beaucoup de respect, vu les circonstances. Mme Talbot travailla avec minutie dans le mutisme total afin, avait-elle expliqué à ses aides avant d'entrer dans la chambre, de ne pas déranger l'âme de Rose-Délima qui devait encore être présente dans la pièce. Mme Vallée et Eugénie assistèrent leur voisine au mieux de leurs connaissances. Étienne avait insisté sur le fait qu'elle devrait porter une robe neuve. Il n'était pas dit que sa mère arriverait devant

St-Pierre dans une vieille robe défraîchie. Quelques heures plus tard, dans le silence inhabituel de la maisonnée, malgré tout le va-et-vient des nombreuses personnes qui s'y trouvaient, Rose-Délima fut prête pour recevoir ses visiteurs.

Le salon avait été réaménagé par ses fils. Tout au fond de la petite pièce, un grand tréteau habillé de noir avait été installé. De chaque côté, sur des petites tables d'appoint, se dressaient des chandeliers. Les petites flammes jaunâtres qui pointaient aux bouts des cierges étaient les seules lumières admises dans ce lieu de recueillement. Les rideaux de l'unique fenêtre avait été tirés afin de garder la pièce dans la pénombre. La chaleur était intense. Comme la coutume le voulait, Rose-Délima ne fut à aucun moment abandonnée dans cet adieu. Chacun des membres de la famille se relaya pour la veiller. Jour et nuit, on priait au corps. Seul Étienne ne voulut pas se faire relayer. Il demeura assis dans le fauteuil du coin, les yeux hagards, les bras ballants et les jambes molles. Il parlait peu et pleurait beaucoup. Ses frères durent insister afin qu'il aille prendre un peu de repos après avoir veillé sa mère pendant plus de vingt-quatre heures. Le curé du village vint à chaque soir après le souper pour la prière. Rose-Délima pouvait partir en paix, elle était entre bonnes mains.

Deux jours plus tard, la chaleur persistait toujours. À midi, le thermomètre atteignit 80° F. L'humidité, la chaleur et l'odeur aidant, la plupart des gens qui se trouvaient chez Étienne sortirent sur la galerie à la recherche d'un peu d'air frais. Le service funéraire aurait lieu à la fin de l'après-midi afin de donner le temps à Georges d'arriver. Le cercueil fut refermé après la récitation d'une dizaine de *Je vous salue Marie*, repris en alternance par monsieur le curé et Eugénie. Sans oublier la pénible finale : « *Que les âmes des fidèles défunts reposent en paix… au nom du Père, et du Fils et du Saint Esprit* ». Toutes les personnes présentes reprenaient d'une seule voix le « *Ainsi-soit-il* » de l'acceptation, comme les bons catholiques qu'ils étaient.

On déposa ensuite le cercueil dans la charrette d'Omer qui se dirigea vers le village, suivie de la famille. Lorsque tout le monde fut arrivé devant l'église, les six garçons de Rose-Délima se dispersèrent autour du cercueil puis, d'un seul accord, l'élevèrent au niveau de leurs épaules et entrèrent dans le lieu sacré dans le plus grand respect. Contrairement à l'extérieur, il y régnait une fraîcheur que tout le monde eut l'air d'apprécier. Eugénie avait fabriqué une gerbe de fleurs qu'elle déposa elle-même sur le cercueil. Dans son homélie, le curé releva le courage de Rose-Délima, cette mère dévouée au bonheur de sa famille, qui avait eu sa part de misère. Après le *Ite, missa est*, le cortège, mené par Henri, qui tenait la croix de Jésus-Christ bien haut, prit la direction du cimetière qui se trouvait juste derrière l'église, de l'autre côté du petit ruisseau. Malgré la peine intense qu'il ressentait, Étienne était consolé de voir que tous ses frères s'étaient déplacés pour rendre un dernier hommage à leur mère.

Son chagrin fut adouci par la présence de sa fille Blanche qui lui prit le bras pour revenir jusqu'au boghei. Elle était devenue une vraie femme et portait dignement son beau costume noir et un chapeau avec une dentelle qui avait fait murmurer bien des dames en admiration.

Chapitre 9

La guerre

Au début du mois d'août, la grande guerre éclata en Europe suite à un incident diplomatique. Les nouvelles rapportaient que le 28 juin,, un étudiant serbe, Gabriel Princip, assassina l'archiduc François-Ferdinand, héritier du trône d'Autriche-Hongrie, ainsi que son épouse, à Sarajevo. Tout s'enclencha très rapidement par la suite. L'Autriche-Hongrie, l'Allemagne, la Russie, la France et l'Angleterre se trouvèrent rapidement impliqués, les Dominions de l'Angleterre également, dont le Canada.

Étienne arriva un peu plus tôt que prévu à la maison en cette fin d'après-midi du mois de novembre. Dehors, il tombait des cordes. Les érables avaient perdu leurs belles couleurs et les feuilles s'étaient transformées en tapis odorant sur les routes de terre qui parcouraient le territoire du canton de La Minerve. Les premières neiges, tombées depuis le début du mois, avaient fondu au fur et à mesure, car le sol n'était pas encore gelé. Par contre, deux jours auparavant, on avait eu droit à six pouces de cette belle poudre blanche qui tombait si joliment du ciel. Mais la pluie incessante qui durait depuis ce matin était en train d'en venir à bout. Il n'y avait plus de pensionnaires au club. Étienne avait donc quelques semaines devant lui pour respirer. Il devait quand même s'y rendre quelques jours par semaine, car c'était le temps d'y faire les réparations en prévision de la saison prochaine.

Aussitôt entré dans la maison, sa fille l'apostropha.

— P'pa ! Il y a une lettre qui est arrivée pour vous ! Ça vient de la fonderie. Je me demande bien ce qu'ils vous veulent ? s'inquiéta Eugénie.

Chapitre 9

Son père n'eut pas le temps d'enlever son manteau, qu'elle lui remit la lettre entre les mains. Eugénie lui tournait autour, les poings sur les hanches.

— Ben, envoyez, ouvrez la lettre ! Mon Dieu, que vous êtes pas curieux ! lui lança-t-elle, impatiente.

— Ben oui, Eugénie, attends un peu. J'peux-tu enlever mon *coat* ?

Sa fille l'entendit réfléchir tout haut.

— J'me demande ben pourquoi ils m'écrivent ! Ça fait deux ans que j'suis parti…

Steve prit son manteau imbibé d'eau de pluie et le suspendit sur le sèche-linge accroché au-dessus du poêle. Puis, il enleva ses bottes et les plaça également à proximité du poêle pour qu'elles puissent sécher. Il s'assit ensuite dans sa chaise berçante qu'il avait pris la peine d'approcher de la fenêtre pour profiter des dernières lueurs du jour. Il sortit son canif de sa poche de pantalon, l'ouvrit lentement et l'inséra à l'intérieur de l'enveloppe pour la couper. Eugénie n'en pouvait plus d'attendre.

— Envoyez, P'pa, qu'est-ce que vous attendez pour la lire c'te maudite lettre.

En entendant sa fille parler de la sorte, Steve releva la tête vers elle.

— Ben voyons, ma fille, qu'est-ce qui te prend, coudon ? J't'ai jamais vu de même. Ça t'énerve donc ben !

— Je le sais pas, mais… Ils vous écrivent pas pour vous demander comment vous allez en tout cas. Ils doivent avoir quelque chose de ben important à vous dire. Peut-être que votre ancien patron est mort ! supposa-t-elle.

Étienne était prêt à commencer sa lecture, mais avant il s'adressa à sa fille.

— Assis-toi, je vais te la lire à voix haute. Comme ça, tu vas savoir en même temps que moi ce qu'ils me veulent.

Il déplia la feuille de papier. En haut de la page il y avait l'en-tête de la compagnie Garth. La lettre, rédigée en anglais, se lisait comme suit:

Mr Steve Bruneau,

As you must know by now…

Je vais te traduire le reste à mesure… ma belle fouine ! Et il reprit lentement.

Comme vous devez le savoir maintenant, la guerre a éclaté en Europe au mois d'août dernier. L'Angleterre y est directement impliquée et, puisque le Canada est un Dominion de l'Angleterre, le gouvernement du Canada nous a demandé de modifier notre production. Nous devons maintenant fabriquer des obus (des bombes). Pour ce faire, nous allons devoir améliorer et modifier notre machinerie. Nous devrons aussi remplacer nos jeunes employés qui iront s'enrôler dans l'armée canadienne.

La famille Garth a accepté de produire ces obus. Mais, nous avons un grand besoin d'employés qualifiés tels que vous. Le salaire sera évalué selon les compétences de chacun.

Si vous êtes intéressé à revenir travailler pour Garth & Co, veuillez nous envoyer une réponse par la poste dans les plus brefs délais.

Veuillez agréer, Mr Bruneau, nos meilleures salutations.

John Henry Garth

Lorsqu'il eut fini de lire la lettre, Steve leva les yeux vers sa fille qui le questionnait déjà du regard.

— Ben là, Eugénie, regarde-moi pas comme ça. Il faut que je réfléchisse. Ça fait plus de deux ans qu'on est ici, pis j'suis bien. J'ai réussi à me faire une vie. Une p'tite vie, peut-être, mais une vie quand même, ajouta-t-il comme pour se convaincre lui-même.

Malgré le fait qu'elle ne voulait pas interférer dans les affaires de son père, Eugénie lui donna quand même son avis :

— Ben oui, c'est une vie, mais une p'tite vie comme vous dites. Il faut couper les cents en quatre pour réussir à vivre comme du monde. Une bonne chance qu'Henri travaille astheure.

Sur ce, elle tourna les talons et se mit en frais de préparer le souper. Elle commença à éplucher les patates que Louis était allé lui chercher dans le caveau et demeura silencieuse quelques minutes, le temps de laisser son père jongler avec l'idée, et, n'en pouvant plus, relança la discussion tout en gardant un oeil sur sa besogne.

— Vous pourriez peut-être y retourner. Je veux dire pour un p'tit bout. Juste le temps de ramasser un peu d'argent. Comme ça, quand vous allez revenir, on pourrait s'installer un peu mieux, acheter d'autres animaux, pis on pourrait avoir un p'tit pécule de côté pour les mauvais jours.

Étienne se berçait tranquillement tout en relisant la lettre de monsieur Garth.

— J'sais ben, ma fille, mais j'avoue que présentement, la fonderie, j'en rêve pas ! J'suis bien content de vivre à la campagne. Moi qui avais peur de déménager dans le Nord, j'suis rendu que j'ai pu envie de retourner en ville.

Il se leva de sa chaise et se dirigea vers le poêle pour y mettre une bûche.

— Mais, je vais y penser ben comme il faut. C'est vrai que ça nous donnerait un sérieux coup de main.

Tout en parlant, il s'était rapproché de sa fille et lui piqua un morceau de patate crue.

— Y'a tu du sel quelque part ? demanda-t-il à sa fille qui lui tendit la salière en le sermonnant.

— Vous savez ben que c'est pas bon de manger des patates crues. Mémère disait que ça pouvait donner des vers !

Son père n'en fit qu'à sa tête et croqua le morceau de patate, le sourire aux lèvres, malgré les remontrances de sa fille.

— Ben non, Eugénie. C'est des histoires de bonne femme ça, lui répondit-il tout en riant.

Après avoir fini de mâcher son morceau de patate, il revint sur le sujet de leur conversation.

— Tu penses pas que c'est peut-être pas le bon temps de partir ? L'hiver va arriver, vous allez avoir besoin de moi. Je peux pas vous laisser tous seuls icitte. Je serais ben trop inquiet. À part de ça, peux-tu imaginer la réaction de tes frères si je leur dis que je m'en retourne en ville ? J'avais dans l'idée de jamais vous laisser après tout ce qu'on a vécu...

Il s'arrêta net et ne put terminer sa phrase tellement il avait la voix remplie d'émotions. Il se sentait seul. Il devait de nouveau prendre une décision qui changerait encore le cours de sa vie et celle de ses enfants.

Eugénie préparait le rôti de porc, qui serait servi au souper, en le piquant d'ail. Elle voulut le rassurer.

— P'pa, vous savez bien qu'on peut s'arranger. Henri est presque un homme maintenant. Mais je comprends que vous ayez pas envie de partir maintenant. Vous pourriez rester pis partir juste après les fêtes. Il faudrait juste savoir s'ils vont vous attendre jusque-là. Ils vont peut-être vous réengager comme *foreman*.

— Ouais. Il faut que je pense à tout ça. C'est une grosse décision à prendre. Je vais me donner une couple de jours, pis je vais aussi en parler avec ton oncle Omer. Lui aussi se fie sur moi pour que l'ouvrage se fasse au club. Je peux pas le laisser tomber de même. J'ai pas le droit de lui faire ça. Pas après ce qu'il a fait pour moi. J'suis pas un ingrat.

Eugénie comprenait son père. Elle le connaissait bien, depuis le temps qu'elle vivait avec lui. Il ne lâcherait pas son frère si celui-ci lui demandait de rester. Son paternel était un homme de parole. Mais elle savait aussi qu'il aimerait avoir plus d'argent. La vie était belle, mais dure dans le Nord. On n'avait rien pour rien. Il fallait trimer sans relâche pour obtenir des résultats. Le travail à la fonderie était fatiguant et éreintant. Mais c'était plus payant que tous les autres travaux qu'Étienne pouvait faire ici. Et puis, elle savait bien qu'il appréhendait le retour dans la fonderie à cause de ses poumons qui avaient été si durement touchés dans les vingt dernières années. Steve ne lui en avait pas parlé, mais elle était persuadée qu'il y avait pensé. Comme il n'était pas du genre plaignard[37], il ne le mentionnerait probablement pas.

Le lendemain, Steve se leva comme d'habitude pour se rendre travailler au Club Chapleau. Sauf qu'il lui semblait qu'il n'avait pas dormi de la nuit, son cerveau ne lui ayant

---

37   Qui se plaint, trop douillet.

pas laissé de répit. Il se prépara une tasse de thé et décida de partir immédiatement. De toute façon, il avait l'estomac trop à l'envers pour avaler quoi que ce soit. Il était six heures lorsqu'il mit le nez dehors. Le temps semblait s'être adouci depuis la veille. Par contre, la pluie avait fait des dégâts et avait laissé le chemin très boueux. Il se mit en route, en essayant d'éviter la fange qui lui collait aux bottes. Chemin faisant, il réfléchit. Encore. Il se creusait la tête à savoir ce qui était mieux de faire. Rester ou partir ? Il savait bien que s'il partait, il allait demeurer plusieurs mois, voire un an sans revoir ses enfants. Il était très attaché à eux. En serait-il capable ? Et, à l'idée de les laisser comme ça, seuls, il angoissait terriblement. S'il fallait qu'il arrive quelque chose de grave, un feu, un accident, pendant qu'il était absent, il ne pourrait jamais se le pardonner. Comment allaient se comporter ses enfants, sans leur père à leurs côtés ? Et sans leur grand-mère pour veiller sur eux ?

Il marcha un peu plus d'un mille en évitant de déposer les pieds dans les flaques d'eau et arriva finalement au village. Il reconnut l'attelage de son frère devant le magasin général et s'arrêta pour l'attendre. « Aussi bien en profiter et faire le reste du chemin en boghei » pensa-t-il. Il prit quelques instants pour nettoyer ses bottes dans l'herbe haute qui poussait près du magasin. Lorsque son frère ressortit, celui-ci l'aperçut et il lui fit signe de la main. Omer descendit les marches du commerce et s'approcha de lui.

— Salut Steve ! Comment ça va à matin ?

— Pas pire, répondit promptement Steve, n'ajoutant pas un mot de plus.

— Ben voyons, qu'est-ce que t'as ? T'es-tu levé du mauvais bord du lit ? lui lança Omer avec un sourire en coin. Croyant l'avoir déridé en le taquinant, il attendit une réponse, mais en vain. Steve ne répondait pas. Il avait l'air songeur et « parti dans la lune ».

— Ben là, coudon mon frère, qu'est-ce qui se passe ? Le chat t'as-tu mangé la langue ? insista Omer en espérant avoir une explication.

Habituellement d'humeur plaisante, son air renfrogné commençait à l'inquiéter.

— Arrête donc avec tes questions, lança Étienne sur un ton sec et impatient. Je m'en pose assez de même des questions sans que t'en rajoutes en plus.

Sur ces paroles, il se retourna, les mains bien enfoncées dans ses poches de pantalon.

Omer n'osa pas dire un mot de plus. Il avait rarement vu son frère aussi songeur. Il lui fit signe d'embarquer avec lui sur le boghei. Une fois installés et l'attelage galopant sur la route, la curiosité l'emportant, il tenta tout de même de reprendre la discussion.

— Prends-le pas de même, mon Steve, la vie est trop courte pour qu'on se fasse du sang de cochon comme tu le fais. Veux-tu m'en parler de ton problème ? Peut-être que je peux t'aider, proposa Omer sur un ton doucereux afin d'amadouer son frère qui semblait dans tous ses états.

Les chevaux avaient pris la direction du lac Chapleau. Étienne fixait le chemin qui défilait devant lui. Relevant la tête, il regarda son frère dans les yeux et s'efforça de lui donner une réponse polie, car il savait qu'il n'était pas prêt à s'ouvrir.

— De toute façon, je vais être obligé de t'en parler. Mais j'ai pas fini de réfléchir. Je t'en parlerai plus tard, si ça te dérange pas, demanda-t-il humblement.

— Ben non, c'est sûr que ça me dérange pas. Mais là, tu m'intrigues. J'espère que je pourrai t'être utile. En tout cas, si c'est une question d'argent...

— T'es ben *smart* Omer, mais c'est comme je te dis, je vais t'en parler, mais pas tout de suite.

Les hommes continuèrent leur route en silence jusqu'au lac Chapleau.

Trois jours après avoir reçu la lettre, Étienne avait pris sa décision et il devait la partager avec sa famille. Il en avait d'abord parlé avec son frère qui l'avait encouragé à y aller. « Vas-y, Steve, lui avait-il répondu, prends-le pendant que ça passe. Tu pourras revenir travailler pour moi quand tu voudras », l'avait-il rassuré.

Le dimanche, après la messe qui avait été chantée pour Rose-Délima, toute la famille était attablée pour le dîner. Comme à chaque fois qu'il devait annoncer une grande nouvelle à ses enfants, Étienne se sentait nerveux et fébrile. Il marchait de long en large, de la table au poêle et du poêle à la table. Il prit enfin place au bout de la table, s'assit et prit un grand respir. Eugénie s'assoyait maintenant à la place que sa grand-mère occupait de son vivant, au bout de la table, et lui faisait ainsi face. Elle, seule, avait remarqué un changement d'attitude de son père, les garçons n'ayant pas été mis au courant de la lettre. Les enfants attendaient qu'il récite le bénédicité. Ils avaient la tête penchée et les doigts croisés au-dessus de leurs assiettes. Étienne prit une grande respiration qui se termina dans un profond soupir.

— Bon, les enfants, avant de bénir la nourriture que votre sœur a préparé, j'ai quelque chose d'important à vous dire.

Tous se relevèrent la tête en même temps. Un étrange silence s'installa dans la pièce. On pouvait palper l'inquiétude qui rôdait dans l'air.

— Il y a quelques jours, j'ai reçu une lettre de la fonderie. Comme je vous l'ai expliqué il y a quelques mois, la guerre est commencée dans les vieux pays. L'Angleterre a déclaré la guerre à l'Allemagne. Pis nous autres, le Canada, on appartient à l'Angleterre. Ça, ça veut dire, qu'on le veuille ou non, qu'on est en guerre nous autres aussi. Bon, tout ça pour vous dire que la fonderie m'a envoyé une lettre pour me demander si je voulais retourner travailler là-bas, parce qu'à partir de maintenant, ils vont fabriquer des bombes pour l'armée. C'est le *boss* en personne qui m'a écrit, John Garth.

Étienne pris une pause, but une gorgée d'eau et continua.

— J'ai ben réfléchi à tout ça, pis j'ai pris la décision d'y retourner.

Henri voulut prendre la parole, mais son père lui fit signe de se taire.

— Attends, Henri, j'ai pas fini. Je sais que ça fera pas le bonheur de tout le monde que je parte, mais les temps sont durs. Vous le savez, on n'a pas d'argent plus qu'il faut. Si je retourne travailler à Montréal, je vais faire un meilleur salaire. Ça nous permettrait de faire des travaux sur la maison, de s'acheter quelques animaux de plus. Dans le fond, je suis chanceux, je suis pas obligé d'aller à la guerre parce que le gouvernement nous laisse choisir. Je me suis dit que j'allais en profiter de cette guerre-là pis que j'allais faire de l'argent avec.

Henri fit signe à son père pour attirer son attention.

— P'pa, est-ce que je peux vous poser une question ?

— Vas-y, mon grand, je t'écoute, répondit son père.

— Qu'est-ce qui va arriver si vous retombez malade ?

Un silence lourd de sens s'installa autour de la table. C'était *la* question qui brûlait toutes les lèvres.

Étienne fit de son mieux pour prendre un air rassurant et répondit à la tablée.

— Inquiétez-vous pas. Je suis guéri, pis je retomberai plus malade. Je vais partir pour quelques temps pis je vais vous revenir en santé. Et pis avec de l'argent à part de ça ! osa-t-il rajouter avec un grand sourire pour les rassurer.

Henri posa une deuxième question.

— Si vous partez, comment on va s'arranger ? Mémère est morte, l'avez-vous déjà oublié ?

Toutes les têtes se tournèrent vers Henri. Bien sûr que personne n'avait oublié Rose-Délima ! La réplique à l'attention de son père était acerbe, mais il ne l'avait pas fait exprès. C'était sorti tout seul, comme une impulsion. C'était probablement la peur qui le faisait parler ainsi. Étienne garda son calme.

— Il n'y a pas de raison de vous inquiéter. Votre grande sœur est capable de prendre soin de vous autres comme elle le fait depuis que votre grand-mère n'est plus avec nous autres. Pis, c'est toi qui vas être responsable du chauffage de la maison et du déneigement de la cour. Pour le reste, vous pourrez toujours demander de l'aide à votre oncle Omer. En plus de ça, j'ai demandé à mon neveu Camile de venir rester avec vous autres. Il travaille au club, mais il a accepté de venir dormir ici de temps en temps. Je lui ai dit qu'il pouvait s'installer dans ma chambre.

Steve avait longuement réfléchi et il n'était pas question qu'il revienne sur sa décision. « *Aide-toi et le ciel t'aidera* », voilà un proverbe qui l'avait toujours motivé. La vie lui donnait la chance d'améliorer son sort et celui de sa famille, alors il n'allait pas tourner le dos à son destin. Partir oui, mais pour mieux revenir. Ce qui le motivait, c'était de faire de l'argent pour faire en sorte que tout aille mieux pour tout le monde.

Suite à un arrangement avec son patron, M. Garth, Steve passa les fêtes avec sa famille et partit après les Rois.

* * *

Le p'tit train du Nord débarqua un Étienne Bruneau plutôt anxieux et angoissé. Son unique valise à la main, il sortit du wagon et se retrouva sur le quai de la gare Windsor. Il fit quelques pas, puis s'arrêta et déposa sa valise pour remettre son paletot. « Mon Dieu, j'avais oublié comment que c'est humide icitte », pensa-t-il. Il entortilla autour de son cou le foulard gris en maille de riz que sa fille Eugénie lui avait tricoté. En le passant près de son visage, il s'y engouffra le nez et respira très fort pour essayer de retrouver l'odeur de son chez-soi qu'il avait laissé derrière lui. Il en eut presque les larmes aux yeux. « Voyons j'suis donc ben sensible tout d'un coup. »

Se ressaisissant, il ramassa sa valise et continua sa marche vers la sortie. Ce qu'il vit en dehors de la gare ne l'enchanta pas. À Montréal, tout était gris à cette période de l'année : les rues, les immeubles, le ciel, même les gens avaient perdu leurs couleurs. Dans un sens, il était heureux de constater que tout ça ne lui avait pas manqué. Il avait déjà hâte de retourner dans son oasis de paix, à La Minerve.

Il prit le tramway en direction du bas de la ville. Il avait déjà écrit à sa fille Blanche pour lui annoncer son arrivée, mais il lui avait interdit de venir l'accueillir à sa descente de train. Il voulait d'abord aller saluer quelqu'un de très spécial. Il descendit du tramway au coin des rues Ste-Catherine et St-Laurent et prit la direction de la rue de la Visitation. Lorsqu'il arriva devant le numéro 38, il prit une grande respiration et entra. La cloche, accrochée à la porte, qui servait à avertir le propriétaire des lieux qu'il y avait quelqu'un qui entrait, tinta. On entendit une voix puissante retentir du fond du local :

— Ça sera pas long, je suis à vous dans deux minutes. Et puis quelques secondes plus tard :

— Bon voyons, où c'est que j'ai ben pu mettre cette maudite lettre-là, je l'avais dans les mains il y a pas cinq minutes ? Et la voix rajouta :

— J'arrive ! J'arrive !

Un grand homme bedonnant sortit du *back store*[38] en tenant une pile de paquets qui lui cachait le visage. Il arriva devant son comptoir et déposa ses paquets qu'il rattrapa de justesse, car tous semblaient vouloir dégringoler. Une petite boîte se retrouva par terre et, le temps qu'Étienne se penche pour la prendre, Pamphile était apparu derrière sa pyramide.

— Ben voyons, j'étais pourtant certain d'avoir entendu la cloche de la porte !

Étienne se releva tenant le paquet entre ses mains et la casquette de travers. Les deux hommes se faisaient face. Pamphile sembla avoir aperçu un fantôme, et s'exclama enfin :

— Steve !

Il étendit ses bras au-dessus du comptoir pour toucher à son ami et le prendre par les épaules. Tout en le brassant, il lui répéta :

— Steve, c'est ben toi, mon Steve ?

Pamphile avait le sourire fendu jusqu'aux oreilles.

— Ben oui, Pamphile, c'est ben moi ! Arrête de me brasser de même, tu vas me donner le mal de cœur ! le supplia-t-il en riant.

— J'en reviens pas ! J'suis tellement content de te voir ! Ça fait un maudit bout' que tu m'as pas donné de tes nouvelles. Veux-tu ben me dire qu'est-ce que tu fais en ville ? T'aurais dû m'écrire pour m'avertir que tu venais.

---

38   Anglicisme : arrière-boutique.

Chapitre 9

Pamphile était assez énervé que toutes ses questions défilaient, sans attendre de réponse de la part de son ami. Il sortit soudain de sa torpeur et fit le tour de son comptoir pour se retrouver aux côtés d'Étienne. Sous l'impulsion du moment, il le prit dans ses bras et le souleva de terre en le serrant bien fort.

— Maudit que je suis content ! lui redit son ami.

— Moi aussi je suis content, Pamphile, mais là tu peux me remettre à terre, réussit-il à répondre, le souffle coupé par l'étreinte.

— Ben oui, mon Steve, excuse-moi, c'est l'émotion, dit-il tout en dévisageant Étienne qui se tenait planté devant lui. Bon ben, reste pas là, viens, on va aller s'asseoir dans la cuisine pour jaser un peu.

Pamphile se dirigeait vers l'arrière de la maison en ouvrant le chemin à travers les nombreux paquets qui jonchaient le sol. Puis, se retournant en direction de son ami qui le suivait, il rajouta :

— Fais attention où tu marches, je viens juste de recevoir la *malle*, c'est pour ça qu'il y en a partout. Depuis que la guerre est déclarée, pis que nos jeunes sont partis de l'autre bord, la malle a triplé de volume, c'est ben simple !

L'encourageant de nouveau, il lui fit signe de le suivre.

— Je vais appeler Émérentienne pour qu'elle vienne me remplacer. Elle va être contente de te voir !

En effet, lorsque Pamphile passa devant l'escalier qui donnait sur les chambres à l'étage, il cria à son épouse :

— Émérentienne, descends, j'aurais besoin de toi pour le bureau de poste, j'ai de la visite rare qui vient d'arriver !

Sa femme descendit presque aussitôt et entra dans la cuisine lorsque les hommes s'apprêtaient à s'asseoir autour de la table.

— Ah ben ! Regarde-moi donc qui est ici ! lança-t-elle en se dirigeant vers Étienne pour l'embrasser. Celui-ci repoussa sa chaise et s'avança à son tour vers cette femme dont il avait toujours apprécié la compagnie.

— Ça fait plaisir de te revoir, Étienne ! lui dit-elle tendrement.

Émérentienne était une femme qui arrivait à la moitié de la quarantaine. Elle n'était pas ce qu'on peut appeler une beauté, mais elle avait quelque chose qui ne laissait pas les hommes indifférents. Pamphile et elle s'étaient rencontrés au marché Bonsecours par un bel après-midi d'été. Émérentienne avait été élevée à la campagne. Sa famille vivait sur une terre et, pendant la belle saison, son père venait vendre ses légumes au monde de la ville. Cette journée-là, Émérentienne avait voulu accompagner son père au marché. Elle n'avait pas souvent l'occasion de venir à Montréal et c'était pour elle une chance de voir ce qui se passait dans la grande ville. Ce qu'elle ne se doutait pas c'était que l'amour était au rendez-vous cette journée-là. Elle venait d'avoir trente ans et ne pensait plus pouvoir trouver un homme célibataire qui représentait un bon parti. Tant qu'à Pamphile, vieux garçon de 35 ans, il avait abandonné le rêve secret de trouver la perle rare. Qui voudrait d'un vieux garçon bedonnant.

Ils s'étaient rencontrés tout bonnement quand Pamphile, qui faisait son marché, avait demandé à Émérentienne combien elle vendait ses patates. Elle se tenait devant lui, le dos tourné, car elle parlait à son père qui sortait les légumes de sa charrette. C'est au moment où elle se retourna vers lui que le cœur faillit lui manquer. Elle le regarda droit dans les yeux et lui demanda gentiment, de sa voix doucereuse :

— Bonjour monsieur, puis-je vous aider ?

Sur ces quelques mots, Pamphile perdit tous ses moyens et se mit à bégayer. D'ailleurs, il ne savait plus ce qu'il voulait, ni ce qu'il faisait là ! Il balbutia du bout des lèvres une excuse quelconque et partit en direction du fleuve. Il avait des étoiles dans les yeux et des papillons dans le ventre. Il se dirigea vers le port sans savoir vraiment où il allait. Après quelques minutes de marche, il avait retrouvé ses esprits et décida de prendre son courage à deux mains et de retourner voir cette jolie demoiselle qui lui avait parlé si gentiment.

« Aye ! Tu vas m'arrêter ça, se dit-il, espèce de niaiseux ! Tu vas retourner là-bas, pis tu vas te conduire en gentleman. » Il releva la tête, se redressa les épaules, rentra son ventre, enfin… du mieux qu'il pouvait, et reprit la direction du marché.

Malheureusement, avec toutes ces émotions, il n'avait pas remarqué l'emplacement où elle et son père étaient installés. Il dut donc faire le tour de tous les marchands avant de revoir sa belle. Lorsqu'il arriva à leur étalage, il s'arrêta devant elle et lui demanda le plus poliment possible le prix de ses différents légumes qu'elle avait à vendre. Puis, il entama tranquillement la discussion, lui demandant d'où venaient tous ces beaux légumes, qui s'occupait si bien de cette ferme maraîchère ? C'est ainsi qu'il apprit qu'elle s'appelait Émérentienne, qu'elle venait d'un petit village de l'autre bord du pont et qu'elle vivait encore sur la ferme avec ses parents. Il avait également remarqué qu'elle ne portait pas d'anneau à l'annulaire gauche. Il acheta un peu de tout, la paya en argent sonnant, et lui demanda quand est-ce qu'elle et son père reviendrait au marché. Elle lui répondit qu'ils venaient vendre leur récolte à tous les trois jours pendant la saison chaude. Il se permit de lui faire un baisemain et lui promit de revenir dans trois jours.

Pamphile tint promesse et continua de se présenter à son kiosque à chaque fois qu'ils y étaient. Après quatre semaines de ce manège-là, le père d'Émérentienne, qui avait bien vu le subterfuge du prétendant, proposa à sa fille de l'inviter à la maison pour dîner le dimanche suivant.

C'est ainsi que l'histoire d'amour entre Pamphile et Émérentienne commença. Ils se marièrent au début du mois d'octobre, après des fréquentations de trois mois. Les amoureux ne pouvaient plus attendre tellement ils avaient hâte de vivre ensemble. Le temps jouait également contre eux, car leur vœu le plus cher était de fonder une famille et ils étaient conscients tous les deux de leur âge.

Malheureusement, la vie en avait décidé autrement. Malgré toutes leurs tentatives, ils n'avaient jamais eu d'enfants. Au cours des premières années, ils étaient demeurés optimistes, mais plus les années passaient, moins ils croyaient que leur souhait se réaliserait. Pamphile se faisait souvent taquiner par ses amis et compagnons. « Qu'est-ce qui arrive, mon Pamphile, es-tu trop fatigué pour honorer ta femme ? » disait l'un. « Il faut que tu mettes toutes les chances de ton bord, Pamphile. À part le jour du Seigneur, tu peux t'essayer tous les soirs ! » lançait un autre. Ce cher Pamphile riait avec eux pour ne pas laisser paraître son grand désarroi. Lui et sa femme en étaient rendus à éviter le sujet. Finalement, après cinq ans de mariage, ils s'étaient rendus à l'évidence que la nature n'était pas de leur bord. Émérentienne et Pamphile avaient été très malheureux de cette situation, mais leur amour l'un pour l'autre était si fort qu'ils avaient fini par accepter leur sort et avaient décidé de profiter pleinement de leur vie de couple.

Trois ans auparavant, ils étaient partis en voyage à Québec. Une semaine complète. Ils s'étaient payé le Château Frontenac, un hôtel du Canadien Pacifique ! Pamphile y avait passé toute ses économies d'une année, mais l'argent n'avait aucune importance quand il s'agissait de faire plaisir à sa douce.

Émérentienne était une femme qui vieillissait bien. Le fait de ne pas avoir eu de grossesse lui avait donné l'avantage de garder une taille mince. Ses cheveux châtains ne comportaient aucun fil gris et sa peau avait gardé un teint de jeunesse. Étienne se surprit à envier son ami. Il revoyait sa belle Laura, avec ses cheveux auburn, son teint clair et ses jolies taches de rousseur éparpillées sur ses pommettes. Cela faisait maintenant plus de dix ans qu'elle était décédée. « Mon Dieu que les années passent vite », pensa-t-il, perdu dans ses souvenirs.

— Hein, mon Steve, qu'est-ce que t'en penses ?

La voix de son ami le sortit de ses rêveries.

— Qu'est-ce que je pense de quoi ? répondit-il un peu embarrassé, se rendant compte qu'il n'avait pas écouté ce que son ami lui racontait.

— Je disais à Émérentienne que tu pourrais rester à souper avec nous autres. Elle rajouta :

— Ça nous ferait tellement plaisir. Comme ça, on aurait le temps de se raconter nos affaires.

— Ben, si vous insistez, je vais rester. Mais je ne pourrai pas partir ben tard, parce que je vais coucher chez ma fille Blanche, pis je voudrais pas l'inquiéter.

Pamphile, les mains croisées sur sa bedaine, se tourna les pouces deux ou trois fois et proposa :

— Bon ben d'abord, embarque dans la *sleigh*, on va aller porter tes affaires chez ta fille. Comme ça on va pouvoir l'avertir que tu soupes à la maison et que tu risques de rentrer tard. Ça fais-tu ton affaire ?

— Ok, si c'est pas trop de trouble. Tu vas être obligé de sortir ton attelage deux fois plutôt qu'une !

Pamphile était déjà debout, la valise de Steve dans les mains et prêt à partir.

— Penses-tu vraiment que tu me déranges ? Aye, dis pas de bêtises. Bon ben, embraye. Il faut qu'on parte si on veut revenir.

Étienne se leva, remercia et salua Émérentienne en lui promettant qu'ils ne seraient pas partis longtemps.

— Le temps d'aller chez Blanche, pis de revenir.

Émérentienne acquiesça et prit la direction du bureau de poste en les saluant de la main.

Lorsque les deux hommes arrivèrent chez Blanche et Oscar, il devait être aux alentours de quatre heures et demie de l'après-midi. Le soleil, caché derrière les nuages depuis son lever, déclinait vite et laissait place à la noirceur qui s'imposait déjà pour la nuit.

Le père de Blanche descendit de la *sleigh* et se dirigea vers la porte d'entrée, tandis que Pamphile avait préféré rester assis sous la pelisse en attendant son ami. Étienne frappa trois coups sur la porte et attendit. Personne ne vint répondre. Il frappa de nouveau, mais cette fois-ci avec plus de vigueur, tout en se retournant vers Pamphile en haussant les épaules pour lui signifier qu'il ne comprenait pas pourquoi personne ne venait lui répondre. Il frappa une troisième fois, en criant au travers de la porte :

— Blanche, c'est moi, ton père. Ouvre !

Mais il ne se produisit rien. La maison semblait vide. En effet, lorsqu'Étienne se décida à regarder par les fenêtres, il constata qu'il n'y avait aucun éclairage à l'intérieur. Il revint vers Pamphile déconcerté et lui fit le constat.

— Y'a pas l'air à avoir personne là-dedans. Je comprends pas. Blanche savait pourtant que j'arrivais aujourd'hui.

Pendant qu'il se demandait ce qu'il allait faire, sa fille apparut au coin de la rue. Elle marchait la tête baissée pour se cacher du vent qui s'était levé soudainement et qui s'engouffrait dans son col de manteau. Elle tirait un petit traîneau de bois où reposait, emmitouflé, un bébé. Son père la vit s'approcher.

— Blanche ! lui lança-t-il, tout en marchant dans sa direction pour aller à sa rencontre.

Elle releva la tête et reconnut son père.

— P'pa ?

Elle accourut vers lui, aussi vite qu'elle pouvait, considérant que le traîneau la ralentissait, et la jeune femme lui sauta au cou.

— Comme je suis contente de vous voir !

Ils s'embrassèrent sur les deux joues et Étienne se pencha vers le petit pour l'admirer. Il dormait à poings fermés, malgré le froid qui sévissait.

— C'est qui c'te beau bébé-là ? T'as pas peur qu'il se gèle le bout du nez ? questionna, inquiet, le futur grand-père.

— C'est le fils de ma voisine. Je le garde pour la soirée. Inquiétez-vous pas pour le p'tit, P'pa, il fait pas si froid que ça. C'est parce que c'est humide. Vous avez déjà oublié les hivers montréalais ? Et puis, de toute façon, j'arrive pas de loin, j'étais chez mon amie Constance à quelques rues d'ici. S'il n'était pas bien, il se serait pas endormi, le rassura-t-elle.

Chapitre 9

Steve prit des mains de Blanche la corde qui servait à tirer le traîneau et ils marchèrent côte à côte jusqu'aux pieds de l'escalier qui menait au logement. Pamphile s'était finalement décidé à descendre et s'approcha de Blanche pour la saluer.

— Bonjour Blanche, comment allez-vous ?

— Ah! Bonjour ! Je vais bien, merci. Et vous-même ?

— Pas trop mal, merci ben. Je commençais à trouver l'hiver long, mais là, avec la visite de votre père, ça me remonte le moral, se réjouit-il en donnant une tape dans le dos à son fidèle ami.

— Entrez, offrit Blanche en se dirigeant vers la porte, on va pas rester dehors par un temps pareil.

Elle déverrouilla la porte et tous les trois pénétrèrent dans la maison avec plaisir, car le froid devenait de plus en plus mordant. Blanche se pencha pour sortir le poupon endormi dans le traîneau.

— Laisse faire, ma fille. Rentre pis fais ce que t'as à faire, je vais m'en occuper.

Blanche sourit et laissa son père prendre le petit garçon.

— Laissez-moi deux minutes, je vais rallumer le feu dans le poêle. Dans quelques minutes, on va pouvoir enlever nos manteaux. Suivez-moi dans la cuisine, on va se faire un bon p'tit thé.

Pamphile toussota pour s'éclaircir la gorge.

— En attendant, on pourrait peut-être se réchauffer avec une p'tite gorgée de caribou, dit-il à l'intention d'Étienne en lui donnant un coup de coude dans les côtes.

Lui faisant un de ses plus beaux clins d'œil, il sortit un flasque de sa poche intérieure gauche. Blanche sourit en voyant son petit manège et leur sortit deux verres qu'elle déposa sur la table devant eux.

— Vous avez raison, monsieur Brodeur, ça peut pas vous faire de tort !

Étienne avait toujours le bébé dans les bras. Il l'avait pris avec tellement de précautions qu'il ne s'était pas réveillé. Il repoussa délicatement la couverture qui lui recouvrait le visage à moitié, pour l'admirer.

— Il est beau en baptême ! pensa-t-il à haute voix, tout en le berçant doucement.

Blanche se tourna vers son père, qui n'avait d'yeux que pour l'enfant. Elle regarda ensuite Pamphile et ils eurent un sourire de connivence. Toute personne qui se serait trouvée dans la cuisine de Blanche à ce moment précis, aurait compris qu'Étienne avait très hâte d'être grand-père. Le petit se réveilla doucement et ouvrit les yeux. Il vit cet homme qu'il ne connaissait pas et malgré tout lui fit un beau sourire.

— Blanche, le p'tit est réveillé, pis il me sourit. Mais il est donc ben fin cet enfant-là. Bonjour mon p'tit gars, ajouta-t-il en s'adressant au bébé.

Quand il entreprit de lui enlever son attirail d'hiver, celui-ci se mit à pleurnicher.

— Ah ben là, je pense qu'il veut voir sa marraine. Tiens ma fille, dit-il en lui remettant le bébé dans les bras.

Le retour d'Étienne à Montréal fit la joie de sa fille Blanche. Après deux ans et demi de mariage avec son Oscar, elle était finalement enceinte. Son premier enfant devait naître à la fin juillet.

Elle aurait dû, comme le voulait l'époque, arrêter de travailler après leur mariage, mais elle avait insisté pour continuer son travail à la manufacture. Lorsqu'elle en avait parlé la première fois à son mari, celui-ci avait assez mal accueilli l'idée. Blanche était revenue à la charge et insista pour avoir une réponse. Oscar avait finalement accepté tout en lui faisant promettre qu'elle arrêterait aussitôt qu'elle se sentirait fatiguée ou serait dans l'attente d'un enfant.

L'aînée d'Étienne avait du caractère et pouvait se montrer très obstinée lorsqu'elle voulait quelque chose. Tous les moyens étaient bons pour arriver à ses fins. Et comme Oscar aimait sa belle, il pouvait difficilement lui refuser ce qu'elle lui demandait. Il avait dû, malgré toutes les apparences, piler sur son orgueil et acquiescer à sa demande. Pour l'homme qu'il était, c'était laisser croire à la société qu'il n'était pas capable de faire vivre sa femme. Ce qui n'était pas le cas.

Comme il en rêvait depuis longtemps, Oscar avait fait l'acquisition d'une automobile, cette nouvelle invention qui était construite aux États-Unis, par la compagnie Ford. C'était une voiture noire, sur roues, qu'on appelait *Modèle T*. Les chevaux étaient remplacés par un moteur à explosion de 4 cylindres et qui développait 20 chevaux. Certains pensaient que cette invention allait changer le monde, d'autres pensaient que ça ne durerait qu'un temps et qu'on reviendrait aux chevaux. C'était un modèle de l'année, construite à Windsor en Ontario, qu'il avait payé 550 $. La somme était énorme pour Oscar, mais il désirait tellement faire le même métier que son père, chauffeur, qu'il décida de mettre sa voiture au service des gens en faisant du taxi. Ses parents et amis n'y croyaient pas trop au début. Mais, avec le temps, ils se rendirent compte qu'Oscar n'avait pas tort. En effet, il se débrouillait assez bien et réussissait à payer sa voiture tout en faisant vivre sa famille. À Montréal, comme dans toutes les grandes villes de l'Amérique, les voitures à moteur remplaçaient tranquillement, mais sûrement, les voitures tirées par des chevaux.

Oscar était très fier de se promener dans cette nouvelle invention de monsieur Henry Ford. Cet homme avait vu dans ce véhicule la liberté et l'indépendance de chaque individu.

— Regarde-moi ça, disait-il à ses amis, ça marche quasiment tout seul. Il y a trois pédales et deux leviers; avec celui-là, tu accélères, avec celui-ci, tu changes de vitesse. C'est une vraie p'tite merveille. Imaginez que tout le monde puisse se promener avec ça ! C'est pas croyable ce qu'on peut faire aujourd'hui. Dire qu'on pensait que le train était formidable. L'automobile, en comparaison, est extraordinaire. Et en plus, le monde me paye pour que je les promène là-dedans !

Puis, il riait, d'un rire sonore qui prenait sa source dans sa bedaine.

Les deux hommes restèrent une bonne heure à jaser avec Blanche. Finalement, Étienne décida de rester avec sa fille et Pamphile s'en retourna tout seul. Les deux amis se quittèrent en se promettant de se revoir bientôt.

Étienne s'installa donc chez sa fille et se présenta le lundi matin à la fonderie. Monsieur Garth était présent et insista pour recevoir Steve dans son bureau. La joie de revoir son employé, qui l'avait quitté presque trois ans auparavant, se lisait sur son visage.

— *Steve, I am so happy to see you again,* lui dit-il souriant. Il s'avança et lui prit la main qu'il serra avec vigueur tout en lui donnant une tape dans le dos pour appuyer son geste de bienvenue. Puis, il enchaîna : *How is your health now ?*

— *Better, Mr. Garth, much better. That is why I don't know how long I'm going to stay.*

— *Don't think about that, Steve. Come on, I will show you the changes we have done in the foundry.*

Le patron lui-même lui fit faire le tour de l'usine pour montrer à Étienne toutes les modifications que cette dernière avait subies depuis l'avènement de la production d'obus. Il lui parla ensuite des commandes qu'il avait reçues et des *deadlines*[39] que la compagnie devait respecter. Il expliqua que c'était très exigeant, mais que ce serait payant.

Étienne reprit donc son poste de *foreman* et retrouva avec joie certains gars avec qui il avait travaillé quelques années auparavant. Même si le résultat des produits n'était pas le même, le travail, lui, demeurait assez routinier. Il reprit ses vieilles habitudes comme s'il n'avait jamais arrêté. Après la première semaine, il en fit la constatation à son *boss* et Mr Garth lui répondit qu'il n'était pas surpris, car Steve avait toujours été très efficace dans son métier. Les semaines s'écoulèrent donc tranquillement, mais sûrement. Étienne ne savait pas combien de temps il allait rester, mais il voulait tenir le coup assez longtemps pour rapporter de l'argent à la maison.

---

39   Anglicisme : délai (de livraison).

Sa vie chez sa fille et son gendre se passait plutôt bien. Étienne partait très tôt le matin, et ne rentrait jamais avant sept heures le soir. Lorsqu'il recevait sa paye, il en donnait une partie à Blanche pour payer sa pension, puis se rendait dans les magasins pour acheter, soit des souliers pour les garçons, soit un article de cuisine pour sa fille, soit de la nourriture qu'on ne retrouvait pas dans le Nord. Il faisait une petite boîte qu'il allait porter au train à chaque vendredi. De la gare de Labelle, cette boîte se rendait à La Minerve chez la famille Bruneau par l'intermédiaire du postier Jules Talbot. C'était une grande joie à chaque fois. Les garçons se tiraillaient pour savoir qui allait l'ouvrir. Eugénie devait alors trancher en disant : « Arrêtez de vous chicaner, c'est chacun votre tour. La semaine dernière c'était Henri, alors cette semaine c'est au tour de Louis ». Puis, elle sortait un petit couteau de poche qu'elle gardait dans son tablier, comme le faisait sa grand-mère avant elle, le tendait à son petit frère en lui disant toutes les précautions qu'il fallait prendre avec une arme tranchante. « Fais attention de ne pas te couper. Ne dirige jamais le couteau vers toi, toujours vers l'extérieur. Et lorsque tu as terminé, tu le refermes aussitôt. » Les garçons se regardaient et élevaient les yeux au ciel, car Eugénie répétait la même rengaine que leur mémère qui n'était plus là.

—À croire que tu veux devenir une vielle fille avant ton temps, la taquinaient-ils.

Chapitre 9
Seuls à La Minerve

L e malheur d'avoir perdu leur grand-mère, accentué par le départ de leur père, fit place aux petits problèmes domestiques avec lesquels Eugénie et Henri devaient composer chaque jour. Ils devinrent vite responsables, car ils devaient prendre en charge toutes les corvées : nourriture, chauffage, animaux. Louis continuait l'école tandis que, de son côté, Henri allait bûcher et qu'Eugénie s'affairait à la maison. Ainsi, les mois passèrent tranquillement sans que les enfants d'Étienne ne s'en rendent compte, pendant que ce dernier travaillait avec acharnement à la fonderie afin de pouvoir revenir chez lui le plus rapidement possible. Camille Bruneau, l'un des fils d'Omer, à qui Étienne avait demandé de venir dormir avec ses enfants lors de son absence, n'avait pas tenu sa promesse telle qu'entendue avec son oncle. Enfin, il n'était pas venu aussi souvent que prévu, et maintenant qu'on arrivait au mois d'avril, on ne le voyait plus, car il avait recommencé à travailler avec son père. Heureusement, l'hiver n'avait pas été trop difficile. Les enfants avaient réussi à s'en sortir. Henri s'occupait, comme le lui avait demandé son père, du chauffage de la maison et du déblaiement de la cour. Eugénie prenait son rôle très au sérieux et jouait à la mère avec ses frères, surtout avec le plus jeune.

Louis venait d'avoir neuf ans et finissait sa troisième année. Eugénie fêterait ses vingt ans le premier mai et, quoique jolie, elle se trouvait peu attirante, avec sa silhouette maigrichonne. Selon Henri, elle ressemblait de plus en plus à leur mère, Laura, même s'il n'en gardait qu'un vague souvenir d'enfant, puisqu'il n'avait que sept ans lorsqu'elle était morte. Eugénie se trouvait trop maigre comme sa mère, demeurée toute menue jusqu'à sa mort. Elle désespérait de voir un jour son corps d'échalote se transformer en celui d'une femme accomplie.

Henri, quant à lui, avait eu dix-sept ans à l'automne. Son apparence avait passablement changé avec les années. Surtout depuis qu'il travaillait comme bûcheron. Il avait grandi et pris un peu plus de poids. Il savait qu'il n'aurait jamais de gros muscles, mais était assez fier de ses biceps.

Pendant cet hiver, Henri avait travaillé pour Alexandre Talbot qui habitait en haut de la côte, de l'autre bord du lac Shaughnessy. Cet homme bûchait sur sa terre et avait engagé des hommes pour quelques mois. Alexandre était le fils de Mme Talbot, propriétaire du magasin général à côté de chez Étienne, au lac Désert. C'était le seul de ses enfants qui avait décidé de demeurer à La Minerve, les autres étant tous retournés en ville. Ce Talbot-là, c'était un homme dur au travail, et il en attendait autant de ses hommes engagés. Henri recevait 75 ¢ par jour. C'était plus payant que de travailler pour M. Séguin, mais c'était bien plus dur aussi. Les journées étaient longues; les gars commençaient aux premières lueurs du jour et lâchaient la job seulement au coucher du soleil. Henri travaillait plus fort, c'était plus exigeant, mais il tenait le coup. Il considérait que le sacrifice que son père faisait chaque jour en travaillant à la fonderie était beaucoup plus grand. Étienne avait quitté sa famille, sa maison, sa campagne, et risquait de retomber malade. Son courage, Henri le puisait dans celui de son père, et priait pour lui chaque soir avant de s'endormir.

Quelques mois après le départ d'Étienne, au printemps 1915, le temps de la drave ramena Wilfrid Charbonneau à La Minerve. Cette fois-ci, contrairement à l'été d'avant, Eugénie et Henri lui permirent de s'installer dans la maison, dans la chambre d'Étienne. Personne ne dormit tranquille la première nuit, sauf Louis qui ne faisait pas trop de cas du pensionnaire. Pour lui, petit bonhomme, si tout le monde était souriant dans la maison, il n'y avait pas d'inquiétude à avoir. La seule chose qui importait à Louis, c'était de recevoir régulièrement des nouvelles de son père. Il attendait toujours avec impatience les lettres et colis envoyés par celui-ci. La dernière missive qu'ils avaient reçue avait été pour leur annoncer la naissance du premier fils de Blanche et d'Oscar.

Dans la lettre qu'Étienne avait écrite à ses enfants, il mentionnait que la mère se portait bien et que le petit allait être baptisé Roger. Il avouait aussi qu'il était heureux et fier d'être grand-père.

Après avoir travaillé avec Pharaïde Séguin et pris de l'expérience avec Alexandre Talbot, Henri se fit engager au moulin à scie de Hormidas Potvin qui était situé sur le bord du ruisseau. Le moulin fonctionnait grâce à l'eau de la décharge du lac Désert qui coulait vers le lac Shaughnessy. Il y travailla quelques mois, en même temps que leur pensionnaire. Cette année-là, le travail au moulin se termina plus rapidement qu'à l'accoutumée et M. Potvin dut se défaire de quelques employés. Il donna préférence aux gars de la place ainsi qu'aux pères de famille. Il n'avait plus de travail pour les autres. Henri et Charbonneau se retrouvèrent sans travail. Ce dernier, qui se trouvait bien où il était, demanda à Eugénie et son frère s'il pouvait rester encore un peu.

— Je pourrais vous donner un coup de main sur la terre. Je vois qu'y a pas grand-chose de fait. Depuis combien d'années êtes-vous installés ici ?

C'est Henri qui répondit.

— Ça a fait quatre ans en juin. On se débrouille pas si mal, rajouta-t-il pour montrer qu'il savait ce qu'il faisait. On a une vache qui va avoir un p'tit veau. On a deux cochons qu'on va pouvoir tuer à l'automne. Nos volailles pondent des œufs, pis on a un beau grand jardin qu'on entretient pendant l'été qui nous donne des patates pis d'autres légumes.

— Oui mais, si vous voulez avoir de la terre à cultiver, il faut agrandir votre terre, faire de l'abattis. Sinon, vous serez jamais des habitants.

Puis, il rajouta en promenant son regard aux alentours :

— Regarde, c'est rien que de la roche autour de ta grange, tu peux pas labourer c'te terre-là, c'est rien que bon pour casser ton équipement.

Chapitre 9

Il avait raison. L'année précédente, son père avait loué une charrue à un voisin pour essayer de labourer. Elle n'avait pas résisté au sol rocailleux. Henri avait dû se rendre chez M. Adam, le forgeron, pour la faire réparer. Il était revenu au milieu de la journée et s'était remis au travail. Quelques heures plus tard, la charrue cassait encore une deuxième fois. Étienne avait décidé d'attendre au lendemain pour retourner chez le forgeron. Ce petit manège avait duré pendant trois jours. La charrue empruntée avait cassé trois fois. Tout ça à cause de leur terre qui était, en grande partie, située sur des caps de roche. Il n'y avait pas grand espace cultivable. En plus de ne pas avoir réussi à labourer leur lopin de terre, ils avaient dû payer pour faire réparer les charrues qui ne leur appartenaient pas. Aujourd'hui, ils n'étaient pas plus avancés. Le seul bout de terrain qu'ils avaient réussi à cultiver, c'était leur jardin. Étienne engageait un homme avec un cheval à l'automne et au printemps pour retourner le coin de terre qui lui donnait des légumes pour nourrir sa famille. Le jardin était situé à côté de la maison, là où le terrain était plat et la terre plus meuble.

Eugénie et Henri se regardèrent ne comprenant pas du tout de quoi monsieur Charbonneau voulait parler.

— C'est quoi ça, faire de l'abattis ? osa demander Henri.

— Ça veut dire : faire de la terre. C'est pas sorcier. Il faut couper des arbres, brûler les branches, semer du grain. Et ça va pousser. Si vous laisser la terre à elle-même, elle ne produira jamais. Charbonneau se rendit bien compte que ses explications étaient vaines, et proposa à Henri de faire une journée d'abattis, dès le lendemain. Henri qui écoutait le plus attentivement possible, se retourna vers sa grande sœur et, avec des yeux interrogateurs, demanda :

— Qu'est-ce que t'en penses, Eugénie ? Crois-tu qu'on devrait faire ce que monsieur Charbonneau nous dit ?

— Pourquoi pas ? Il a l'air à connaître son affaire. De toute façon, je pense que P'pa va être content de n'importe quel travail que tu pourrais faire sur la terre, vu qu'il est pas là pour le faire.

L'accord de sa sœur était suffisant pour rassurer Henri. Les hommes se mirent d'accord pour se lever tôt le lendemain matin.

La nuit fut agitée pour Henri. Il rêva de lui, se promenant dans les rues de Montréal à la recherche de son père. Il rencontrait des personnages étranges qui lui donnaient l'un après l'autre de fausses informations sur l'endroit où son père pourrait se trouver. Il finissait par s'affoler et se mettait à courir dans les rues en criant le surnom de son père « Steve ! Étienne ! Papa ! » Il se réveilla en sursaut vers les trois heures du matin, le front en sueur. Il se leva et descendit à la cuisine pour boire un verre d'eau. C'était la pleine lune et ses reflets éclairaient l'intérieur de la maison. Par la fenêtre, il pouvait observer des ombrages faits par la lune, tout comme le soleil durant le jour, sauf que le décor était étrangement tout en nuances. Tout était bleuté et figé. En examinant le ciel, il retrouva la constellation de la Grande Ourse et se demanda pourquoi elle portait ce nom ridicule avec sa forme qui ressemblait à un chaudron. Cette image qui se dessinait dans le ciel lui fit penser à sa grand-mère et il ressentit une grande nostalgie. Comme un grand vide dans son estomac. Afin de se redonner du courage, il récita un Notre Père puis retourna se coucher après avoir passé quelques minutes de plus à contempler la voûte étoilée dans l'inavouable espoir d'y voir un signe du destin. Une étoile filante…

En bon homme de chantier, Wilfrid Charbonneau se réveilla à cinq heures et monta à l'étage pour cogner à la porte de chambre d'Henri. Il avait l'habitude de se lever très tôt. Henri descendit, à moitié endormi, avec les plis de son oreiller imprimés sur sa joue. Ils prirent leur déjeuner ensemble en silence. Puis, l'homme de chantier se leva de sa chaise et s'adressa à Henri :

— Envoye, mon Henri, on y va pendant qu'il fait beau.

Ils sortirent de la maison, Charbonneau passa devant.

— Henri, as-tu un godendard ?

— Ben, j'ai quelques outils dans la *shed*, répondit-il tout en se dirigeant vers la remise. Il en ressortit avec un vieux godendard.

— C'était déjà icitte quand on a acheté la maison. Pensez-vous que c'est encore bon ? s'enquit-il auprès de l'homme d'expérience.

— Bah ! C'est pas mal vieux pis usé, mais, si t'as pas autre chose pour travailler, ça peut faire l'affaire. Il examina de plus près la vieille scie.

— Y'a rien qu'une affaire, par exemple. Ça me prendrait une lime pour l'aiguiser. En as-tu une ?

— J'pense pas. Je me rappelle pas avoir vu ça icitte.

— Bon ben, dans ce cas-là, va falloir que t'ailles en acheter une au magasin. Je vais t'attendre, lui proposa Charbonneau.

Il s'accota sur le mur de la remise, sortit sa blague à tabac de sa poche de chemise et entreprit de se rouler une cigarette.

Henri prit ses jambes à son cou et dévala les cinquante pieds qui séparaient les deux bâtisses en courant. De l'extérieur, le magasin ressemblait à une maison comme les autres, finie en bardeaux de cèdre. Une galerie sans toiture courait tout le long de la devanture avec, en plein milieu, l'escalier qui menait droit à la porte d'entrée, flanquée d'une fenêtre haute et étroite de chaque côté. Pas de vitrine, pas d'affiche ni d'enseigne indiquant que c'était un commerce. La maison était étroite et profonde, le devant servant de magasin et l'arrière de logement familial. À l'étage, de part et d'autre de l'escalier, se trouvait deux chambres à coucher. Et au pied de ces escaliers, il y avait ce que Mme Talbot appelait le *back store*, là où elle entreposait le surplus de marchandises. Henri grimpa les marches du magasin deux par deux et entra en trombe dans la grande pièce remplie de marchandises. La veuve de Saül Talbot sortit de sa cuisine et vint se poster derrière son comptoir. Elle portait une longue robe grise taillée dans un coton épais, fermée par une longue rangée de boutons. Sur ses épaules était déposé un châle noir qu'elle gardait à l'année, été comme hiver. Ce costume contrastait avec sa chevelure grise et lui donnait un air austère.

— Bonjour Henri ! Veux-tu ben me dire qu'est-ce que t'as à courir de même ? Le feu es-t'y pris ?

— Bonjour madame, y'a rien de grave, inquiétez-vous pas !

Il s'arrêta quelques secondes pour reprendre son souffle et se mit à regarder partout autour de lui. Chez Hortense Talbot, il y avait de tout. Des outils, des ustensiles de cuisine, des denrées indispensables comme de la farine et du sucre, mais il y avait aussi des bonbons, de la gomme et des *papparmanes* fortes. Celles que son père aimait tant. Le temps s'arrêta soudainement devant ces friandises et Henri revit son père en pensée. Comme il aurait aimé qu'il soit là aujourd'hui. Lorsque son regard quitta le pot de menthes, il revint se poser sur la vieille qui attendait tranquillement que son client se décide à lui dire ce qu'il voulait.

Henri se rendit compte qu'il était dans la lune et s'excusa auprès de la commerçante :

— Excusez-moi, madame Talbot. En voyant les *papparmanes,* ça m'a fait penser à mon père. Je viens pour acheter une lime. En avez-vous à vendre ?

— Bien sûr, mon garçon. Tiens, viens voir toi-même.

Sur ces paroles, elle lui fit signe de la suivre et l'amena dans un coin du magasin où étaient étalés quelques outils et tout ce qui pouvait être utile pour les réparer. Il y avait des limes, des manches de hache et des boîtes de clous parmi d'autres pièces de métal dont Henri ignorait l'usage. Il regarda de plus près les différentes limes et demanda :

— Savez-vous laquelle est bonne pour aiguiser un godendard ?

Mme Talbot sortit les mains de son tablier, se replaça le chignon de la main droite comme si elle réfléchissait à ce qu'elle allait faire. Finalement, elle en choisit une et la remit dans les mains d'Henri en lui disant :

— C'est ça qu'il te faut. Sais-tu comment t'en servir, au moins ?

Pour toute réponse, Henri bafouilla quelques mots inaudibles. La vieille s'étira le cou pour regarder par la fenêtre de côté ce qui se passait chez son voisin. C'est là qu'elle aperçut M. Charbonneau qui regardait en direction du magasin. L'homme était assis sur le muret de pierres près de la remise et fumait sa cigarette.

— Tiens, prends-la pis va-t'en, sinon il y en a un qui va perdre patience, lui dit-elle en lui faisant un signe de tête pour lui montrer ce qu'elle voyait par la fenêtre. Tu me paieras plus tard.

— Merci, Mme Talbot, je vais venir vous payer après le souper, et il ressortit aussi vite qu'il était entré.

Le bûcheron l'attendait et l'apostropha dès son arrivée.

— Coudon, étais-tu en train d'acheter le magasin ?

— Ben non, mais je savais pas laquelle il fallait acheter. C'est madame Talbot qui m'a conseillé. Celle-là est-tu correct ?

— C'est parfait. Astheure, je vais aller aiguiser ton godendard, pis après on va pouvoir commencer à travailler.

Une fois l'affûtage terminé, Charbonneau donna ses premières consignes :

— Bon ben, c'est pas compliqué, Henri. On va commencer par couper ces arbres-là, lui expliqua-t-il en lui montrant du doigt les chicots qui, selon lui, devaient être abattus. Après ça, on va les débiter. On va garder les billots d'érable pour faire du bois de chauffage. Le merisier et tous les autres bois durs, on va aller les faire scier au moulin. Les planches vous les garderez pour vous construire des bâtiments. Le reste on va le mettre en tas pis on va le brûler. Les bougons, les branches, on se débarrasse de ça. On va tout brûler c'qui est pas utile. Après, on va enlever les souches pis étendre la cendre. C'est un fichu de bon engrais pour la terre.

Ils se mirent donc au travail. À la fin de leur première journée, ils n'avaient pas nettoyé un grand morceau de terrain, mais la montagne de branches qu'ils avaient empilées brûlait encore lorsque le soleil déclina dans le ciel.

Le moulin à scie ne les ayant pas réengagés, Henri et Charbonneau continuèrent à défricher la terre d'Étienne. Après avoir mis le feu aux branchages qu'ils avaient abattus, ils passaient avec une herse pour bien mélanger les cendres à la terre, puis ils semaient du grain : de l'avoine, du foin et du mil pour l'année d'ensuite.

Charbonneau continuait d'encourager Henri dans son travail.

— Ça va ben, mon Henri. On a fait un bon bout de terre. Astheure qu'on a semé, tu vas voir à la fin de l'été, tu vas avoir du foin pour nourrir tes vaches. T'auras pu besoin d'en acheter.

— Ouais ! Je comprends ça, monsieur Charbonneau, mais je me demande ce que mon père va dire de tout ça. J'suis pas sûr qu'il va être content qu'on ait coupé autant d'arbres. Il va sûrement me chicaner. Il m'a déjà raconté que quand il était petit, il a passé quelques années chez des habitants qui étaient ben pauvres. Pis, du bois debout, ils ne touchaient pas à ça. C'était sacré ! s'inquiéta Henri.

— Fais toi z'en pas avec ton père. Je te l'ai dit que j'allais tout lui expliquer. Il va comprendre, c'est pas un fou c't'homme-là !

Henri accomplissait son travail avec conviction et, ses craintes mises de côté, avait hâte que son père voit ce qu'il avait entrepris. Malgré la débrouillardise qu'il démontrait, il demeurait toujours l'enfant qui attendait l'assentiment de son père. Il espérait au pire ne pas être puni et, au mieux, que son père soit fier de lui.

* * *

En septembre 1915, Étienne était toujours à Montréal. Wilfrid Charbonneau, après avoir donné un bon coup de main sur la terre, était retourné par chez eux. Henri s'était réveillé tôt ce matin-là. Les rayons du soleil, déjà levé, pénétraient dans la chambre par les fentes des rideaux. Il pouvait ressentir le temps qu'il faisait avant même qu'il ait jeté un coup d'œil dehors. D'abord, il ouvrit les yeux et regarda l'intensité des rayons du soleil, puis il tendit l'oreille afin de savoir s'il ventait ou pas. À travers les murs de sa chambre, il sentit la chaleur avec la paume de sa main. La nature était facile à deviner; il fallait seulement être attentif.

C'était l'un de ces matins où il se sentait bien vivant. Un de ces matins où il se disait que la vie était belle et que l'univers pouvait être magnifique.

Il se leva avec l'idée qu'il profiterait de cette belle journée. Il irait à la pêche. Il se rendit sur le quai pour admirer le soleil au fond de la grande baie. Il aimait de plus en plus ce coin de pays et souhaitait ne jamais avoir à le quitter. Il se réjouissait à l'idée que son père reviendrait peut-être bientôt. Perdu dans ses pensées, Henri ne vit pas tout de suite la longue bande de fumée qui apparaissait sournoisement au-dessus des montagnes.

Le printemps et l'été avaient été particulièrement secs cette année-là, la pluie ne tombant que très rarement et ne durait que quelques minutes à chaque fois. Le soleil qui était apparu fort et brûlant dès les premiers jours d'avril n'avait cessé de projeter ses rayons ardents sur la nature. La vague de chaleur qui sévissait ne fit qu'empirer jusqu'à la fin de l'été. Certains cultivateurs craignaient que leur récolte soit maigre à cause du manque d'eau, tandis que d'autres disaient que c'était mieux ainsi puisque trop de pluie faisait pourrir la récolte. Le curé Girouard, à la demande de monsieur le maire, avait recommandé à ses paroissiens, lors de la dernière messe, de ne plus faire de feu dans les champs. « Il faut éviter les malheurs », avait-il dit.

Le vent se souleva doucement et une odeur âcre se propagea dans l'air. Cette odeur de brûlis, un mélange de bois et de feuilles vint éveiller les sens d'Henri et le sortit de ses rêveries. Il renifla à quelques reprises. « Mais, bonyenne, ça sent le brûlé ! pensa-t-il. Ma foi du bon Dieu, qui c'est qui peut ben faire un feu ? » Il se releva et, debout, tous ses sens en alerte, tourna lentement sur lui-même en scrutant l'horizon afin de voir s'il voyait d'où le feu pouvait venir. Il commença d'abord par regarder tout autour du lac et poursuivit ses recherches en laissant dériver son regard sur la rive où il se tenait. Il pivota encore un quart de tour et examina leur maison et les alentours pour enfin arrêter son regard en direction de l'ouest. Là, il vit l'épaisse fumée responsable de cette odeur. Son cœur bondit dans sa poitrine et il courut jusqu'à la maison. Il entra dans la cuisine par la porte d'en avant, ne prenant pas le temps de faire le tour. L'élan de sa course le propulsa au centre de la pièce où il constata d'un bref coup d'œil qu'il était seul.

— Eugénie ? Eugénie ? cria-t-il.

Malgré ses appels répétés, il n'obtint pas de réponse. Il poursuivit sa recherche jusqu'au pied de l'escalier tout en continuant à appeler sa sœur. Il monta les marches quatre par quatre. Il ne vit personne. Il redescendit aussi vite et tenta encore une fois de crier le nom de son aînée. À son grand désarroi, la maison semblait vide. Il ressortit par la porte d'en arrière, regarda partout. Eugénie et Louis étaient introuvables.

— Veux-tu ben me dire où c'qu'y sont passés ces deux-là ? Y'étaient là, y'a pas dix minutes.

Après quelques secondes de réflexion, il repartit en courant en direction du magasin de Mme Talbot. Il monta l'escalier rapidement, mais, dans sa hâte, trébucha sur l'avant dernière marche et se retrouva étalé de tout son long sur le plancher de la galerie.

— Ayoye ! Baptême ! ne put-il retenir malgré qu'il n'avait pas l'habitude de sacrer.

Il se releva aussi vite qu'il était tombé, ouvrit la porte et entra dans le magasin en boitant et en jurant dans sa tête.

Madame Talbot et Eugénie, qui discutaient tranquillement devant un sac de farine, chacune de leur côté du comptoir, s'arrêtèrent et dévisagèrent Henri. Louis, qui accompagnait sa grande sœur, était assis par terre. Il leva la tête, vit que ce n'était que son frère, et continua de jouer avec les nouvelles billes que son père lui avait envoyées.

Eugénie questionna son frère en s'approchant de celui-ci.

— Voyons Henri ! Qu'est-ce qui t'arrive ? T'es-tu fait mal ?

Henri se tenait près de la porte, le corps penché par en avant, trop essoufflé pour leur parler clairement. Tout ce qu'il arriva à prononcer fut :

— Le feu, y'a le feu !

Les deux femmes ne le firent pas répéter, elles sortirent aussitôt sur la galerie et cherchèrent toutes les deux du regard. Ne trouvant pas ce qu'elles cherchaient, elles retournèrent à l'intérieur pour questionner à nouveau Henri. Cette fois-ci, c'est madame Talbot qui posa les questions :

Chapitre 9

— Où ça, Henri, le feu ? On voit rien. Chez vous ? Chez les Vallée ? Parle, pour l'amour du saint ciel !

Henri, qui avait eu le temps de reprendre son souffle, leur demanda de revenir avec lui dehors et leur montra l'épaisse fumée qui s'élevait au-dessus des arbres.

Madame Talbot, inquiète, demanda à Henri de se rendre chez Pharaïde Séguin, en haut de la côte pour savoir la cause de cette fumée, et s'il y avait vraiment un feu de forêt, d'essayer de voir dans quelle direction il se propageait.

Tout en écoutant sa voisine, Henri s'assit sur le bord de la galerie pour examiner les dégâts occasionnés par sa chute. Il releva la jambe gauche de son pantalon et aperçut une longue éraflure tout le long de son tibia. Le sang coulait en suivant l'os pour finir sa course dans son bas de laine. Eugénie se tenait à ses côtés et vit la blessure.

— Veux-tu aller à la maison avant, pour te mettre un pansement ? lui proposa-t-elle.

— Non. C'est correct de même. Tu m'arrangeras ça tout à l'heure, là j'ai pas l'temps.

Il rabaissa son pantalon, fit la grimace lorsque le tissu frôla la blessure, se leva et partit en clopinant. Après avoir marché quelques dizaines de pieds, il se retourna vers sa sœur et lui lança :

— Eugénie ! Vas-t'en sur le quai avec Louis. J'irai vous chercher là quand je vais revenir.

Henri se rendit jusqu'au moulin à scie. Il s'arrêta pour parler avec monsieur Potvin qui était en train de piler de la planche dans la cour. Il lui fit part de ses craintes et lui expliqua pourquoi il montait jusque chez monsieur Séguin. De son côté, Hormidas Potvin promit d'en parler aux autres et disparut à l'intérieur du moulin. Henri n'eut pas le temps de se rendre jusqu'en haut de la côte. Il entendit un attelage au loin et l'aperçut à la sortie d'un détour. Le *team* de chevaux se dirigeait vers lui au grand galop, sous les encouragements du cocher. Il reconnut l'attelage et se mit à faire de grands signes avec ses bras pour faire comprendre à son conducteur qu'il souhaitait qu'il s'arrête.

Monsieur Séguin, qui arrivait de chez lui, reconnut Henri et tira sur les guides pour faire ralentir ses chevaux. « Woh la grise…! » cria-t-il. Il réussit à s'arrêter cinquante pieds plus loin. Henri courrait déjà vers lui pour le rejoindre. Il arriva près de la voiture.

— Bonjour ! Je m'en allais chez vous.

— Monte, Henri, j'ai pas le temps d'arrêter. Je m'en vais au village pour faire sonner la cloche par le bedeau. Il y a un feu de forêt qui s'en vient par icitte. Envoye, dépêche !

Henri grimpa rapidement et l'attelage repartit aussitôt. Malgré sa curiosité, Henri ne trouva pas le courage de parler. Se laissant transporter, il se mit à penser à ce qui pouvait arriver de pire. « Mon Dieu ! Qu'arriverait-il si leur maison passait au feu ? Comment pourrait-il jamais apprendre cette nouvelle à son père ? » Il ressentit la peur jusque dans ses tripes et en eut des sueurs froides. Les mouvements saccadés de la voiture sur la route cahoteuse n'aidant pas, il eut soudain mal au cœur. Il se tourna vers l'extérieur de la voiture et eut juste le temps de pencher sa tête par-dessus bord. Il vomit tout ce qu'il avait ingurgité au déjeuner. Monsieur Séguin s'en aperçut, mais n'émit pas de commentaires. Il ne voulait pas l'humilier d'avantage. Ils ne reparlèrent jamais de cette promenade endiablée.

Aussitôt arrivé au village, Pharaïde se dirigea vers l'église et rencontra, par chance, le bedeau qui se trouvait là. Il sonna la cloche aussitôt. Ainsi, toute la population de La Minerve put être avertie du danger imminent grâce au tocsin, ce tintement de la cloche que l'on frappe à coups pressés pour donner l'alarme. L'unique cloche, moulée en 1887, avait été offerte par la paroisse de Labelle en 1900 et installée définitivement dans le clocher en 1906 lors de la construction de l'église. C'était, de loin, le meilleur moyen de communication, et le plus rapide.

Les habitants des maisons les plus près arrivèrent rapidement et se rassemblèrent sur le parvis de l'église. Le curé Salomon Girouard, nouveau à La Minerve, puisqu'il était arrivé dans la paroisse depuis le début de l'année 1915, sortit du presbytère pour accueillir ses paroissiens. Il demanda à son bedeau d'ouvrir les portes de son église et invita les gens à y prendre place. Il discuta quelques minutes avec Pharaïde Séguin, puis monta en chaire afin que tout le monde puisse bien l'entendre et annonça :

— Mes chers amis, on nous apprend à l'instant qu'il y a un feu de forêt qui nous arrive du chemin de Nominingue. C'est Pharaïde et Henri qui nous arrivent du lac Désert avec cette mauvaise nouvelle. Et, comble de malheur, le feu semble se déplacer vers notre village.

À ces paroles, on entendit un murmure de consternation. Les gens se mirent à parler entre eux et semblèrent avoir oublié le curé. D'un ton ferme, ce dernier demanda le silence et donna la parole au maire Agénor Ducharme.

— Bon, on n'a pas le temps de discuter, mais ça nous donne quand même le temps d'agir. Il faut qu'on s'organise. Les hommes, vous allez vous séparer en équipe pis vous rendre à la ligne de feu avec des pelles pis des râteaux. Ceux qui ont des chevaux vont apporter de l'eau dans des tonneaux, des barils, des canisses, n'importe quoi, ce que vous trouverez, pis vous allez essayer de vous rendre avec votre attelage jusqu'au feu. Ça sera peut-être pas facile parce que les chevaux voudront pas trop s'approcher.

Le maire Ducharme reprit son souffle, se racla la gorge et parla plus fort, car le ton montait dans l'église.

— Les femmes, vous allez rassembler tous vos enfants. Je veux que tous les membres de chaque famille soient réunis. C'est pas le temps de se demander où c'qui est passé le petit dernier. Restez chez vous et préparez-vous à évacuer. Si ça devient nécessaire, le bedeau va sonner le tocsin encore une fois. Si vous connaissez une famille qui habite trop loin pour avoir entendu la cloche, envoyez votre plus vieux pour les avertir. Ceux qui habitent proche des lacs devraient s'y rendre. Emportez ce qu'il faut pour y passer la journée. On ne sait jamais ! Astheure, monsieur le curé va faire une prière.

Lorsque toutes les consignes furent données et que la prière fut récitée, les paroissiens sortirent de l'église et se séparèrent pour aller à leur corvée.

Henri était demeuré près de la porte, à côté du bénitier, les mains dans les poches et il attendait que monsieur Séguin ressorte pour retourner chez lui. Il avait hâte de rentrer pour donner des nouvelles à sa sœur. Il sentit une main se poser sur son épaule. Il se retourna et aperçut son oncle Omer.

— Salut mon oncle, dit-il d'une voix faible.

Omer remarqua tout de suite le teint blême de son neveu.

— Ça va pas, Henri ? demanda-t-il en lui frottant le dos comme pour le rassurer. Embarque avec moi, je m'en allais justement au lac Désert pour aller vous chercher. Es-tu venu à pied ?

— Non, je suis venu avec monsieur Séguin. Attendez, je vais aller l'avertir de pas m'attendre.

Omer et Henri prirent la direction du lac Désert et arrêtèrent chez Frank Fafard pour leur donner les instructions.

Lorsqu'ils arrivèrent à la maison d'Étienne, Louis accourut vers eux, suivi par Eugénie qui revenait par le petit sentier qui menait au lac. Apparemment, ils avaient écouté les directives d'Henri et avaient attendu son retour sur le quai. Eugénie cria à Louis de l'attendre, mais celui-ci n'en fit qu'à sa tête et continua sa course vers la maison où l'attelage s'était arrêté. Henri et Omer en descendirent puis ce dernier se dirigea à la rencontre de sa nièce. Il se rendit compte qu'elle était très énervée par la nouvelle et glissa son bras sous le sien pour l'aider à monter les marches.

— Viens, ma belle fille, il faut vous préparer à évacuer la maison.

— Ah non, dites-moi pas que le feu s'en vient par icitte ? osa-t-elle demander, inquiète, en regardant son oncle dans les yeux.

Omer pouvait lire la frayeur dans son regard et tenta de la rassurer.

— On sait pas. Personne le sait. Seulement, on peut pas prendre de chance. Pendant que vous allez paqueter vos affaires, Henri pis moi, on va transporter les meubles sur le quai avec le tombereau. Après ça, vous allez venir avec moi au lac Chapleau.

Chapitre 9

Eugénie, qui d'ordinaire ne se laissait pas dire quoi faire, n'émit aucune objection. Elle suivit son oncle sans ajouter un mot et se mit aussitôt à l'ouvrage. Elle fit le tour de la maison et ramassa les affaires personnelles pour chacun. Louis lui donna un coup de main. Pendant ce temps, Omer et Henri emplirent le tombereau de tous les meubles qu'ils purent transporter et allèrent les porter sur le quai.

Lorsque tout fut prêt, Omer donna le signal de départ aux membres de la famille. Les Bruneau quittèrent leur demeure avec une grande inquiétude dans le cœur, le regard tourné vers cette petite maison de bois qui était devenue, avec les années, leur vrai chez eux. La voix affaiblie par l'émotion, Eugénie proposa de réciter un chapelet pendant le voyage.

— Prier, c'est la seule chose qu'il nous reste à faire.

Elle sortit son chapelet de la poche de sa robe et commença à réciter. « Je vous salue, Marie, pleine de grâce, le Seigneur est avec vous... » Elle s'arrêta soudain, n'entendant pas la voix de son petit frère. Elle se retourna vers lui et l'encouragea à faire comme les autres :

— Allez, Louis, toi aussi.

Chemin faisant, ils rencontrèrent des bogheis, des carrioles et des tombereaux transportant des hommes et leurs outils : des pelles, des haches, des bêches, des râteaux. Il y avait également des charrettes avec toutes sortes de bidons vides que les hommes allaient remplir dans la petite rivière à côté du moulin à scie, avant de monter la grande côte.

Maria, l'épouse de Pharaïde Séguin, qui venait de donner naissance à la fin juin, fut installée elle aussi sur un quai en bordure du lac Désert avec sa marmaille. Leur maison était beaucoup plus à risque que celle d'Étienne d'après sa situation géographique. Et le vent semblait vouloir reprendre de la vigueur.

Le curé, après avoir donné ses conseils à ses paroissiens, décida de se rendre lui aussi sur le chemin qui menait à Nominingue pour voir les dégâts. Il demanda à un de ses marguilliers de l'amener chez Pharaïde. Il débarqua du boghei, prit avec lui le flacon d'eau bénite qu'il avait apporté et se mit à faire le tour de la maison et des bâtiments. À la cadence de ses pas, on pouvait voir, derrière sa grande soutane noire traînant par terre, un nuage de poussière s'élever et tourbillonner. À son plus grand désarroi, le vent était toujours de la partie et l'odeur de fumée était de plus en plus présente. Il priait Dieu de les épargner, lui et ses paroissiens.

Pendant que le curé faisait ses invocations, le maire donna ordre de creuser une tranchée à l'orée de la forêt qui entourait la terre de Pharaïde. Tous les hommes disponibles se mirent à l'ouvrage aussitôt. Le travail allait bon train, quand tout à coup, sans que personne ne comprenne ce qui se passait, le vent arrêta de souffler subitement. C'était comme si le temps venait de s'arrêter. On n'entendait plus rien. Ni le chant des oiseaux, ni le vent dans les branches, ni les feuilles se froisser l'une contre l'autre, ni même le crépitement du feu. C'était le silence complet. Les hommes se figèrent et se regardèrent, en se demandant s'ils devaient continuer leur besogne. Puis, le vent reprit de plus belle, mais cette fois-ci en se retournant contre lui-même.

— Hé ! Regardez ! cria un jeune homme, on dirait que le feu change de bord !

Les flammes, tantôt avides de tout consumer sur leur passage, diminuèrent peu à peu pour ne laisser, à la fin, que quelques brasiers.

— Regardez par là… monsieur le curé ! lança un autre.

Les regards se tournèrent vers cet homme d'église, qu'ils avaient oublié pour un instant, et le virent, grimpé sur un rocher, les bras ouverts en croix, semblant implorer le ciel de lui venir en aide. Il regardait dans le vide, mais on aurait pourtant juré qu'il s'adressait à quelqu'un. Puis, avec des gestes lents, il descendit de sa chaire de fortune, marcha vers ses fidèles et leur adressa la parole dans un calme désarmant.

— À genoux, mes frères, à genoux. Rendons grâce à Dieu, notre Seigneur car nos prières ont été exaucées.

Tous les hommes présents lâchèrent pelles et pics et tombèrent à genoux, les mains jointes pour remercier le ciel. Au même moment, quelques gouttes de pluie commencèrent à tomber pour la plus grande joie de tous. Les hommes firent leur signe de croix les uns après les autres, en baissant la tête pour cacher leur émotion. La nature semblait avoir repris son calme. On n'entendait que la pluie tambouriner sur les toits des bâtiments. Après quelques moments de silence, le curé reprit la parole en enjoignant ses paroissiens à réciter un chapelet en remerciement à Dieu.

Toute la paroisse fut fortement ébranlée par cet épouvantable danger. Le feu faisait peur à tout le monde. C'était le pire des malheurs qui pouvait arriver à des colons qui n'avaient presque rien. Si le seul bien qu'ils possédaient, leur maison, et pour lequel ils travaillaient comme des forcenés, passait au feu, que leur resterait-il ?

Chapitre 10

La maladie d'Eugénie

Cela faisait presque huit mois qu'Étienne était retourné à Montréal et finalement il se rendait compte qu'il n'était pas vraiment heureux. Autant il avait eu de craintes à quitter la ville, autant maintenant il rêvait de se retrouver dans son coin de campagne. La seule raison qui le faisait rester c'était l'argent, parce que maintenant, c'était payant de travailler à la fonderie. Il gagnait deux fois le salaire qu'il faisait auparavant. Il croyait donc qu'il fallait qu'il reste le plus longtemps possible. Il travaillait beaucoup et n'avait congé que le dimanche qu'il partageait entre sa fille Blanche et ses amis Pamphile et Émérentienne. Ces derniers le recevaient régulièrement pour dîner après la messe.

— Tu sais, Pamphile, avoua-t-il un jour à son ami, je commence à être tanné.

Pamphile, qui était affairé à leur servir un p'tit boire avant le repas, releva les yeux et demanda :

— De quoi t'es tanné au juste ?

— De tout ! De la fonderie, de la ville, de pas être chez nous. Pis, à part de ça, je m'ennuie pas mal de mes enfants.

— Au moins, tu profites de ta fille Blanche. Ça faisait quand même un bon bout de temps que tu l'avais pas vue !

— Oui, c'est vrai, mais tu sais, Blanche est indépendante. Elle a son mari, son p'tit gars Roger, ses amies de fille. Pis, elle fréquente pas mal la famille de mon frère, ses cousins, ses cousines, les enfants de Parfait. Ils ont été ben bons avec elle quand ils l'ont hébergée. Elle s'est attachée à eux autres.

Étienne semblait fatigué, déprimé et un brin découragé. Il se tenait assis, les mains croisées sur la table de la cuisine, les épaules voûtées. Son regard semblait vide et lointain. Il enchaîna :

— Il y a deux semaines, j'ai reçu une lettre de ma fille Eugénie, elle me dit que le petit dernier, Louis, demande souvent de mes nouvelles. Il pose sans arrêt la même question : quand est-ce que P'pa va revenir à la maison ?

Son ami et sa femme écoutaient attentivement la complainte de cet homme de 49 ans. Ils auraient bien voulu lui trouver la solution idéale, mais elle n'existait pas.

— Écoute, Steve, dit Pamphile en lui tendant un verre de whisky, si tu veux mon avis, t'es mieux de prendre ça au jour le jour. Ça sert à rien de t'en faire. Le jour où tu vas être assez écœuré, tu vas prendre tes cliques pis tes claques pour retourner à La Minerve. À t'entendre parler de même, je dirais que t'en as pas pour ben longtemps encore.

— Pamphile a raison, dit Émérentienne. Dans la vie, ça sert à rien de se poser des questions. Quand ça va être le temps de repartir, tu vas le savoir.

Puis, dans sa grande ferveur catholique, et pensant l'aider, elle ajouta :

— Demande au bon Dieu de t'aider pis de t'envoyer un signe.

Des signes ! Il en avait reçu dans sa vie. Mais dans son cas, les signes qui annonçaient des grands changements étaient toujours reliés à des malheurs. Il en était venu à ne plus rien demander au ciel de peur de ce qui pouvait lui arriver.

— Merci ben pour ton appui, Émérentienne, mais j'aime autant m'arranger tout seul. Jusqu'à maintenant, ton bon Dieu, y'a pas fait grand-chose pour moi.

Et sur ces paroles, il but d'un trait son p'tit verre de whisky blanc en ayant pris soin de trinquer avec son fidèle ami avant. Le liquide lui racla la gorge et lui réchauffa la poitrine.

— Ouais, ça enlève les fils d'araignée ça !

Le lendemain matin, Étienne reçut une autre lettre en provenance de La Minerve. Mais cette fois-ci, elle était écrite de la main d'Henri. Eugénie était malade. Elle était alitée depuis quelques jours et Henri implorait son père de revenir à la maison. Malgré l'aide que son oncle Omer et sa tante Exilia lui offrait, il préférait de loin voir revenir son père à la maison. Sans la vigueur d'Eugénie, il se sentait seul et démuni.

Depuis la mort de sa grand-mère, Eugénie avait repris les rênes et menait la maisonnée de main de maître. Elle n'avait que vingt ans après tout et elle prenait soin de ses frères comme si sa vie en dépendait.

En lisant cette lettre, Étienne comprit qu'il était grand temps qu'il retourne avec les siens. Ils les avaient laissés seuls assez longtemps. Il repensa à ce qu'Émérentienne lui avait dit la veille : « Demande au bon Dieu de t'envoyer un signe ». Eh bien, il l'avait son signe. Il devait retourner chez lui, car ses enfants avaient besoin de lui. Sa fille était malade. L'inquiétude le rongeait et il décida d'annoncer la journée même à Mr Garth qu'il quittait définitivement la fonderie.

Omer vint accueillir son frère à la gare de Labelle. Ils passèrent chez le docteur Bigonesse pour lui demander de venir faire une visite chez Étienne le plus vite possible afin d'ausculter Eugénie. Le trajet entre Labelle et La Minerve sembla durer une éternité. Le père était anxieux de retrouver les siens et de constater par lui-même l'état de santé de sa fille.

Ils arrivèrent au Lac Désert à la tombée de la nuit. Il n'avait pas sitôt franchi le pas de la porte que Louis lui sauta dans les bras.

— P'pa ! Que j'suis content de vous voir !

Étienne le souleva.

— Hé, mon p'tit bonhomme, t'as donc ben grandi ! T'es devenu costaud, t'es plus pesant qu'une poche de patates !

À son tour Henri s'approcha et tendit la main à son père.

— On est ben content que vous soyez de retour, P'pa, ajouta-t-il avec un regard qui en disait long.

Chapitre 10

Étienne l'attira vers lui et lui fit une accolade. Les deux hommes étaient émus. Le père rompit le silence :

— Comment va ta sœur ?

— Ben, c'est dur à dire. Je l'sais pas trop. Il y a quelques jours, elle était pas si mal. Aujourd'hui, elle a pas voulu se lever. Je pense que ça serait mieux de faire venir le docteur.

— C'est déjà fait, Henri. J'suis arrêté le voir à Labelle avant de m'en venir. Il va passer demain. Je vais monter la voir.

Étienne semblait heureux d'être de retour chez lui, mais sa joie était partiellement étouffée par la maladie de sa fille. Il enleva son manteau et son chapeau qu'il accrocha comme il le faisait auparavant, derrière la porte d'entrée. Il passa ses doigts dans ses cheveux pour les replacer et se dirigea vers l'escalier. Il prit une lampe à l'huile posée sur la table, l'alluma et entreprit de monter l'escalier. La porte était restée ouverte et lorsqu'il entra dans la chambre d'Eugénie, il trouva celle-ci, enveloppée dans plusieurs couvertures. Il déposa la lampe sur la table de chevet, se tira une chaise et s'assit près d'elle sans faire de bruit pour ne pas la réveiller. Il la contempla dans son sommeil. Son visage amaigri lui sembla encore plus pâle qu'à l'habitude. Malgré sa bonne volonté de ne pas la déranger, ce fut plus fort que lui et il passa sa main noircie par le travail à la fonderie sur son front et ses cheveux. Eugénie ouvrit les yeux.

— P'pa ! réussit-elle à articuler dans un chuchotement.

Étienne avait les larmes aux yeux, mais ne voulait pas inquiéter sa fille. Alors il se força à lui faire son plus beau sourire.

— Oui, ma fille, c'est ton père.

Il lui prit la main qu'il serra tout doucement dans les siennes.

— Je suis là, lui dit-il à mi-voix pour la rassurer; tu peux te reposer tranquillement pendant que je m'occupe de la maison. Je partirai plus. Plus jamais. Je vais rester pis je vais m'occuper de vous autres, comme je le faisais avant.

Eugénie lui rendit son sourire.

— Merci d'être revenu, P'pa. Feriez-vous quelque chose pour moi ?

Étienne bougea la tête en signe d'affirmation :

— Tout ce que tu veux, ma fille.

— Pourriez-vous aller me chercher la statue de la Sainte Vierge qui est dans la cuisine pis me l'apporter ?

— Ben sûr, je fais ça tout de suite.

Son père quitta aussitôt la chambre et revint moins d'une minute plus tard avec la Vierge Marie dans ses mains.

— Où veux-tu que je la dépose ?

— Juste là, sur ma commode, en face de moi. Je veux être capable de la regarder tout le temps. Merci.

Elle sourit à son père, puis referma les yeux et se rendormit aussitôt.

Étienne demeura à son chevet une partie de la nuit. Le sommeil d'Eugénie fut agité, parsemé de montées de fièvre et de cauchemars dans lesquels elle se lamentait. Au petit matin, Etienne était encore plus inquiet et n'arrivait pas à se persuader que sa fille risquait de mourir.

Le docteur passa dans l'après-midi. Après avoir examiné Eugénie, il redescendit pour donner son diagnostic. Étienne, qui attendait au pied de l'escalier, l'apostropha aussitôt qu'il l'aperçut.

— Pis docteur, qu'est-ce qu'elle a ?

— Ben, pour vous dire franchement, à part un peu de fièvre qui repart comme elle arrive, je ne vois rien. D'après moi, c'est juste une grosse fatigue. Son cœur bat normalement, elle respire bien... J'ai beau chercher, j'vois pas ce qu'elle peut avoir.

Il sortit une petite bouteille avec des cachets à l'intérieur qu'il tendit à Étienne.

— Tenez, si elle recommence à faire de la fièvre, vous lui donnerez une pilule à toute les quatre heures. Essayez de la faire manger. Elle doit reprendre des forces. Un bon bouillon de poulet ça l'aiderait à se remonter.

Chapitre 10

Sur ces paroles, il referma sa valise, remit son chapeau sur sa tête et se dirigea vers la porte. Juste avant de sortir, il voulut rassurer Étienne :

— Ne vous en faites pas trop, je vais revenir vendredi.

Malgré tous les bons soins qu'Étienne prodigua à sa fille, les pilules et le bouillon de poulet ne firent aucun effet sur Eugénie. Trois jours plus tard, le docteur revint examiner sa patiente. Malheureusement, le verdict demeura le même. Eugénie n'était pas malade ! Le docteur continua à dire qu'elle avait un grand besoin de repos.

— Donnez-lui du temps, vous verrez, elle finira par aller mieux.

Mais, le temps ne donna pas raison à la science. Eugénie continuait à dépérir. À petit feu d'abord puis, ces jours-ci, de plus en plus vite. Étienne était au bord du désespoir. Il ne quittait plus sa fille craignant qu'elle trépasse seule comme l'avait fait sa mère à l'été 1914.

Vint un jour où il fut convaincu qu'il n'y avait plus rien à faire pour la sauver. Il demanda alors à Henri d'aller chercher le curé au village afin qu'il vienne lui donner les derniers sacrements. Salomon Girouard, se rendit donc au chevet d'Eugénie. Il demanda à la famille de se regrouper avec lui dans la chambre de sa paroissienne. Malgré sa faiblesse, Eugénie était consciente de tout ce qui se passait autour d'elle. Très pieuse, elle fut heureuse de la visite du prêtre et demanda à être seule avec lui pour se confesser.

— Monsieur le curé, lui dit-elle lorsqu'elle se retrouva seule avec lui, je sais pas ce que j'ai, mais je sais que vous pouvez me guérir. C'est Dieu qui vous envoie. Aidez-moi ! Ne me donnez pas les derniers sacrements, priez avec moi pour ma guérison.

Le prêtre sortit un cierge qu'il alluma et posa sur la petite table près du lit.

— C'est un cierge béni par Mgr François-Xavier Brunet lui-même, tu sais, se permit-il d'ajouter, en faisant allusion au premier évêque du nouveau diocèse de Mont-Laurier, inauguré en 1913.

Puis, il prit de l'eau bénite qu'il déposa sur le front d'Eugénie en formant un signe de croix. Et ils se mirent à prier ensemble. La malade demanda au curé de commencer par un « *Je vous salue Marie* », car elle était convaincue qu'elle seule pourrait la sortir de son profond malaise.

Eugénie se sentit tout d'abord rassurée par la présence du curé. Puis, les prières lui apportèrent un certain calme et une paix intérieure. Elle s'endormit profondément au son des paroles murmurées par le prêtre. Elle rêva qu'elle se trouvait pieds nus sur le quai au bord du lac. Elle portait une chemise de nuit blanche et regardait vers le soleil levant. Elle se sentait légère et libre. Dans le ciel, des nuages de toutes les couleurs bougeaient à une vitesse incroyable. Il n'y avait pourtant pas le moindre vent. À ses pieds, l'eau du lac reflétait son image. Tout près de son visage, se dessina dans les flots du lac, l'image d'une autre personne. Elle s'agenouilla sur le quai afin de mieux distinguer les formes qui apparaissaient sous ses yeux. Eugénie reconnut sa mère. Même si elle était jeune lors de son décès, elle savait que c'était elle. « Maman ? » ne put-elle s'empêcher de demander. Pour toute réponse, le joli visage de sa tendre mère lui sourit. Eugénie tendit la main pour essayer de la toucher, mais au contact de ses doigts, l'eau s'embrouilla et le souvenir de Laura s'effaça aussi soudainement qu'il était apparu. La dormeuse eut conscience qu'elle rêvait.

Elle se demanda si c'était ainsi que se présentait la mort. « Suis-je en train de mourir ? » songeait-elle. Lorsqu'elle releva les yeux, elle vit passer devant elle des êtres de lumières, des anges comme aurait dit sa grand-mère. Ils avaient un corps informe qui, lui semblait-il, se mêlaient avec les nuages. Ils étaient d'un blanc étincelant, presque trop lumineux pour les regarder à l'œil nu. Tout d'abord, Eugénie eut le réflexe de mettre sa main en visière pour se protéger de l'éblouissement qu'ils dégageaient. Leurs grands yeux étaient tous posés sur elle et leurs bras se rapprochèrent afin de la saisir, l'emporter en un battement d'ailes. Eugénie avait confiance en eux et se laissa aller. Elle s'abandonna et ressentit un sentiment d'amour très fort. De l'amour à l'état pur. Comme si la planète entière lui disait « je t'aime ». Puis, dans le silence de son voyage au firmament, elle entendit la voix de sa mère : « Pas maintenant, ma fille. Reste encore ! Tu dois vivre. » Sur ces paroles venues de l'au-delà, elle se ressaisit. En ouvrant les yeux, elle aperçut le prêtre, toujours présent à ses côtés. Il était bien installé sur le petit fauteuil que son père avait approché de son lit, et il priait, les yeux fermés. Eugénie crut qu'il dormait. Elle sortit sa main gauche de sous la couverture et réussit à la poser sur l'avant-bras de son veilleur.

— Monsieur le curé, balbutia-t-elle dans un murmure, je dois être rendue au paradis, je vois des anges de lumière autour de moi.

Le curé ouvrit les yeux à son contact. Il déposa sa main sur la sienne; elle était glacée.

— Vous n'êtes pas au paradis, Eugénie. Vous êtes bien vivante dans votre lit, dans votre maison. J'en suis témoin.

Il laissa passer un moment où il vit qu'Eugénie tentait de reprendre ses esprits.

— Si cela peut vous rassurer, ce que vous voyez ne peut être qu'une manifestation de Dieu. Il envoie probablement ses anges pour vous aider à guérir. Laissez-vous aller.

Puis, il se leva et sortit de la chambre sur la pointe des pieds. Le jeune prêtre, ému par ce qu'Eugénie venait de lui décrire, avait énoncé cette hypothèse sans trop savoir lui-même si elle était fondée. Était-ce la vie ou la mort qui se manifestait ? Il n'en savait rien. Il rencontra Étienne dans la cuisine.

— Comment va-t-elle, monsieur le curé ?

— Bien, je crois, lui avoua-t-il avec le sourire. Je crois que votre fille est sauvée monsieur Bruneau.

Étienne soupira de soulagement et se mordit les lèvres pour ne pas éclater en larmes. Ses nerfs avaient été mis à rude épreuve. Il était fatigué. Il aspirait maintenant à un peu de repos, de corps et d'esprit. Il monta deux par deux les marches de l'escalier qui le menait à la chambre de sa fille.

On cria au miracle, car en moins d'une semaine, Eugénie fut remise sur pieds. Elle recouvrit la santé et ne garda aucune séquelle de cette mauvaise aventure. Personne ne sut expliquer ce qui s'était passé. Ni le curé, ni le docteur. Ce qui comptait pour Étienne et ses fils, c'était qu'Eugénie soit vivante. Seule Eugénie était en mesure de comprendre sa guérison. Sa ferveur envers Dieu et la Vierge Marie fut encore plus grande, suite à cet épisode douloureux de sa vie. Elle se considérait réellement une Enfant de Marie, née un 1er mai, et toute sa vie se déroulerait sous sa protection.

Chapitre 11

L'achat

Les premières semaines qu'Étienne passa à la maison après son retour furent chargées d'émotions. À cause d'Eugénie, bien sûr, mais aussi parce qu'il retrouvait les siens. Lorsque la paix revint enfin dans les esprits après la guérison de sa fille, Étienne apostropha Henri :

— Écoute Henri, c'était pas le temps de parler de ça pendant que ta sœur était malade, mais j'ai remarqué que le paysage avait pas mal changé autour de la maison. Veux-tu ben me dire ce que t'as fait ? T'as coupé tous les arbres !

Depuis son retour, Henri attendait avec inquiétude cette remontrance de son père. Il avait retourné cent fois dans sa tête la réponse qu'il lui donnerait. Alors, avec toute la conviction qu'il put y mettre, il lui répondit :

— Ben, c'est monsieur Charbonneau qui m'a donné l'idée d'agrandir notre terre à cultiver. Il m'a montré comment, pis on a fait de l'abattis. Regardez, lui dit-il en lui montrant le foin qui poussait, on va pouvoir nourrir notre vache avec notre récolte. Pis, dans ce coin-là, y va pousser du mil l'année prochaine. M. Charbonneau m'a convaincu que pour être des vrais habitants, c'est ça qu'il fallait faire.

Henri avait beau essayer de mettre « le paquet » dans ses explications pour montrer à son père qu'il avait pris la bonne décision, il n'en restait pas moins qu'il se sentait mal d'avoir agi sans lui demander la permission. Il finit donc par dire, la tête basse et l'air dépité :

— Je le savais que vous seriez pas content. J'avais prévenu monsieur Charbonneau de votre réaction.

Chapitre 11

Étienne, tout en regardant le paysage qui se dessinait autour de lui, écoutait avec attention ce que lui expliquait son fils. Comment pouvait-il lui en vouloir, lui qui avait voulu bien faire. Comment pouvait-il juger ses enfants qui s'étaient débrouillés seuls pendant presque une année. Il réfléchissait intérieurement et un remord lui monta à la gorge. Il avait le cœur serré tout à coup. Il voulut se reprendre et changea de ton lorsqu'il s'adressa de nouveau à son plus vieux :

— Ben oui, j'suis content, se reprit-il en lui donnant une tape sur l'épaule, j'aurais jamais pu faire ça tout seul. T'as fait du gros travail. Merci ben, mon gars.

Henri fut surpris d'entendre ces paroles. Il se sentit soulagé d'un grand poids. Il sourit à son père qui lui rendit la pareille, et tenta sa chance en ajoutant :

— Sauf que... Ben là, il va y avoir plus d'ouvrage à faire sur la terre, pis on n'a toujours pas de cheval. Ça a pas d'allure, P'pa, d'engager un homme avec son cheval pour labourer notre terre, ça va nous coûter ben trop cher. Quand c'était juste pour notre jardin, c'était correct, mais là, avec tout ce que j'ai bûché, y va falloir s'équiper.

Bien sûr, Étienne savait qu'Henri avait raison. Il prit tout de même quelques secondes pour réfléchir. Il ne voulait pas répondre trop vite. Il savait déjà ce qu'il ferait avec son argent. Mais encore fallait-il qu'il convainque Henri que l'achat d'un cheval n'était pas urgent. Après tout, ils étaient installés à La Minerve depuis quatre ans et s'étaient débrouillés sans attelage.

— Tu sais, Henri, le temps que j'ai travaillé à la fonderie, je me suis ramassé un peu d'argent. Y'en a une partie que je veux utiliser pour renipper la maison avant l'hiver, mais je pourrais en garder assez pour acheter un cheval pis un attelage. Qu'est-ce que t'en penses ?

Henri fut enchanté de la réponse. Un grand sourire vint égayer son visage.

— Hé ! C'est une bonne nouvelle ça. Quand est-ce que vous allez l'acheter ?

— Sois pas si pressé, mon grand. Comme je t'ai dit, pour commencer, il faut s'occuper de la maison. On va essayer de la rendre un peu plus chaude pour l'hiver qui s'en vient.

C'est ainsi qu'Étienne et son fils Henri passèrent l'automne à réparer ce qui clochait dans la maison. Ils finirent d'abord les murs extérieurs en bardeaux de cèdre, prenant soin de poser du papier goudron en-dessous pour couper le vent. Ils réparèrent également le toit qui coulait à quelques endroits. Mais la grande surprise pour tous fut, sans contredit, l'achat d'une toilette intérieure. Une baignoire fut également installée. Eugénie n'en revenait tout simplement pas. Quelle modernité ! C'était merveilleux !

Au début de novembre, le temps devint chaud et sec. L'été des Indiens était arrivé; un dernier soubresaut de chaleur avant la saison froide. Ces quelques journées d'ensoleillement arrivaient comme un cadeau du bon Dieu à cette période de l'année. Les habitants de La Minerve, comme partout ailleurs dans la province, en profitaient le plus possible et ne restaient dans leur maison que pour l'essentiel, c'est-à-dire, la cuisson des repas. Le reste du temps, ils le passaient dehors. Les hommes réparaient les clôtures, rentraient les outils d'été dans la remise et préparaient leur environnement pour affronter un hiver long et rude. Les femmes, quant à elles, sortaient sur la galerie toute literie qui avait besoin de se faire rafraîchir avant le long hiver qui les attendait. Les oreillers fraichement rembourrés de plumes neuves et les matelas de nouvelle paille retrouvaient leur place sur des lits où les épaisses courtepointes garderaient la marmaille au chaud. Ces femmes, dévouées à leur famille, donnaient tout ce qu'elles pouvaient pour ajouter un air de fraîcheur à la maison avant l'hiver avec les matériaux que la nature leur proposait. Les mères enseignaient à leurs filles comment tisser, coudre, crocheter et broder. L'automne venu, les soirées serviraient à confectionner ce que les jeunes filles apporteraient avec elles le jour des noces : leur trousseau.

Eugénie, complètement remise de son mal, avait repris ses activités dans la maison. C'est sa grand-mère qui lui avait transmis ce bel héritage. Par un bel après-midi d'une de ces dernières chaudes journées, elle se trouvait assise sur la galerie, son petit frère auprès d'elle, les deux mains dans les plumes de poulets. Louis aidait sa grande sœur en tenant la poche de sucre transformée en oreiller.

— Tiens-la grande ouverte, dit-elle à Louis en souriant, sinon les plumes vont se retrouver partout, pis on va en manger pour souper !

Louis ouvrit la poche comme Eugénie lui demandait et, l'air haïssable, souriant à son tour, lui lança :

— Penses-tu que P'pa et Henri aimeraient ça une bonne soupe aux plumes ?

Il se mit à faire semblant de manger des plumes. Il examinait sa grande sœur du coin de l'œil pour voir sa réaction. Il aimait bien la faire rire. Elle était si jolie lorsqu'elle souriait, avec ses cheveux châtains relevés en chignon. Plus que tous les autres, Louis avait besoin de la présence rassurante d'Eugénie. Ayant perdu sa mère et sa grand-mère, c'est maintenant elle qui faisait office de mère.

— J'pense pas qu'y vont aimer ça… Par contre, pour s'endormir, un oreiller comme ça, c'est vraiment confortable. Ça éloigne les cauchemars, ajouta-t-elle en riant de voir la mimique de son petit frère.

* * *

L'hiver se pointa tard cette année-là, novembre ayant été plus doux que d'habitude. Les travaux que les hommes accomplirent sur la maison rendirent la longue saison plus agréable. Enfin, la maison gardait un peu de sa chaleur. La famille était à nouveau réunie et Étienne avait assuré ses enfants qu'il ne retournerait plus jamais travailler à Montréal. Tout le monde regrettait Rose-Délima. Elle avait tenu un rôle si important dans leurs vies qu'il ne pouvait en être autrement. Tous les soirs, depuis sa mort en juillet 1914, Étienne récitait une prière à l'intention de sa mère. Malgré le temps qui passait, elle lui manquait encore terriblement. Il s'était accroché à cette femme qui était restée présente lors de tous les abandons qu'il avait vécus : son père, Laura, Angelina. Elle avait su le consoler et le soutenir dans tous ses malheurs. Il ne pourrait jamais oublier ce qu'elle avait fait pour lui.

Au printemps suivant, lorsque le moment lui sembla venu, Étienne voulut informer sa famille de ses intentions :

— Bon, les enfants, annonça-t-il un soir au souper comme il en avait l'habitude, il est temps qu'on s'achète un cheval. Je vais partir après demain pour Montréal. Je vais prendre les gros chars, pis si tout va comme je le veux, je devrais revenir avec un cheval pis un boghei.

Eugénie, qui était en train de servir le thé, reprit sa place au bout de la table pour écouter ce que son père avait à dire à propos de son nouveau projet. Louis, qui finissait son morceau de tarte au sucre, releva les yeux et attendit patiemment la suite. Il avait appris, avec les années, qu'il ne servait à rien de bombarder son père de questions. Étienne donnait l'information au fur et à mesure lorsqu'il ressentait que le bon moment était arrivé. Henri remercia sa sœur pour la tasse de thé qu'elle venait de lui servir puis dirigea son regard vers son père :

— C'est une bonne idée, approuva-t-il. Ça va bientôt être le temps de labourer. Ça va nous donner un sérieux coup de main.

Il hésita quelques instants, but une gorgée de thé. Il avait quelque chose à demander à son père. Prenant son courage à deux mains, il lui demanda :

— Pensez-vous que je pourrais y aller avec vous ?

Étienne avait déjà fait ses plans. Il avait appris à s'organiser. Malheureusement pour Henri, ce voyage, il avait prévu le faire seul.

— J'aimerais mieux que tu restes à la maison. Ça risque de prendre un peu de temps, pis je vais être moins inquiet si je sais que t'es ici avec Eugénie et Louis. Je suis désolé, Henri, ça sera pour une autre fois.

Henri fut désappointé par la réponse de son père. Frustré, il finit son thé en silence, puis il se leva sans dire un mot, attrapa au passage sa casquette et sortit de la maison. On était au début du mois de mai et les journées étaient de plus en plus longues et la température se réchauffait. Henri se demanda à quoi ressemblait Montréal à cette période de l'année. Ça faisait déjà cinq ans qu'il avait quitté la grande ville. Le déménagement lui semblait si loin. Il aurait bien aimé faire partie du voyage. Mais, c'était peine perdue, son père avait déjà tranché et il savait qu'il ne pourrait pas le faire changer d'idée.

Le surlendemain, comme prévu, Étienne se fit conduire à Labelle pour prendre le train en direction de Montréal. Il arriva en fin d'après-midi et se rendit chez Parfait qui fut heureux d'accueillir son frère. En ouvrant la porte, il s'exclama :

— Ah ben, de la belle visite ! Eugénie ! C'est mon frère Steve, cria-t-il à sa femme qui était dans la cuisine située complètement à l'autre bout de la maison. Qu'est-ce qui t'amène en ville ? lui demanda-t-il en lui faisant signe d'entrer. Dismoi pas que tu reviens une fois de plus pour travailler à la fonderie ?

— Salut Parfait ! répondit Etienne en lui serrant la main. Non, non, c'est ben fini cette histoire-là. Je suis venu en ville pour m'acheter un cheval pis un attelage. Penses-tu que je pourrais rester chez vous pour quelques jours, le temps que je trouve ce qu'il faut ?

— Ben sûr, y'a pas de problèmes. Tu peux t'installer le temps qu'il faut.

Le lendemain matin, Étienne se leva de bonne heure pour mettre à profit sa journée. Pendant le déjeuner, il demanda conseil à son frère :

— As-tu quelqu'un à me référer, Parfait ? Je sais pas trop où aller vu que c'est la première fois que j'achète un cheval. T'aurais pas un de tes clients qui est maquignon ?

— Ben sûr. Il y a monsieur Monette qui a pignon sur la rue St-André. Je l'ai vu justement la semaine passée. Il est venu à la bijouterie pour acheter un cadeau de fête à sa femme. Il a acheté une belle bague, genre cabochon. Je lui ai fait un bon prix, ça fait que tu peux lui dire que t'es mon frère pis que c'est moi qui t'envoie. Il va peut-être te rendre la pareille. Ça coûte rien d'essayer.

Après avoir pris un copieux déjeuner préparé par sa belle-sœur, entouré de ses neveux et nièces, Étienne se rendit à l'adresse indiquée par son frère. Il ne voulait pas perdre de temps. Le monsieur Monette en question avait plusieurs chevaux à vendre. Étienne se présenta comme étant le frère de Parfait Bruneau, le bijoutier. Le maquignon eut la gentillesse à son égard qu'Étienne avait espérée. « Après tout, acheter un cheval pis un attelage pour la première fois, se disait-il, c'est délicat. On peut se faire avoir pis le regretter longtemps... »

— Bon, trancha M. Monette après avoir discuté de tout et de rien avec son nouveau client, question de faire connaissance. Ça dépend de c'que vous cherchez. Des chevaux, y'en a de toutes les sortes. Premièrement, il faut que je sache ce que vous voulez faire avec votre cheval. C'est-tu un trotteur ou ben un cheval de trait que vous voulez ?

— Ben, c'est ça le problème. Il me faut un cheval qui pourrait labourer ma terre, mais que je pourrais aussi atteler pour me déplacer. J'ai pas les moyens d'avoir deux chevaux, ça fait que, il va falloir en trouver un qui va faire un peu de tout, tenta d'expliquer Étienne.

Le marchand lui fit faire le tour de son écurie. Il y avait une douzaine de chevaux disponibles. Alors, sûr de lui et jouant au professeur, il commença à donner des explications à son client sur les différentes races de chevaux.

— Le cheval gris, là-bas, c'est un percheron, commença-t-il. Il est utilisé non seulement comme cheval pour cultiver la terre, mais surtout comme cheval de messagerie. Il peut tirer charrettes, diligences, omnibus, fourgons de pompiers, malle-poste. Ça pourrait être un bon choix pour vous.

Les deux hommes se déplacèrent en faisant le tour de l'écurie. Ils s'arrêtèrent devant un autre *box*. Le maquignon continua :

— Celui-là, c'est un Belge. C'est un cheval extrêmement puissant et solide, mais aussi très docile. Il est reconnu pour être très calme.

Se retournant et pointant du doigt, le marchand continua :

— Le beau noir qu'on aperçoit dans le fond, c'est un Canadien. On l'appelle aussi « le petit cheval de fer » parce qu'il est ben résistant pis robuste. C'est une race qui a été forgée par les colons à partir de chevaux envoyés par le roi de France à la fin des années 1600.

Depuis le début de la visite, Étienne avait gardé le silence et écoutait attentivement les informations que le marchand lui donnait. Il laissa néanmoins échapper un grand soupir lorsque monsieur Monette reprit ses explications. Il aurait eu des dizaines de questions à lui poser, mais ne savait pas lesquelles étaient pertinentes, alors il préférait se taire.

— Celui-là, c'est un Clydesdale. Un très beau cheval de trait qui nous vient d'Écosse. C'est un cheval fort, de grande taille, mais ça l'empêche pas d'être élégant et fier. Il a rendu de grands services dans notre pays pis aux États-Unis.

— Ouais, coupa Étienne, ça me fait pas mal de choix. J'pense que vous pouvez arrêter ça là, sinon je saurai pas lequel acheter. Pis, on n'a pas encore parlé de prix. J'ai pas un ben gros budget pour acheter mon cheval.

— Faites-vous en pas avec ça, monsieur Bruneau, on va s'arranger. J'suis pas un marchand trop gourmand, lui dit-il tout en mâchouillant le bout du cigare éteint qui lui pendait au coin de la bouche.

Étienne aperçut ses dents jaunies par le tabac lorsqu'il sourit. Le marchand lui donna une bonne tape dans le dos et ajouta :

— Surtout quand il s'agit du frère d'un de mes amis. Venez dans mon bureau, on va parler.

M. Monette et Étienne Bruneau s'entendirent sur un prix très convenable qui incluait un petit boghei ainsi que l'attelage. En prime, il eut droit à un attelage de tombereau. Ce n'était pas du neuf, mais ça ne dérangeait pas Étienne. Il avait fait un bon *deal* et fut très heureux en pensant à ce que diraient les enfants lorsqu'ils le verraient arriver avec son nouveau butin.

Fier de ses achats, Étienne décida de ne pas aller directement chez son frère, mais choisit plutôt de faire un petit détour par la rue de la Visitation. Au lieu de passer par la ruelle, comme il en avait l'habitude, il se planta avec son attelage devant la porte du bureau de poste et attendit que Pamphile lui jette un coup d'œil. C'est Émérentienne qui le vit la première. Elle revenait de chez une vieille dame qui habitait un peu plus loin sur la rue. Elle allait lui tenir compagnie quelques heures par jour, car cette amie était malade et n'avait plus de famille. Émérentienne, avec son grand cœur, l'avait prise en pitié et allait lui préparer son repas du soir.

Étienne était toujours assis sur son boghei lorsqu'elle passa à côté de lui sans le remarquer.

— Bonjour Madame, l'interpella-t-il.

Celle-ci releva la tête et s'exclama en reconnaissant l'ami de son mari :

— Steve ! Ma foi du bon Dieu, veux-tu ben me dire ce que tu fais en ville ? Je pensais pas de te revoir de sitôt quand t'es parti l'automne dernier.

Étienne expliqua les raisons de son voyage à Montréal et demanda à Émérentienne si elle pouvait aller chercher son mari à l'intérieur. Il voulait lui faire la surprise. Pamphile s'exclama lorsqu'il vit son ami et insista pour le garder à souper. Il ne le laissa partir que tard le soir. À sa sortie, Étienne fut surpris de voir son attelage l'attendre devant la porte. C'était quelque chose à laquelle il n'était pas habitué. Il devait être minuit lorsqu'il rentra chez son frère et tout le monde était endormi. Heureusement, son frère avait prévu le coup et avait laissé la porte de derrière débarrée. Étienne prit le temps de soigner son cheval et de le couvrir pour la nuit avec une grosse couverture de jute. Il pénétra dans la maison sur la pointe des pieds pour ne pas réveiller personne. Il passa par les toilettes, prit quelques minutes pour se débarbouiller puis se rendit dans le salon double où sa belle-sœur Eugénie lui avait préparé le sofa qui lui servait de lit. Il se glissa dans les draps blancs. Étendu sur le dos, il repensa à sa journée et constata qu'il était heureux. Il avait le sourire fendu jusqu'aux oreilles et le sommeil fut difficile à trouver tellement il était excité.

Le lendemain matin, il se réveilla en sursaut. Une pensée venait de lui traverser l'esprit. Il avait encore quelque chose à acheter. Il sauta dans ses culottes et enfila une chemise propre. Il passa par les toilettes et se fit la barbe. Lorsqu'il se présenta dans la cuisine, Parfait était déjà attablé ainsi que ses enfants qui se préparaient à aller à l'école. Sa belle-sœur Eugénie était au poêle en train de faire cuire des galettes de sarrasin.

— Et puis, Étienne, on dirait ben que t'as trouvé ce que tu voulais ? lui dit-elle en lui désignant le cheval et le boghei qu'on entrevoyait par la fenêtre de la cuisine.

— Ah oui, pis j'suis assez content de mes achats. En tout cas, Parfait, dit-il en s'adressant à son frère, c'est vrai que ton monsieur Monette c'est un bon gars. Quand je lui ai dit que j'étais ton frère pis que je venais pour m'acheter un cheval, il s'est tout de suite occupé de moi. Il avait un beau choix de chevaux, même que ça devenait mêlant pour moi qui connais pas ben ça. Une chance que je pouvais lui faire confiance. En fin de compte, j'm'en suis assez bien sorti parce qu'il me reste quelques piastres.

— Tant mieux, j'suis ben content pour toi, l'argent est assez dur à gagner, voulut l'encourager Parfait.

— Ben, j'étais parti dans l'idée de dépenser mes cent piastres. Ça fait qu'aujourd'hui, je vais faire mon dernier achat pis je devrais repartir demain matin.

Étienne se leva, sortit sa petite cravate noire de sa poche de pantalon et, se tenant devant le miroir qui était suspendu au-dessus de l'évier de la cuisine, la noua autour de son col de chemise. Il enfila ensuite sa veste et s'adressa à sa belle-sœur :

— As-tu le *Lovell Directory* ? Je cherche une place où je pourrais acheter un fusil.

Son frère, qui était toujours assis à table, se retourna.

— Qu'est-ce que tu vas faire avec un fusil ? Tu vas même pas à la chasse !

— Non, mais il y a pas mal de p'tit gibier dans le Nord, du lièvre, de la perdrix. C'est de la bonne viande qui coûte rien. Tu sais, là-bas, on prend tout ce qui passe.

Étienne se rendit compte que son frère Parfait était déconnecté d'avec sa réalité à lui. Il vivait dans une belle maison sur la rue Drolet à Montréal. Ville où il y avait des tramways, où les rues étaient bordées de magasins et où il gagnait bien sa vie en tant que bijoutier et horloger. Sa bijouterie était établie depuis plusieurs années sur la rue Roy. Étienne avait d'ailleurs remarqué qu'à chaque fois qu'il revoyait son frère et sa belle-sœur, ils semblaient avoir pris du poids. Ce qui était un signe évident de prospérité.

Étienne partit donc avec son attelage dans les rues de la ville, après avoir avalé en vitesse son petit déjeuner. Il se rendit tout d'abord chez un marchand de fusils afin d'acheter ce qu'il recherchait. Cet achat finalisé, il déambula tranquillement dans la ville sans but précis. Il n'y avait rien qui pressait puisqu'il partait seulement le lendemain matin. Il repassa devant l'appartement où il avait habité avec sa première femme, Laura. Lorsque son attelage s'arrêta devant le 129 de la Gauchetière, il eut un pincement au cœur. C'est ici qu'elle s'était éteinte, il y avait maintenant douze ans.

— Mon Dieu, s'entendit-il dire à haute voix, comme le temps passe vite.

Ses pensées menèrent son esprit vers une certaine mélancolie et, suivant ses émotions du moment, il décida de se rendre au cimetière. Là où étaient enterrées ses deux femmes. Ça faisait trop longtemps qu'il n'était pas allé se recueillir sur leurs tombes. En sortant de la rue Panet, il prit le boulevard Dorchester et traversa la ville d'est en ouest jusqu'à la rue Guy. Il remonta cette rue jusqu'au chemin de la Côte-des-Neiges. Il s'arrêta quelques secondes devant les grilles imposantes qui formaient une protection tout autour des défunts; ils pouvaient reposer en paix. Il pénétra avec son attelage à l'intérieur du cimetière et tenta d'abord de repérer le clocher de la Chapelle de la Résurrection et se dirigea dans sa direction. Il y avait beaucoup d'arbres, et si l'on pouvait faire fi des pierres tombales, on aurait pu se croire dans un parc. On pouvait entendre des oiseaux dans les arbres, sur les branches desquelles pointaient des centaines de bourgeons d'un vert tendre. L'herbe qui avait été fauchée à l'automne et qui s'était aplatie sous l'épaisse couche de neige durant l'hiver, se redressait et recommençait à verdir.

Chapitre 11

Il se rappelait vaguement l'emplacement et conclut, après avoir jeté un coup d'œil aux alentours, qu'il devait continuer vers le coin nord-est. Il y avait tellement de sentiers qu'il dut les parcourir plus d'une fois avant de trouver celui qu'il cherchait. Il finit quand même par immobiliser son boghei. Son cœur sembla s'arrêter en même temps que son attelage. Il venait de retrouver l'endroit où ses deux femmes reposaient. Il prit le temps de replacer son col et d'attacher les boutons de sa veste avant de descendre. Il se trouva soudain sans cœur de ne pas avoir apporté de fleurs à déposer au pied de la pierre tombale. Celle-ci était de facture très modeste, conçue d'une simple pierre grise, surmontée d'une croix. On pouvait y lire : Laura Laflamme (1870 – 1904) et Angelina Laflamme (1880 – 1909) épouses de Étienne Bruneau. Par respect, il retira son chapeau et, ne sachant qu'en faire, le tint serré tout contre son cœur. Il le sentit s'écraser entre ses dix doigts et crut que c'était son cœur qui se crispait, tellement ça lui faisait mal. Oui, ça faisait longtemps. Oui, les années avaient passées. Bien sûr qu'il avait fait son deuil. Mais ça ne lui rendait pas sa femme. Quelque part au cours de sa vie, quelqu'un ou quelque chose lui avait volé son bonheur. On lui avait enlevé le droit de vieillir avec quelqu'un qu'il aurait chéri. Mais, que s'était-il passé ? Il se mit à genoux et récita un *Je vous salue, Marie* pour le repos de leur âme et un *Notre-Père* pour se redonner du courage. Il jura de ne jamais les oublier. De continuer à les chérir jusqu'à la fin de ses jours.

Un frisson lui parcourut le dos. La fraîcheur lui indiquait que la journée arrivait à sa fin; le soleil déclinant tranquillement vers l'ouest. Étienne se sentait encore ému, troublé même et il voulait sortir du cimetière avant la tombée de la nuit. Sans lampadaires, ce n'était pas facile de s'y retrouver. Et même s'il n'avait pas peur des morts, il ne s'y sentait pas à son aise. Peut-être y avait-il des âmes errantes ? Il remonta sur son boghei, remit son chapeau sur sa tête, releva son col pour se protéger du petit vent frais qui venait de se lever et, dans un geste d'adieu, salua ses amours tout en faisant claquer les guides pour faire avancer son cheval. « Hue Lucky ! »

Étienne reprit la route le lendemain matin. Il se leva aux premières lueurs de l'aube, emporta le lunch que sa belle-sœur lui avait gentiment préparé pour son voyage de retour et sortit. Parfait se leva après avoir entendu la porte de la cuisine se refermer. Il enfila son pantalon par-dessus son pyjama et sortit pieds nus sur la galerie.

— Ouais, dit-il, c'est pas chaud à matin !

Étienne, concentré à atteler son cheval, sursauta en entendant la voix de son frère.

— Hé ! Baptême ! Tu m'as fait peur, sursauta Étienne. J'me croyais tout seul, j'pensais pas que tu te lèverais ! Vas te recoucher, y'é ben trop d'bonne heure. Pis à part de ça, tu vas attraper du mal, le temps est ben humide à matin. Pour moi, il va pleuvoir.

— Je voulais pas que tu partes sans te souhaiter un bon voyage. Tu t'en vas pas à la porte ! As-tu assez de manger pour te rendre ?

— Ben oui, t'en fais pas ! De toute façon, il va falloir que j'arrête pour dormir. Je vais pouvoir prendre un bon souper en même temps.

Tout en répondant à son frère, Étienne embarquait ses affaires dans son nouveau boghei. Il était heureux, car il retournait auprès des siens, une fois de plus. Son séjour à Montréal lui avait été profitable, mais maintenant, il désirait plus que tout retourner chez lui, là-bas, à La Minerve. Lorsqu'il eut fini, il s'approcha de Parfait et lui tendit la main.

— Merci ben, Parfait ! Merci pour tout. Toi pis ta femme vous avez été ben *blood*[40] avec moi. J'espère que vous allez venir nous voir pendant l'été. Les enfants aimeraient ben ça. On n'a pas souvent de la visite de la ville !

Parfait empoigna son frère par le cou et lui fit une accolade.

— Y'a pas d'quoi, Steve. Toi pis ta famille, vous êtes toujours les bienvenus. Je te souhaite une bonne route.

Étienne monta sur son boghei et, dans un dernier signe de la main, disparut dans la brume matinale au coin de la rue.

---

40   Anglicisme: généreux.

Chapitre 11

Le voyage fut long et difficile. La première journée, lorsqu'Étienne quitta Montréal, il se mit à pleuvoir dès qu'il traversa le pont Lachapelle pour se retrouver sur l'île Jésus. Il était tôt le matin et il rencontra plusieurs marchands qui faisaient le chemin inverse afin de se rendre au marché pour vendre leurs produits. Cette île regorgeait de cultivateurs qui apportaient œufs, lait, volaille et légumes aux gens de la grande ville.

La pluie cessa en fin de matinée. Le soleil prit la relève et ses chauds rayons eurent tôt fait de faire sécher le manteau tout détrempé que portait Étienne. Il traversa des champs de cultivateurs ainsi que des forêts qui n'avaient pas été encore défrichées. À midi, il s'arrêta pour dîner. Cela faisait déjà six heures qu'il était en route et il avait besoin de se délier les jambes, contrairement à son cheval qui, lui, avait besoin de les reposer. Il s'installa sur le bord d'un ruisseau, près du village de Saint-Janvier. Il devait d'abord s'occuper de son cheval. Il prit un seau en bois qu'il avait déposé derrière son siège et entreprit de descendre la pente douce qui menait au cours d'eau. L'herbe était tendre sur ses berges, et l'ombre des arbres qui le bordait avait fait en sorte de garder le tout très humide après la pluie du matin. Étienne fit trois pas, puis les pieds lui partirent par en avant. Sans avoir le temps de réaliser ce qui se passait, il se retrouva étendu sur le dos et glissa jusqu'au bord du ruisseau. Heureusement, ses bottes heurtèrent une grosse roche qui arrêta sa course. Quelques pieds de plus et il se retrouvait dans l'eau.

— Woh ! s'écria-t-il en se sentant déraper.

Il se releva péniblement de sa mésaventure, ramassa son seau qu'il remplit prudemment et remonta la pente doucement tout en s'agrippant à des branches d'arbres.

— Baptême, une chance que personne m'a vu ! pensa-t-il à haute voix tout en caressant son cheval. Puis, il éclata de rire.

Sitôt le repas ingurgité et son cheval reposé, il reprit la route. Il s'arrêta quelques heures plus tard à St-Jérôme. Il était fatigué et avait hâte de se reposer. Il se dirigea vers l'hôtel Plouffe qui était situé tout près de la gare, à l'angle des rues Legault et St-Antoine. Cet établissement imposant, construit en 1877 par Louis Beaulieu, était un des plus grands de la ville, après l'hôtel Lapointe. La gare, qui se trouvait juste à côté, avait été reconstruite en 1897 et supplantait les deux précédentes qui avaient été faites en bois. Le Canadien Pacifique avait décidé que celle-ci durerait et elle fut bâtie en pierres de taille, modèle unique dans la région. Étienne attacha son attelage en avant de l'hôtel et pénétra dans le hall d'entrée. Il prit quelques secondes pour laisser ses yeux s'habituer au changement de luminosité, l'intérieur lui semblant très sombre après avoir passé la journée en plein soleil. Lorsque finalement ses pupilles rapetissèrent pour laisser passer moins de lumière, il découvrit un décor plutôt chaleureux. Tout était recouvert de bois verni : les murs, le parquet, l'escalier et le comptoir. Aux fenêtres, pendaient de larges tentures de velours rouge attachées par des cordons de couleur dorée. Étienne, intimidé, s'approcha et demanda à l'hôtelier s'il avait une chambre de libre pour la nuit. Celui-ci lui répondit qu'il n'y avait aucun problème et qu'il pouvait rester le temps qu'il voulait. Étienne rétorqua qu'il était pressé de rentrer chez lui et lui raconta brièvement la raison de son expédition. Il s'informa ensuite de l'heure à laquelle le souper serait servi. On lui indiqua l'emplacement des écuries pour son cheval et on lui attribua une petite chambre au 1er étage.

Il en fit rapidement le tour. Cette dernière était équipée simplement, mais possédait tout ce dont Étienne avait besoin. Un lit double trônait au milieu de la pièce, recouvert d'une courtepointe à motif de losanges, une chaise droite était placée dans un coin sous la fenêtre habillée de rideaux de dentelle, tandis que dans le coin gauche avait été installé un petit lavabo. À la vue de ce dernier, Étienne eu un large sourire, car enfin, il pourrait se débarbouiller pour enlever la couche de poussière qui le recouvrait. Sitôt sa toilette terminée, il enfila une chemise propre et descendit dans la salle à manger. Il choisit une table à l'écart, dans un coin, près d'une fenêtre. Il y avait déjà quelques clients qui s'étaient installés et qui attendaient patiemment qu'on leur apporte leur repas. Au centre de la pièce, sous le grand chandelier, était attablé un groupe d'hommes qui fumaient le cigare. Étienne conclut qu'il s'agissait des notables de la place. Dans un autre coin, à l'opposé de celui qu'il occupait, se trouvait un jeune couple. Ils se parlaient tout bas et ne se quittaient pas des yeux. « De nouveaux mariés, pensa-t-il, les amoureux sont seuls au monde. » À la table près de la sienne, vint s'installer un chauffeur de train. Il salua Étienne.

— Bonsoir monsieur !

— Bonsoir monsieur ! répondit poliment Étienne.

Croyant qu'il avait affaire à un de ses passagers, le chemineau ajouta :

— Belle journée pour voyager, vous trouvez pas ? On devrait arriver à Montréal dans une couple d'heures.

— Ouais, belle journée en effet, mais moi j'suis pas au bout de mes peines. Je m'en vais à Labelle. Je ramène un attelage que j'ai acheté à Montréal.

Le chemineau eut l'air étonné.

— Vous voulez dire que vous vous rendez à cheval jusqu'à Labelle ?

— Ben oui, pis même plus loin. J'habite à La Minerve. C'est treize milles passé Labelle. Mais, ça me dérange pas, rajouta-t-il sur un ton joyeux, j'ai une famille qui m'attend là-bas.

Puis, il prit la peine de préciser :

— J'ai acheté un cheval pis un attelage, pis là je ramène tout ça chez nous. Mes enfants vont être ben contents. Ça, ça m'aide à endurer le voyage.

— Ouais, ça vous fait une bonne trotte.

— Ben, si j'ai pas de *badluck*[41], je devrais arriver dans deux jours.

— Je vous trouve ben courageux, mon bon monsieur.

La serveuse arriva avec les assiettes qu'elle déposa devant Étienne et son voisin de table.

Étienne trouva le bonhomme bien sympathique et, comme il n'avait pas vu beaucoup de monde dans sa journée, offrit à celui-ci de se joindre à lui pour le repas. Ce dernier ne se fit pas prier et les hommes purent continuer leur conversation.

---

41   Anglicisme: malchance.

Le chemineau partit à la fin du repas puis Étienne monta dans sa chambre. Il s'endormit presque aussitôt tellement il était fourbu de sa journée.

Le lendemain, il reprit la route à six heures après avoir avalé un bon déjeuner : deux œufs, une tranche de jambon, des patates rôties avec deux tranches de pain accompagnées de cretons. Il ne s'arrêta que rendu à Ste-Adèle pour dîner et, dans la même journée, se rendit à St-Faustin pour y passer la nuit.

Il arriva enfin chez lui, à la fin de l'après-midi du troisième jour. Il était très fatigué, mais heureux d'être enfin de retour. Les enfants l'accueillirent chaleureusement. Ils étaient excités à l'idée d'avoir leur propre attelage. Par contre, le pauvre cheval était exténué. Étienne avait choisi d'acheter un cheval de trait, fort et endurant, mais le voyage de cent milles qu'il venait de lui imposer l'avait passablement affaibli. Henri prit l'initiative d'amener le cheval dans l'écurie pour lui enlever son attelage et le soigner, pendant qu'Eugénie, de son côté, préparait un bain chaud pour son père. Les retrouvailles furent encore mieux qu'Étienne ne les avait imaginées. Il remarqua qu'Henri ne lui tenait pas rancœur de ne pas l'avoir amené avec lui. Lorsqu'il verrait ce que son père avait rapporté de la ville, il oublierait sa déception.

Sa fille lui avait préparé un bon repas. Étienne retourna alors dans l'écurie et en rapporta un grand étui en cuir brun. Il le déposa devant Henri sur la table de la cuisine.

— Tiens, c'est pour toi.

— Pour moi ? répéta-t-il, surpris, tournant la tête vers son père. Mais, P'pa, c'est pas ma fête !

— Envoye, ouvre-le, c'est pour toi que je te dis.

Son fils se mit à défaire les sangles de l'étui. Il se doutait bien, d'après la forme du paquet, de ce qu'il allait découvrir, mais n'osait pas y croire. Il en sortit un fusil. Son père lui avait acheté une arme pour la chasse ! C'était un fusil à deux coups. Son fusil à lui. Comme il était fier ! Il l'examina sans dire un mot, tellement il était ému. Il savait à peu près ce qu'une arme pouvait coûter. Et son père avait dépensé tout cet argent pour lui. Henri la tourna et la retourna entre ses mains. Son père voulut le mettre en garde.

— Fais attention, même si elle est pas chargée, on sait jamais. Il faut toujours être prudent avec ces affaires-là. Si tu veux, demain on ira se pratiquer à tirer. Je l'ai essayé une couple de fois avant de l'acheter, pis elle semble ben correcte.

— Ça veut dire que je vais pouvoir aller chasser ?

— Ben oui, c'est à ça que ça sert, un fusil ! répondit son père pour l'agacer.

Henri se leva et serra son père dans ses bras.

— Merci, P'pa, merci beaucoup. C'est un ben beau cadeau. J'suis ben content.

— Ça me fait plaisir, mon gars. Tu travailles fort, tu le mérites.

Chapitre 12
L'année 1917

Pour le Québec, les choses allaient plutôt mal. La guerre en Europe durait maintenant depuis trois ans, et les effectifs militaires que devait envoyer le Canada ne correspondaient pas à la demande de l'Angleterre. Les années précédentes prouvaient aux Canadiens français qu'ils n'avaient pas leur place dans cette guerre, malgré la création du Royal 22ᵉ bataillon exclusivement constitué de Canadiens français. Revenant d'un voyage au Royaume-Uni au mois de mai, le premier ministre Borden annonce à la population qu'il compte imposer la conscription. Le 29 mai, il dépose à la Chambre des Communes du Canada un projet de loi. La *loi du service militaire* entre en vigueur deux mois plus tard, soit le 24 juillet 1917. Henri Bourassa, porte-parole des Canadiens français, affirme dès lors que le Canada n'a rien à faire dans une guerre européenne impérialiste. Des émeutes ont lieu à Montréal et à Sherbrooke. Suite à une réélection en décembre 1917, le gouvernement conservateur de Borden commencera à appliquer la *loi du service militaire* à compter du 1ᵉʳ janvier 1918. Pendant l'hiver, plusieurs hommes conscrits par la loi choisissent de se cacher. Le gouvernement fédéral décide alors d'engager des policiers afin de retrouver ces déserteurs. Le zèle que démontrent ces *spotters* mène tout droit à une émeute qui dura quatre jours et tua quatre innocents.

Au magasin général, on pouvait entendre différentes conversations à ce sujet :

« Il paraît qu'un tel s'est poussé de l'armée » pouvait-on entendre. « Il voulait pas aller à la guerre, ça fait qu'il se promène de village en village pour pas se faire prendre » disait-on de l'un ou de l'autre en parlant des hommes qui avaient choisi de se cacher plutôt que de s'enrôler. « C'est grave de déserter l'armée. Je sais pas jusqu'où ça peut aller, mais je voudrais pas faire pendre ce pauvre diable. Après tout, les hommes devraient avoir le choix d'aller se battre ou pas. Si ça a de l'allure d'obliger le monde à aller ailleurs, dans des pays qu'on connaît même pas, pis risquer de se faire estropier, ou pire, de se faire tuer. »

***

Chez les Caron, le 15 mars 1917, Blanche donna naissance à son deuxième garçon, qu'ils prénommèrent Marcel. Le petit avait une santé fragile et fut diagnostiqué asthmatique. La pollution de l'air de Montréal lui étant très nocive, Oscar prit la décision d'envoyer Blanche et les garçons passer l'été chez son père au Lac Désert. Blanche était tout à fait heureuse de cette décision. Ça faisait tellement longtemps qu'elle n'avait pas passé de longs moments avec ses frères, sa sœur et son père. Elle se rendit à la gare Windsor, avec l'espérance que l'air pur du Nord guérirait son bébé comme cela avait guéri son père Étienne. Elle était éreintée de fatigue, après ce voyage à bord des gros chars, mais folle de joie lorsqu'elle fut accueillie par Henri à l'arrivée à Labelle. Elle n'avait pas encore mis le pied à terre qu'elle aperçut son frère au loin. Elle lui fit signe de la main. Celui-ci répondit en agitant son chapeau au bout de son bras. Il descendit de son *boghei* et vint à sa rencontre. Elle tenait le petit dernier enveloppé dans ses langes, de son bras gauche bien serré contre sa poitrine et Roger, deux ans, de la main droite. En la voyant, Henri pensa : « Elle en a plein les bras, c'est le cas de le dire ». Et il sourit intérieurement de son jeu de mots.

Cet été-là fut une révélation pour Blanche qui n'avait jamais été attirée par la campagne. Marcel, son petit dernier, avait repris du poil de la bête; il faisait ses nuits sans faire de crise, avait gagné du poids et arborait de jolies joues roses bien dodues. Sa mère était aux anges ! Oscar, quant à lui, vint rejoindre sa famille quelques semaines pendant les grosses chaleurs en juillet. À la fin de la belle saison, Henri, ayant vu l'amélioration que l'air pur faisait à son neveu, proposa à sa sœur de se construire un petit camp d'été sur la terre familiale. Blanche fut très touchée de cette offre et, après discussion avec son mari, ils décidèrent de se construire l'été suivant.

Un an après l'arrivée de Marcel et neuf mois après les vacances d'Oscar au Lac Désert, naissait enfin une petite fille dans la famille. Blanche et Oscar Caron étaient les fiers parents de Pauline, qui vit le jour le 6 avril 1918. Étienne se gourmait de fierté en parlant de sa descendance, qui comptait maintenant trois petits-enfants en bonne santé et était très heureux de savoir que sa fille reviendrait les visiter chaque été.

Chapitre 13

Cousin Eddy

Eddy Laflamme était un cousin d'Henri. C'était le fils d'Edmond Laflamme, frère de Laura. Eddy naquit le 26 mars 1886. Sa mère qui était de descendance irlandaise, Elizabeth Faning, mourut lorsqu'il avait à peine un an et demi, ce qui en fit un enfant unique, car son père ne se remaria jamais. Sa mère n'avait que dix-huit ans à son décès. Son père, désemparé devant l'événement tragique qui le frappait et se sentant totalement incapable de prendre soin de son fils encore si jeune décida, dans un moment de désespoir, de l'envoyer chez son beau-frère Édouard Faning, le frère de sa défunte épouse qui était également le parrain du petit.

Eddy vécut chez son oncle jusqu'à l'âge de cinq ans. Il fut ensuite envoyé chez sa grand-mère Laflamme, de son nom de jeune fille Joséphine Tessier-Lavigne, à Saint-Benoît, où il habita pendant un an. Lorsqu'il arriva chez elle, le petit Eddy ne parlait que l'anglais. Cela causa un problème lorsque sa grand-mère voulut l'envoyer à l'école. Elle décida donc de le garder à la maison une année de plus afin de lui apprendre le français. Eddy, qui avait un esprit vif, apprit rapidement et sans difficulté le langage que ses ancêtres paternels lui avaient légué. L'année suivante, lorsque le mois de septembre arriva, son père, qui venait le voir de temps en temps entre ses voyages, prit la décision de l'envoyer dans un collège. Ce père, qu'il ne voyait que très peu souvent, travaillait sur les trains comme machiniste et était pratiquement toujours parti. Il avait réfléchi longuement au problème que lui causait son fils et en était venu à la conclusion que c'était pour lui le seul moyen de lui donner une bonne éducation. Eddy fut envoyé au Collège de Longueuil. Cette institution accueillait environ trois cents élèves âgés entre six et seize ans, dont une centaine de pensionnaires qui étaient logés dans le grand dortoir sous les combles.

Ce fut Augustin Chaboillez, le curé de la paroisse Saint-Antoine, qui fit construire cette maison à deux étages pour lui en 1815. En 1842, la maison fut léguée aux Oblats, puis vendue à la Commission scolaire en 1848 qui l'utilisa comme école pour garçons. Elle fut ensuite cédée à la Fabrique de la paroisse en 1854, qui décida d'en faire un collège. Pour ce faire, les marguillers décidèrent d'allonger le bâtiment initial de quinze mètres et y ajoutèrent un étage supplémentaire. Le Collège de Longueuil y logea de 1856 à 1910.

Eddy Laflamme y passa dix ans de sa vie, à ne sortir que pour les vacances d'été et pendant le temps des fêtes, qu'il passait pour la plupart du temps chez sa grand-mère paternelle, surnommée « mémère Corbeil », de par son statut marital. Ayant perdu son mari en 1895, elle s'était remariée l'année suivante à Louis Corbeil de St-Benoît. Elle aimait bien avoir ses petits-enfants avec elle pendant l'été.

En 1902, Eddy avait seize ans. Ayant terminé ses études, il quitta le collège et se rendit chez sa tante Eugénie et son oncle Parfait Bruneau, sur les recommandations de son père. Il y demeura jusqu'à ses 22 ans. En dépit de la bonne éducation qu'il avait reçue, il se retrouva machiniste dans une manufacture de boutons. Ces années furent particulièrement difficiles pour les francophones du Québec; les emplois plus payants et moins physiques étant toujours réservés aux anglophones. En plus d'avoir perdu sa mère très jeune, et de n'avoir jamais connu de vraie vie de famille, Eddy n'avait pas une très bonne santé. Malgré son jeune âge, l'arthrite le faisait souffrir énormément. Comble de malheur pour ce pauvre garçon, il se fit écraser une main dans un rouleau à boutons pendant qu'il travaillait. L'accident se produisit le Vendredi Saint. Eddy en garda des séquelles toute sa vie et racontait à qui voulait l'entendre qu'il avait été puni par Dieu et qu'il ne travaillerait plus jamais pendant une journée sainte !

Un jour d'avril 1908, Omer Bruneau qui était à Montréal pour affaires, s'arrêta pour faire une visite à son frère Parfait. Il s'enquit auprès d'Eddy de sa santé et voulut savoir comment ça se passait pour lui depuis qu'il habitait à Montréal. Le jeune homme, souffrant de sa maladie des os, lui avoua qu'il n'allait pas très bien, et que le climat humide de la ville ne lui convenait pas. Mais que pouvait-il y changer ?

Omer, qui en avait aidé plus d'un, lui proposa de l'amener avec lui dans le Nord. Il le ferait travailler au club. Eddy, heureux de cette proposition, ne prit pas une heure pour réfléchir. Rien ni personne ne le retenait à Montréal. Il fit ses bagages et partit le lendemain, avec le frère de son oncle, pour La Minerve.

Comme promis par Omer, Eddy travailla au Club Chapleau. Il y demeura pendant environ trois ans. Un jour, il eut la chance de rencontrer monsieur Perrault de l'Impérial Tobacco. Ce dernier venait d'acquérir une propriété au lac Laperle et se cherchait quelqu'un de confiance pour l'entretien des lieux. Le jeune Laflamme, ayant un goût de changement, vit là une opportunité et proposa ses services à monsieur Perrault qui l'engagea aussitôt comme gardien et homme à tout faire.

Eddy était un garçon timide et ne croyait plus trouver la perle rare lorsqu'il fit la connaissance d'Alexina Lauzon. Elle était de dix ans sa cadette et semblait aussi timide que lui. Elle habitait avec ses parents dans le village de Labelle. Ils s'étaient rencontrés au magasin général Lecavalier. Leurs fréquentations furent de courte durée, car tous les deux désiraient se marier et fonder une famille. Leur mariage eut lieu le 21 avril 1918 dans la paroisse d'Alexina. Encore célibataire à trente-deux ans et travaillant depuis plusieurs années déjà, Eddy avait réussi à se mettre un peu d'argent de côté. Il acheta une grande presqu'île sur le lac Désert et y construisit un petit camp de *logs*. La belle saison étant arrivée, et n'ayant d'autre endroit plus charmant où habiter, les nouveaux mariés décidèrent de s'y installer pour l'été. Alexina devint vite amie avec Eugénie Bruneau et aussi Parmélia Fafard qui fréquentait, pour sa part, un jeune homme de la ville depuis un certain temps. Ils se réunirent à plusieurs occasions sur la presqu'île pour y faire des pique-niques.

Chapitre 13

On dit souvent qu'un grand bonheur est accompagné d'un grand malheur. Ce fut le cas pour Eddy qui perdit son père quelques mois après son mariage. La grippe espagnole faisait rage et, son père côtoyant des gens venant de partout à longueur de journée à cause de son travail, la contracta. Cette pandémie née en Chine fut surnommée « grippe espagnole », car on a cru d'abord que la maladie avait été ramenée dans des boîtes de conserves importées d'Espagne. En quelques mois, cette grippe fit près de cent millions de morts partout au monde, soit plus que la guerre qui avait duré quatre ans. On dénombra au Canada cinquante mille morts. Face à ce fléau, la médecine n'a rien pu faire et, heureusement pour la population mondiale, la pandémie disparut d'elle-même au printemps 1919. Mince consolation pour les orphelins, on dit que pas une famille-souche ne fut épargnée par ce fléau au Canada français. Les hommes disaient alors : On peut éviter d'aller mourir à la guerre, mais quand Dieu nous frappe, pas moyen de se sauver nulle part.

Chapitre 14
Une histoire d'amour

Henri avait découvert les filles sur le tard. Trop occupé à devenir un homme, il n'avait pas porté d'intérêt spécial aux personnes du sexe opposé. Il connaissait assez bien, malgré tout, leur comportement, puisqu'il avait vécu avec ses deux sœurs, et était très près de la plus jeune des deux, Eugénie. À part le temps des fêtes, où les festivités duraient presque pendant deux semaines, il faut dire que les occasions où les garçons et les filles pouvaient se rencontrer n'étaient pas très courantes. Chaque événement de l'année devenait donc propice à faire la fête.

Cette semaine-là, tout le monde dans le village parlait de la soirée qui serait donnée au Club Chapleau. Le mois de mars venait de finir et avril prenait tranquillement sa place dans le calendrier des cultivateurs. Le printemps, c'était sans contredit le temps des sucres qui devenait l'excuse pour se réunir. Les membres du club ne venaient pas beaucoup pendant l'hiver, ni au printemps, car les chemins étaient trop mauvais. C'était donc l'occasion rêvée pour Omer et sa femme de faire une soirée pour les villageois.

À la fin d'une journée de travail au chantier, Henri fut interpellé sur le chemin du retour par son voisin, Antoine Vallée.

— Henri ! lui lança-t-il par la porte entrouverte, arrête-toi une minute.

Henri tourna la tête, reconnut son ami et lui fit un signe de la main tout en bifurquant vers la maison. Il s'arrêta à quelques pas de la galerie.

— Salut Antoine ! Qu'est-ce que tu veux ?

— Ben, je me demandais si t'avais l'intention d'aller à la soirée au club samedi soir.

— Ah ! J'ai pas pensé à ça, mentit-il. Toi, y vas-tu ?

— Ben, j'aimerais ben ça y aller, mais comme j'ai pas de voiture, je me disais qu'on pourrait peut-être y aller ensemble.

Antoine était sorti sur la galerie en chaussons de laine et, les bras croisés sur sa chemise à carreaux, tentait désespérément de garder sa chaleur en attendant sans broncher la réponse d'Henri. Ce dernier réfléchissait. Sa sœur Eugénie lui avait parlé de cette fête et l'avait convaincu de s'y rendre en lui disant que leurs amis Arthur Fafard, ainsi que sa sœur Parmélia, y seraient. Henri était un garçon assez réservé, mais comme la fête se donnait chez son oncle, il se sentait très à l'aise d'y aller. Il aimait bien se retrouver en compagnie des Fafard, surtout lorsque Parmélia y était. Antoine était toujours sur la galerie attendant sa réponse et il commençait franchement à avoir froid.

— Ben là, Henri, vas-tu me répondre avant que je gèle !

— Excuse-moi, Antoine, j'étais en train de penser.

— Écoute, si c'est trop compliqué ou ben si t'as pas envie d'y aller, t'as juste à me l'dire. Mais là, je rentre parce qu'il fait frette en maudit.

Le soleil venait de se coucher et le vent glaçait le sang.

— J'suis en train de geler comme un corton.

Henri sortit de la lune et revint au moment présent.

— C'est correct, je vais t'amener. Arrange-toi pour venir me rejoindre chez mon père à sept heures.

— Merci ben, Henri, j'vais être là c'est certain. T'auras pas besoin d'attendre après moi. Bon, ben là je rentre, y fait trop frette ! Salut !

Henri vit Antoine s'engouffrer dans la maison où l'on pouvait voir que les lampes à l'huile venaient d'être allumées. Il continua sa route à pied jusque chez lui. À bien y penser, il avait plutôt hâte à samedi. Après tout, il était en âge de faire sa jeunesse !

* * *

— Eugénie ! cria Henri à sa sœur du bas de l'escalier. J'm'en vais atteler le cheval. Arrange-toi pour être prête, on part dans quinze minutes.

Henri prit son manteau et sa casquette et sortit de la maison en direction de la remise qui tenait office d'écurie depuis que son père était revenu de Montréal avec leur nouvel attelage. Louis venait d'avoir 13 ans et assistait à la scène un peu déçu. Il se tourna vers son père :

— Pourquoi on n'y va pas nous autres ? On a le droit d'y aller puisque c'est chez mon oncle Omer.

Étienne répondit, tout en continuant à se bercer dans sa chaise près du poêle :

— Écoute Louis, on a déjà parlé de ça aujourd'hui. C'est une fête pour les jeunes gens que ton oncle donne. Toi, t'es trop jeune, pis moi, j'suis trop vieux. Ça fait qu'on va rester icitte tous les deux pis on va jouer aux cartes. Demain, si tu veux, on ira faire un tour après la messe. On demandera à ton oncle qu'il nous raconte comment ça s'est passé.

— Ouais, mais c'est pas pareil. Moi aussi j'aimerais ça sortir pis danser avec les filles.

— Je te trouve pas mal fringant, mon p'tit gars. Calme-toi les esprits. T'as juste 13 ans, t'as ben le temps de sortir avec les filles. T'as toute ta vie en avant de toi, ça fait que inquiète-toi pas de rien pis essaye pas d'aller trop vite.

— Je le sais ben, P'pa, mais vous le savez, moi j'aime ça quand ça bouge. J'haïs ça quand y s'passe rien.

Étienne se remit le nez dans son journal qu'il lisait à la lueur de la lampe. Elle était accrochée au mur exprès pour l'éclairer pendant qu'il lisait en se berçant, bien au chaud à côté du poêle. Il prit un air exaspéré en pensant : « J'sais ben pas d'où y sort celui-là ! »

On entendit Eugénie descendre l'escalier. Les regards de son père et de son jeune frère étaient tournés vers elle lorsqu'elle posa le pied sur la dernière marche. Elle portait fièrement une nouvelle robe qu'elle s'était confectionnée pour l'occasion. Une jolie robe de lainage bleue qui lui allait à ravir. Pour tout bijou, elle avait épinglé la broche qui lui venait de sa mère. Elle était peu habituée aux compliments et doutait de son charme.

— Pis, qu'est-ce que vous en pensez ? demanda-t-elle en regardant son père.

Étienne était ému de voir sa fille si jolie. « Une vraie femme » pensa-t-il. Elle avait coupé ses cheveux à la dernière mode et les portait maintenant courts et ondulés. Ils encadraient bien son visage délicat et mettaient en valeur ses grands yeux noirs.

— Ben là, je le sais plus si je veux que tu sortes, ma fille ! lui répondit-il en plaisantant. Belle de même, tous les gars vont être après toi !

— C'est ben correct d'abord, dit-elle sur un ton joyeux en tournant sur elle-même, jouant au mannequin. À 24 ans, il serait temps que je me trouve un mari, vous pensez pas ?

Eugénie et son père avaient déjà discuté de ce sujet à quelques reprises. Naturellement, Étienne voulait la garder le plus longtemps possible près de lui, et lui disait toujours que ça ne pressait pas, qu'elle avait bien le temps. Et que de toute façon l'amour arrive quand on s'y attend le moins.

Sur l'entrefait, Henri rentra dans la maison et lança à l'intention de sa sœur :

— Envoye la sœur, la *sleigh* est prête, pis Antoine nous attend dehors. T'en viens-tu ?

— J'arrive.

Elle prit son manteau et l'enfila aussitôt. Puis, ayant l'air de chercher quelque chose du regard, elle se retourna vers son frère.

— Attends-moi deux minutes, y faut que j'aille chercher mon chapeau pis mes gants que j'ai laissés sur ma commode dans ma chambre.

— Bon, je sors. Tu viendras nous rejoindre.

Il salua son père et son frère et ouvrit la porte.

— Henri ! l'apostropha Louis juste avant qu'il mette les pieds dehors, dis-moi, vas-tu danser avec les filles à soir ?

— T'es donc ben curieux toi ! lui jeta Henri. Si je danse avec les filles ça regarde juste moi. Bonsoir P'pa !, puis il sortit.

— Bonne soirée mon gars. Je compte sur toi pour que tu jettes un œil sur ta sœur. Pis essayez de n'pas rentrer trop tard, les chemins sont pas ben beaux de ce temps-ci.

Eugénie avait eu le temps de descendre et entendit les recommandations de son père à son égard.

— P'pa, j'vous ai entendu. Avez-vous oublié que c'est moi la plus vieille entre nous deux ? C'est moi qui devrait le surveiller.

Elle s'approcha de son père, s'accroupit près de lui et un sourire en coin accroché à ses lèvres, prit un ton doucereux afin de le rassurer.

— Soyez-pas inquiet, j'suis capable de prendre soin de moi pis de me défendre.

Étienne posa sa main sur ses cheveux et sentit monter la nostalgie qui lui faisait immanquablement remonter les larmes aux yeux.

— Je l'sais ben, ma fille. Mais, qu'est-ce que tu veux, moi j'ai le cœur d'un père pis d'une mère en même temps, ça fait que même si tu me dis de pas m'inquiéter, je m'inquiète pareil. J'suis fait comme ça. J'tiens ben gros à vous autres, pis je voudrais pas qu'il vous arrive du mal, ajouta-t-il en déposant un baiser sur son front. Passe une belle soirée, ma fille.

— Merci, P'pa !

Elle se releva, se dirigea vers la sortie et se retourna juste avant de fermer la porte.

— Attendez-nous pas, on va sûrement rentrer tard !

Son père lui fit un signe de la main comme pour lui faire comprendre qu'il ferait ce qu'elle lui avait suggéré. Pour sa part, il n'était pas question qu'il s'endorme avant de les savoir tous les deux dans leurs lits.

Lorsqu'Henri, Eugénie et Antoine débarquèrent au Club Chapleau, la fête était déjà commencée. Il y avait six ou sept attelages dans la cour et on entendait la musique provenant de l'intérieur. Antoine débarqua aussitôt que la *sleigh* fut immobilisée, tandis qu'Henri prenait le temps d'aider sa sœur à descendre.

— Henri ! s'exclama-t-elle. J'peux pas marcher jusqu'à la galerie. As-tu vu la cour ? J'vais arriver les souliers pleins de bouette !

Henri dévisagea sa sœur.

— T'as pas mis tes bottes ?

— Ben oui, j'ai mis mes bottes. Mais c'est pas mieux, je vais avoir les pieds tous sales quand même !

Il jeta un air découragé à sa sœur.

— Ben, qu'est-ce que tu veux que j'fasse ? C'est pas de ma faute si y'a de la boue, pis c'est pas la première fois que tu marches dedans !

— Non, mais là c'est pas pareil. Y'a plein de monde dans la salle, pis y'en a peut-être que je connais pas.

Elle regarda son frère dans les yeux et lui demanda presque en chuchotant :

— Tu voudrais pas me porter jusque sur la galerie ?

— Ah ben ! J'aurai tout entendu, répondit-il en se retournant pour voir si quelqu'un les observait. Es-tu sérieuse ?

Eugénie acquiesça d'un signe de tête, son regard plongé dans celui de son frère. Elle espérait qu'il accepte.

— S'il-te-plaît ! supplia-t-elle de nouveau.

— Aye, toi, c'est ben parce que t'es ma sœur.

Puis, il entreprit de la prendre dans ses bras, mais au même moment d'autres voitures arrivaient près de la sienne. Henri se sentit soudain ridicule. Il fallait qu'il procède au plus vite, sinon tout le village les verrait. Il prit sa sœur par les jambes et la balança sur son épaule. À son plus grand étonnement, Eugénie se retrouva transportée comme une poche de patates. Ce n'était pas du tout ce qu'elle avait imaginé comme façon de voyager. Cette position, en plus d'être inconfortable, était tout à fait inconvenable pour une jeune fille. Trop frêle pour se défaire de la poigne de son frère, elle s'écria aussitôt :

— Henri, qu'est-ce que tu fais ? Lâche-moi ! se démenait-elle en lui donnant des tapes dans le dos. Veux-tu ben me lâcher. Henri, lâche-moi !

— J'vais te lâcher quand on va être rendus sur la galerie. Tu voulais pas salir tes souliers, tu les saliras pas. Pis arrête de me frapper.

Quinze pas plus loin, ils étaient rendus. Antoine, qui les attendait pour entrer, avait assisté à la scène et riait aux éclats quand Henri déposa sa sœur. Elle se retourna vers l'ami de son frère et lui fit une grimace.

— Qu'est-ce que t'as à rire, toi ? Envoye rentre, on gèle.

L'ambiance était plutôt calme lorsqu'ils arrivèrent dans la grande salle; les musiciens venaient tout juste d'arrêter pour prendre une pause. Leurs instruments étaient installés le long du mur entre la porte de la cuisine et l'escalier qui menait aux chambres. À l'opposé, on pouvait admirer le grand foyer de pierre dans lequel brûlaient encore quelques bûches. Ça ne serait pas long qu'on laisserait mourir le feu quand les jeunes se mettraient à danser. Tout autour de la pièce étaient alignées des chaises. Il devait y avoir une vingtaine de personnes, mais on pouvait voir, par la fenêtre de côté, qu'il y avait encore de nouveaux arrivants. Ce serait une belle soirée.

La musique reprit une quinzaine de minutes plus tard. On commença la soirée par une série de sets carrés et la plupart des jeunes, en formation de quatre couples, embarquèrent dans la danse afin de se réchauffer. Vers les huit heures, Arthur et Parmélia débarquèrent à leur tour. Eugénie courut vers son amie pour la saluer.

— Parmélia ! Je suis contente que t'arrives. Qu'est-ce que tu faisais ?

— Ben, juste avant qu'on sorte, mon père s'est mis à me faire la morale. Il me disait que je devais pas sortir sans mon cavalier. Mais je lui ai fait comprendre que premièrement, j'étais pas pour l'attendre à chaque fois que je voulais faire quelque chose, pis que deuxièmement, on n'était pas encore mariés. Aye, ça s'peux-tu ? Des fois je pense qu'il oublie que j'ai 25 ans. Une chance qu'il y avait Arthur pour dire comme moi. Je voulais pas être impolie, mais à un moment donné, je lui ai dit bonsoir pis on est sorti. J'espère qu'y sera pas trop en maudit après moi !

— Ben non, y va se déchoquer quand il va voir que tu fais rien de mal. Les pères ! Ils sont toujours inquiets. Bon, oublie tout ça. Viens danser avec nous autres.

— Ah non, Eugénie, pas tout de suite. Je vais d'abord aller dire bonsoir aux autres pis je vais m'asseoir un peu, j'ai travaillé toute la journée debout à aider ma belle-mère à faire à manger. J'suis fatiguée. Pis je veux pas faire jaser, tout le monde sait que je sors avec Hervé. Mais, ça me dérange pas si tu y vas. Ça me fait plaisir de vous voir vous amuser.

— Ok j'y vais, mais j'vais revenir te jaser plus tard, lui répondit Eugénie.

Et elle partit en sautillant rejoindre le groupe de danseurs qui avait entamé un quadrille.

Un peu plus tard dans la soirée, Henri alla rejoindre un groupe de garçons du village qui étaient assis en cercle et pour qui le sujet principal de leur discussion était, on s'en doute, les filles. Il y avait Hermas et Côme Létourneau, Henri Dumay, Adélard Grégoire, Léo-Paul Ste-Marie, Joseph Casavant, Antoine Gougeon, Raoul Daigneault et plusieurs autres.

— En tout cas, dit l'un, ta sœur commence à être pas mal coquette, mon Henri ! Penses-tu qu'elle danserait avec moi ?

— J'peux pas te dire, c'est ma sœur ! T'as juste à lui demander, tu l'sauras ben.

— Moi, dit un autre, c'est la sœur d'Arthur, la belle Parmélia que j'haïrais pas faire danser.

— Qu'est-ce qu'il t'empêche d'y aller ? lui répondit un troisième.

— J'suis allé ! Elle veut rien savoir. Elle dit que parce qu'elle a un fiancé, elle peut pas se permettre de danser avec les autres. Elle donne la même réponse à tous les gars.

— Ben moi, j'vous gage que je la fais danser, mademoiselle Fafard ! lança Henri de ses cinq pieds dix pouces, debout devant ses camarades.

— Fais pas ton fendant, Henri Bruneau. T'es pas mieux que les autres. Elle dansera pas plus avec toi qu'avec nous autres.

— À part de ça, pourquoi elle danserait avec un p'tit jeunot ? Oublie pas qu'elle est plus vieille que toi.

— Ça me dérange pas. J'vous gage trente sous qu'elle va accepter de danser avec moi, leur répondit-il, sûr de lui, en se dirigeant vers Parmélia la tête haute.

Les autres se moquèrent de lui et prédisaient son échec imminent tout en le regardant s'éloigner. « Elle va lui couper le sifflet... vous allez voir ! »

Parmélia était assise seule, les autres étant partis danser une gigue au son du reel[42] choisi par le violoneux. Après cette danse endiablée, le câleur[43] annonça une valse. C'était le moment ou jamais pour Henri de faire ses preuves. Il s'approcha de sa future conquête. Parmélia l'avait vu venir vers elle et, dans un geste que seules les femmes posent en toute coquetterie, avait passé ses mains dans ses cheveux pour s'assurer qu'elle n'était pas dépeignée.

— Bonsoir mademoiselle Fafard, dit-il en se penchant vers elle.

— Bonsoir Henri, répondit-elle en souriant.

— C'est une belle soirée, vous trouvez pas ?

— Oui, ça fait du bien de sortir et de voir du monde après l'hiver qu'on a eu.

Prenant son courage à deux mains, Henri poursuivit :

— Me feriez-vous l'honneur de cette danse ?

Parmélia sentit les regards des compagnons d'Henri peser sur elle. Néanmoins, elle aimait bien Henri, elle avait confiance en lui et aimait bien sa compagnie. Sans trop réfléchir et se laissant porter par l'ambiance joyeuse de la soirée, elle répondit spontanément :

— Avec plaisir, Henri.

---

42   Québécisme: espèce de danse vive et animée.
43   Québécisme: celui qui, pendant les danses, indique les figures que les danseurs doivent exécuter.

Henri lui tendit la main, Parmélia y déposa la sienne et le suivit docilement sur le plancher de danse où s'étaient déjà rassemblés plusieurs couples.

Tout en dansant, pour faire la conversation et probablement pour mettre les choses au clair entre eux, Parmélia annonça à Henri sur le ton de la confidence : « Henri, je voulais te dire que… » elle hésita un moment puis reprit « ben, je voulais te dire que je vais me marier cet été ».

Henri le savait déjà, car, bien sûr, Parmélia en avait parlé à sa sœur Eugénie qui était sa bonne amie, et, qui, elle-même l'avait rapporté à Henri. Et que de toutes façons on avait vu à quelques reprises Parmélia et Hervé assis dans le banc des Fafard pendant la grand'messe à l'église. Mais il fit comme s'il venait d'apprendre la nouvelle. Il jouait l'innocent.

— Ah oui ? Tu t'maries avec qui ?

— Ben, avec Hervé, c't'affaire ! Tu l'sais que c'est mon cavalier depuis un bon bout de temps. Il a fait sa grande demande au Jour de l'An. Là, il est parti en ville pour acheter les alliances pis son habit de noces. C'est pour ça qu'il est pas ici à soir.

Elle se tut quelques secondes, pour reprendre là où elle voulait en venir. Elle releva la tête vers Henri :

— Henri, je voudrais profiter de l'occasion pour t'inviter à mon mariage.

Sans trop savoir pourquoi et ne sachant expliquer ce sentiment qui montait en lui, Henri se sentit triste et déçu. Il n'avait pas envie d'y assister. Il venait de s'en rendre compte, elle lui plaisait énormément. Était-ce le fait de la tenir tout près de lui ? Il n'en savait rien. Blessé dans son orgueil, il donna une réponse qui ne lui ressemblait pas :

— Ben, j'suis pas sûr pantoute d'aller à tes noces, j'pense pas avoir le temps. Mais, je t'enverrai un cadeau que tu garderas en souvenir.

La valse venait de finir. Henri raccompagna Parmélia à sa place, la remercia et retourna vers ses compagnons. Tous les gars s'exclamèrent devant son exploit.

— Ouais ! Pour moi, tu la laisses pas indifférente la p'tite Fafard ! L'Hervé est mieux de revenir au plus vite, s'il veut pas se faire voler sa future !

Henri souriait devant ses amis lorsque chacun lui remit la somme promise comme gageure. Au fond de lui régnait maintenant un désordre qu'il ne comprenait pas. Il ne voulait pas que Parmélia épouse cet énergumène-là. C'était un gars de la ville et il l'amènerait loin de La Minerve. Il ne la verrait plus... À cette seule pensée, un sentiment très puissant surgit et se présenta comme une évidence: il voulait qu'elle l'épouse, lui. Comment ne s'en était-il pas rendu compte avant ? Le temps pressait, il devait agir vite. C'était sa seule chance, cette soirée, pour lui montrer qu'il tenait à elle. C'est avec cette urgence au cœur qu'il consacra toute la soirée et toutes les danses, sans exception, à Parmélia. Elle semblait enchantée de la situation et prit plaisir à se retrouver en sa compagnie.

À minuit, on sortit le buffet qu'on dressa sur deux longues tables de chaque côté de la pièce. Les gens firent d'abord le tour avec leur assiette puis prirent place autour de la même grande table pour festoyer. Omer annonça que les jeunes gens de plus de 21 ans avaient droit à un verre de vin St-Georges pour accompagner leur repas.

La soirée se termina vers deux heures du matin. Henri, voyant le temps de partir arriver, chercha dans le groupe son ami Antoine. Lorsqu'il put enfin mettre la main dessus, il l'accrocha et l'emmena dans un coin pour lui demander :

— Antoine, peux-tu te trouver quelqu'un d'autre pour te ramener chez vous ? J'me suis arrangé avec Arthur, c'est lui qui va ramener ma sœur parce que moi, il faut absolument que je raccompagne mademoiselle Fafard.

— Ben, là, j'pensais revenir avec toi ! Avec qui j'vais m'en aller d'abord ?

— Arrête de faire le niaiseux, tu pourrais demander à Alexandre Talbot, il est icitte, je l'ai vu.

— Oui, mais tu m'avais dit qu'on reviendrait ensemble, insista Antoine.

Henri, sur l'insistance de son ami, perdait tranquillement patience. Le ton sur lequel il lui adressa de nouveau la parole ne lui donnait pas le choix.

— Antoine, tu comprends pas. Il faut que je lui parle à soir, lui dit-il nez à nez en appuyant sur les deux derniers mots. C'est ma dernière chance. Si je me déclare pas à soir, je vais la perdre. Pis ça, j'me le pardonnerai pas.

— Ouais, ça l'air sérieux ton affaire. J't'ai jamais vu dans un état pareil. C'est correct, j'vais m'arranger, finit par conclure Antoine, l'air un peu déçu de l'attitude de son ami.

Il s'éloigna tranquillement d'Henri, les mains dans les poches et, après avoir fait quelques pas, se retourna. Il regarda Henri dans les yeux et, lui faisant son plus beau sourire, ajouta :

— J'espère que ça va marcher... Bonne chance !

Henri lui retourna son sourire et lui fit un clin d'œil comme pour lui dire que c'était déjà dans la poche. Mais, tout au fond de lui, il n'y croyait pas vraiment. Comment pouvait-on faire changer d'idée une jeune fille qui devait se marier dans quelques mois ? Il devait trouver les mots qui la toucheraient. Il connaissait bien Parmélia. Hervé la connaissait-il aussi bien que lui ? Allait-il la rendre heureuse ? Il avait cru comprendre, dans ce que lui rapportait sa sœur, que Parmélia avait hâte de quitter le foyer familial et qu'Hervé lui avait tendu une perche en la demandant en mariage.

Après sa discussion avec son ami, il retourna auprès de Parmélia pour lui offrir d'aller la reconduire chez elle. Elle accepta sans hésitation et sembla heureuse de la situation. Henri l'aida à retrouver ses bottes et son manteau et, après avoir enfilé lui-même ses claques et son paletot, ils saluèrent leurs amis et quittèrent les lieux ensemble. En garçon bien élevé, Henri offrit son bras à Parmélia pour descendre les escaliers et pour monter à bord de la *sleigh*. Une fois sa compagne assise, il prit une couverture de laine et la déposa sur ses genoux. Cette attention toucha particulièrement Parmélia qui n'avait pas beaucoup goûté à ce genre de douceur dans son enfance, ayant perdu sa mère très jeune. C'était plutôt elle qui avait prodigué des soins à ses proches tout au long de sa vie. Henri avait été merveilleusement gentil et galant toute la soirée. Parmélia se sentait le cœur léger. Mais que se passait-il ? Était-ce la fièvre du printemps ? Elle sortit de ses rêveries lorsqu'Henri lui demanda :

— As-tu vu ? C'est la pleine lune !

— Oui, c'est beau. On voit même les ombres des arbres, comme s'il faisait soleil !

— Ça va nous aider sur la route parce que le chemin est pas ben beau de c'temps-ci de l'année, il y a des crevasses partout. On pourra pas s'en aller trop vite, voulut-il expliquer, j'espère que ça te dérange pas ?

À ces mots, il se retourna vers Parmélia et vit une jolie jeune fille et se rendit compte qu'il ne la regardait plus de la même façon.

— Que la route soit mauvaise ?

— Non, qu'on passe plus de temps ensemble...

Parmélia ne répondit pas. Elle baissa la tête et enfila son manchon. Le discours d'Henri n'était pas comme d'habitude. Elle sentit tout à coup monter sa gêne. Henri était soudainement devenu, à ses yeux, un homme et non le frère de sa meilleure amie.

Comme Henri l'avait prévu, la route n'était pas très bonne. C'était moins bouetteux qu'à leur arrivée, mais, avec la température qui avait baissé de plusieurs degrés pendant la nuit, des plaques de glace s'étaient formées un peu partout sur leur chemin. Lorsqu'ils arrivèrent à hauteur de la maison de Frank Fafard, Henri essaya de diriger sa monture vers l'entrée, mais comme il n'avait pas pensé à ralentir l'allure de son cheval, il passa tout droit. Parmélia s'exclama :

— Henri, t'as oublié de me débarquer !

— Excuse-moi, Parmélia, le chemin est trop glissant pour que j'arrête la *sleigh* dans la côte. Si ça te dérange pas, on va aller tourner dans la cour chez nous.

Et, avec tout son courage, il ajouta presque en murmurant :

— Pis, y'a quelque chose que je voudrais te dire, ça fait que comme ça, je vais avoir plus de temps.

Chapitre 14

Parmélia ne posa aucune objection et tourna son regard vers son cavalier. Elle sentit les battements de son cœur s'accélérer.

— T'as l'air tout drôle, Henri.

Henri ne répondait pas, occupé qu'il était à essayer de trouver les mots qui sauraient expliquer à Parmélia les sentiments qu'il ressentait pour elle.

— J'te trouve pas mal intrigant. Y'as-tu quelque chose qui va pas ?

— Non, Parmélia. Astheure essaye de pas m'interrompre parce que je sais pas si je vais avoir le courage de te dire toutes mes affaires.

Parmélia trouva difficile de se taire, mais s'efforça de ne plus dire un mot et attendit patiemment qu'Henri se décide à lui parler.

— Parmélia, commença-t-il, je sais que t'es pas heureuse chez vous. J'veux dire, je sais, parce qu'Eugénie me conte des affaires, que tu t'entends pas trop avec ta belle-mère, pis que ça fait ton affaire de partir de la maison pendant six mois. Je sais aussi que tu t'en vas sur tes 25 ans. C'est pas parce que je te trouve vieille que je dis ça, voulut-il dire pour se racheter, prenant conscience qu'il aurait pu offenser sa future, c'est juste que je sais que les filles aiment mieux se marier avant d'avoir 25 ans. En tout cas, quand elle trouve un mari.

Parmélia écoutait attentivement tout ce qu'Henri essayait de lui dire. Dans le silence de la nuit, l'attelage se dirigeait tranquillement vers le lac Désert. Henri reprit son monologue.

— Je sais pas pourquoi t'as décidé de te marier avec Hervé. Des fois, je me dis que j'aurais dû te parler avant. Mais avant, je savais pas que tu voulais te marier.

Henri sentait bien qu'il n'était pas très clair dans ses explications, il voulut donc trancher et lança :

— En tout cas, si c'est pas trop tard…, et sur ce, il immobilisa la *sleigh*, se tourna vers Parmélia, et lui avoua :

— J'aimerais ça que tu deviennes ma femme.

Parmélia resta bouche bée. Elle n'en croyait pas ses oreilles. Elle qui en avait rêvé pendant des mois... À quelques semaines de son mariage, Henri lui déclarait enfin son amour.

— Parmélia Fafard, veux-tu m'épouser ? répéta-t-il pour être clair.

Pour toute réponse, Parmélia se jeta à son cou et Henri goûta au premier baiser de sa vie. À l'instant même où cela se produisit, il sut qu'il avait fait le bon choix. Ils se serrèrent l'un contre l'autre et, regardant vers le firmament, ils aperçurent une étoile filante traverser le ciel.

— Fais un vœu, Henri !

Henri ferma les yeux pendant quelques secondes et remercia le ciel.

— Mon vœu est déjà exaucé.

Chapitre 15

Vive les mariés!

Frank Fafard n'en revenait tout simplement pas. Il était debout et faisait les cent pas devant sa fille qui était demeurée assise bien sagement sur une chaise de cuisine. La belle-mère était au fourneau et brassait sa soupe en silence. Elle savait qu'elle ne devait pas se mêler de ce qui se passait présentement entre son mari et sa belle-fille. Frank était rouge de rage.

— Veux-tu ben me dire à quoi tu penses, ma fille ? As-tu ben réfléchi à qu'est-ce que t'es en train de faire ? Entends-tu ce que t'es en train de me dire ?

Pour toute réponse, Parmélia acquiesça d'un léger signe de la tête. Elle non plus, tout comme sa belle-mère Mary, n'osait pas ouvrir la bouche, de peur de se la faire fermer aussitôt.

— Qu'est-ce qu'on va ben pouvoir dire à ton fiancé ? As-tu pensé à ça ? Il va être en beau maudit après toi. Pis après moi aussi ! rajouta-t-il après une courte pause, se rendant compte de la gravité de la situation.

Il s'approcha de Parmélia et lui mit la main sur l'épaule. Elle leva les yeux vers son père. Ils imploraient son approbation et son pardon. Parmélia n'avait pas dormi de la nuit, trop inquiète qu'elle était à essayer de ramasser son courage pour affronter son père le lendemain matin. Et bien sûr, ce qu'elle avait craint se déroulait à l'instant même. Son père était en beau maudit. Il ne comprenait pas ce qui se passait dans la tête de sa fille.

— Bon, comme tu voudras. Si tu veux pas m'en dire plus long, j'm'en vas chez monsieur Bruneau, pis je vais aller parler à son gars. Lui, il va se confesser, je te le garantis.

Chapitre 15

Sur ces menaces, Parmélia se leva brusquement et s'accrocha au bras de son père :

— Non, Père, faites pas ça. C'est pas d'la faute d'Henri. En tout cas, pas plus de la sienne que de la mienne. Je savais pas qu'Henri s'intéressait à moi. Si j'avais su on en aurait parlé avant, pis ça se serait pas passé de même. J'ai toujours pensé qu'il était fin avec moi parce que j'étais la meilleure amie d'Eugénie. Mais, hier soir, quand je lui ai dit que j'étais pour me marier avec Hervé, tout a changé. Il a été galant avec moi toute la soirée, pis, comme je vous l'ai dit tout à l'heure, il s'est déclaré dans la *sleigh* en revenant me reconduire après la veillée.

Elle voulut faire une courte pause pour montrer sa contenance, mais n'en pouvant plus, éclata en sanglots. De nouveau, elle s'adressa à son père :

— Père, je le sais astheure, que je veux pas marier Hervé. J'suis sûre de mon affaire. C'est avec Henri que je veux me marier. Je vous en prie...

Bien sûr, Frank Fafard était dans tous ses états, mais il était malgré tout un père. Un père qui aimait sa fille. Il prit ses mains dans les siennes, respira un grand coup tout en la regardant dans les yeux et, dans son for intérieur, priant Dieu de les aider à passer à travers ce tourment, lui posa une simple question qui allait clore la discussion :

— Henri Bruneau, c'est pas un mauvais gars, mais il est plus jeune que toi, y'a rien devant lui. Es-tu ben sûr que c'est avec lui que tu veux te marier, ma fille ? L'aimes-tu assez pour passer le reste de tes jours avec lui ?

Le sourire revint sur le doux visage de Parmélia. Elle sentit enfin qu'elle avait fait une brèche dans le cœur de son père et qu'elle avait réussi à adoucir son humeur. Ses yeux, aux paupières tombantes qui lui donnaient un air triste, reprirent un peu de l'éclat qui l'avait habité à son réveil. Elle fixa son père aussi longtemps qu'elle le put afin de lui démontrer sa conviction et répondit simplement : « Oui ».

Le lendemain matin, quémandé par Eugénie qui avait passé la veille au soir avec son amie Parmélia, Henri se présenta chez monsieur Fafard. Malgré son assurance habituelle, il n'en menait pas large lorsqu'il frappa à la porte de la maison de son futur beau-père. Il eut un petit répit lorsque sa femme Mary lui ouvrit. Elle lui offrit d'enlever son manteau et le fit passer au salon. Il choisit de rester debout en attendant le père de sa douce. Celui-ci descendit l'escalier et se présenta devant Henri les mains dans les poches. Frank Fafard n'était pas réputé pour être commode. Il avait un sale caractère, disait-on, mais était juste et bon. Henri se retourna en l'entendant arriver dans le salon. Il prit une grande inspiration:

— Bonsoir monsieur Fafard, dit-il en lui tendant la main.

Frank Fafard, ne voulant pas se laisser amadouer, fit mine de ne pas voir la main tendue d'Henri. Il lui tourna plutôt le dos et prit place dans sa chaise berçante en indiquant une chaise à son interlocuteur :

— Assis-toi, Henri.

— Merci, monsieur, mais j'aime mieux rester debout, si ça vous dérange pas.

— Ça me dérange pas pantoute.

Il frotta une allumette sur sa semelle de botte et alluma sa pipe. Il en tira plusieurs petites *puffs* et, lorsqu'il sut que le tabac était bien allumé, prit une grande bouffée et laissa partir celle-ci vers le visage d'Henri. Henri toussota, mais n'osa pas repousser la boucane qui l'entourait. Frank Fafard se cala dans sa chaise puis demanda à Henri :

— Il paraît que t'as quelque chose à me dire ?

Henri se tenait droit comme un piquet de clôture, attendant le moment propice. Monsieur Fafard, malgré son air sévère, venait de lui ouvrir la porte, Henri pouvait parler.

— Oui, répondit-il faiblement.

Il lui sembla que le mot lui était resté coincé dans la gorge. « Il faut que je fasse mieux que ça, se dit-il, envoye, t'es capable. »

— Je sais que j'arrive un peu tard dans la vie de votre fille. Je sais aussi que vous pensez que j'ai pas grand-chose à lui offrir. Mais, j'suis sûr d'une affaire en tout cas, c'est que j'aime Parmélia. Je comprends maintenant que je l'aime depuis longtemps, mais que je l'savais pas. Je vous garantis qu'elle ne sera pas malheureuse avec moi. Je vais tout faire pour qu'elle soit heureuse.

Ne sachant plus trop quoi dire afin de réussir à convaincre le père de Parmélia qui écoutait sans dire un mot, Henri décida de poser directement la vraie question:

— Monsieur Fafard, me feriez-vous l'honneur de me donner la main de votre fille ?

Frank Fafard resta de glace. Il tira de nouveau sur sa pipe pour en respirer la fumée. Les paroles sortirent de sa bouche aussi lentement que la fumée qu'il exhala.

— Ben, ça s'trouve, mon gars, que je l'ai déjà donné la main de ma fille !

Henri ne s'attendait pas à ça. Il avait cru, bien naïvement, que monsieur Fafard avait accepté le choix de sa fille de ne pas épouser Hervé. Il fallait maintenant qu'il trouve d'autres arguments qui réussiraient à le faire changer d'avis. Il se sentit mal et voulut s'asseoir. Il prit une chaise et l'approcha de Frank.

— Écoutez, monsieur Fafard, je sais que Parmélia veut plus se marier avec Hervé. C'est elle-même qui me l'a dit. Moi, je l'ai toujours aimé votre fille. Je la trouve belle, douce pis intelligente. En plus, elle est débrouillarde, elle sait tenir une maison pis mettre des bébés au monde. J'ai pas envie d'en marier une autre. C'est elle que je veux pour être ma femme. Ça me fait mal en dedans, icitte, continua-t-il en pointant son cœur, quand je pense qu'elle pourrait se marier avec un autre que moi. Je sais ben, qu'il est un peu tard pour y penser, mais, on dirait que c'est quand elle m'a annoncé son mariage que je me suis réveillé. Je sais pas comment vous expliquer ça, mais, il s'est passé quelque chose dans ma tête, pis là, c'est devenu comme ben clair. Je veux me marier, monsieur Fafard. Je suis un gars sérieux, travaillant, pis j'ai de l'ambition. Demandez à mon père, il va vous le dire. À part de ça, j'suis allé à l'école jusqu'en septième année. Je sais compter, lire, pis écrire. Je sors pas, pis je bois pas plus que les autres. Vous aurez jamais honte de moi, pis votre fille aura jamais à se cacher. Un jour, vous serez fier que vos petits-enfants portent mon nom. Je vous jure que je vais prendre soin de votre fille. Je vous en prie, monsieur Fafard, croyez-moi, c'est pour le mieux.

Frank Fafard resta silencieux. Il se berçait et fumait sa pipe. Son épouse lui apporta une tasse de thé et en offrit une à Henri. Celui-ci se rappela le goût âcre du thé bouilli qu'elle lui avait déjà servi et présentement c'était la dernière chose qu'il avait envie de boire. Cependant, ne voulant déplaire à personne dans la maisonnée, il se surprit à accepter.

— Merci, madame, dit-il en prenant dans ses mains la tasse qu'on lui présentait.

Mary demeura plantée devant le jeune homme. Elle attendait. Henri, mal à son aise, approcha la tasse et la soucoupe de sa bouche, prit une gorgée de la boisson bouillante, releva les yeux vers la dame de la maison et la remercia de nouveau, espérant qu'elle cesse de le dévisager.

— Merci, il est ben bon votre thé. *Very good !*

Ce devait être le compliment qu'elle attendait, car à ces paroles, elle quitta le salon pour retourner dans sa cuisine. Frank Fafard ouvrit finalement la bouche :

— Tu sais Henri, ce que vous faites-là, Parmélia pis toi, c'est pas honnête pour Hervé. Moi pis ma fille on s'était engagé vis-à-vis de lui. Mets-toi à sa place, penses-tu qu'il va trouver ça drôle ?

Il prit un temps d'arrêt et se rassit au fond de sa chaise, l'émotion l'ayant déplacé sur le bord de la chaise berçante.

— Mais, ajouta-t-il en dodelinant de la tête, je dois dire que t'as ben plaidé ta cause. Laisse-moi penser à tout ça. Y'a pas juste vous deux dans l'histoire. Hervé est supposé revenir dans quelques jours. Parmélia pis moi on va lui parler, pis on va voir ce qui va se passer.

Les quelques jours s'étaient écoulés et Hervé était revenu voir sa promise. Il revenait de Montréal où il avait acheté son habit de noces, les alliances, pis une bonne partie du ménage. Il avait senti que quelque chose clochait au moment où il avait mis les pieds chez les Fafard. Parmélia l'avait accueilli froidement, puis Frank lui avait demandé de passer au salon parce qu'il avait à lui parler. Les aveux de Parmélia l'avait blessé profondément. Jamais il n'avait pensé qu'une telle situation se présenterait. Il aurait voulu trouver une solution à ce dilemme. Mais Hervé sentait bien qu'il n'y avait rien à faire pour faire changer d'idée celle pour qui il avait été prêt à faire le grand saut. Il lui en voulait de lui avoir fait accroire qu'elle l'aimait. Il en voulait à Frank Fafard, de ne pas se tenir debout et faire respecter l'engagement que sa fille avait pris à son égard. Et surtout, il s'en voulait à lui, d'avoir fait confiance à ces gens-là. Il était enragé noir lorsqu'il quitta la maison. Il regarda Frank Fafard dans les yeux en le menaçant:

— En tout cas, vous allez entendre parler de moi. Vous vous en tirerez pas comme ça !

Puis, il fit claquer la porte. Ce fut la dernière fois que Parmélia le vit. Il revint quelques jours plus tard accompagné d'un notaire pour rencontrer le père Fafard. Il demandait réparation. C'est-à-dire, le remboursement intégral de tous les frais qu'il avait encourus pour les préparatifs du mariage. Ce qui consistait à lui remettre le montant total des achats qu'il avait fait lors de son dernier voyage à Montréal : 400 piastres ! C'était toute une somme et ce fut au tour de Frank Fafard de fulminer.

— T'es rien qu'un écœurant, lui avait-il lancé au visage, tu veux que je paye pour tes affaires. T'es un beau profiteur, Hervé Boissonneau ! Sors de ma maison, je veux plus te voir la face. Pis j'suis ben content que ma fille te marie pas !

Dans les jours qui suivirent, Frank réussit à trouver l'argent nécessaire pour payer sa dette envers Hervé. Un soir, sans prévenir, celui-ci se présenta à la maison des Fafard. C'est Parmélia qui lui ouvrit.

— Qu'est-ce que tu fais ici ?

— J'aimerais ça voir ton père.

Au même moment, Frank revenait des bâtiments, après avoir fait le train. Il entrait par la porte d'en arrière. En voyant qui les visitait, sa colère se réveilla:

— Tiens, le profiteur qui arrive. Tu viens chercher ton argent ? Ça adonne ben, je l'ai.

Il sortit une liasse de ses poches, attachée avec une ficelle. Il détacha le paquet d'argent et le lança sur la table.

— Tiens, tu peux compter, y'a 400 piastres juste.

— Justement, M. Fafard, je venais m'excuser. J'ai ben pensé à mon affaire, pis je trouve que j'ai été pas mal dur avec vous. J'ai fini par comprendre que Parmélia m'aime pas pis que c'est mieux de même. J'en veux pas des 400 piastres.

Ces paroles, qui auraient dû adoucir la situation, ne firent que jeter de l'huile sur la colère de Frank. D'un geste brusque et sans trop réfléchir, il prit l'argent sur la table et se dirigea vers Hervé qui sursauta. Nez à nez avec son interlocuteur, il lui présenta les billets en insistant :

— Prends-le ton maudit argent, j'en veux pas. Prends-le ou ben je te les fais avaler tes maudits 400 piastres.

Frank mit de force l'argent dans les mains et les poches d'Hervé qui en resta bouche bée. Il ouvrit ensuite la porte d'entrée et le poussa à l'extérieur de la maison.

— Astheure, sacre ton camp, pis reviens plus jamais à La Minerve ! T'as compris ? renchérit-il.

Et dans un grand geste théâtral fit claquer la porte. Ce fut la dernière fois qu'on entendit parler du fameux Hervé.

* * *

De son côté, Henri avait ouvert la discussion avec son père. Après lui avoir annoncé son prochain mariage avec Parmélia Fafard, il lui avait demandé, bien candidement :

— Qu'est-ce que vous allez me donner, le père, pour mon mariage ?

Étienne, un peu surpris de la question, eut pour toute réponse :

— Mon pauvre p'tit gars, qu'est-ce que tu veux que je te donne ? La terre, je la dois. J'peux pas te donner quelque chose qui m'appartient pas encore ! Pis, de l'argent, tu le sais comme moi, j'en ai pas !

Henri fut tellement déçu de la réponse de son père, qu'il monta directement dans sa chambre et n'en ressortit pas de la soirée. Pire encore, il ne prit pas son repas avec sa famille et préféra rester enfermé pour réfléchir. Il passa la nuit à jongler, tourmenté par les propos de son père. Comment pouvait-il lui faire ça ? N'était-il pas fier de lui ? Il allait se marier, fonder une famille, il allait devenir un homme ! Henri tournait et retournait les paroles qu'il aurait pu répondre à son père au lieu de s'enfermer dans sa chambre. Il regrettait de ne pas l'avoir affronté. Au petit matin, il se leva, sans avoir vraiment fermé l'œil de la nuit, mit quelques effets personnels dans un grand sac de voyage et descendit l'escalier. Lorsqu'il entra dans la cuisine, il arriva face à face avec son père qui avait passé une nuit blanche, lui aussi. Ils se dévisagèrent, et c'est Étienne qui brisa le silence le premier, ayant bien remarqué le sac de voyage que portait Henri sur son épaule.

— Où c'est que tu vas de bonne heure de même ?

Henri, jeune adulte, dépassait son père de quelques pouces. Il le toisa du regard et lui répondit sèchement :

— Je l'sais pas encore. Mais je m'en vais quelque part où je vais pouvoir faire de l'argent. J'ai vingt-deux ans. Ça fait depuis l'âge de quatorze ans que je travaille comme un homme, au chantier, pis sur la terre. Je vous ai donné mes payes. Je vous ai aidé. Astheure, si vous pouvez pas rien me donner pour mon mariage, ben, je pars. Ma place est pus icitte. Pis le bout' de terre que j'ai acheté, je vous le donne aussi. Je veux plus rien savoir.

Puis, il se dirigea vers la porte. Il déposa son sac sur le plancher et enfila son manteau. Lorsqu'il ajusta sa casquette sur sa tête et qu'il eut repris son sac, Étienne qui se tenait debout, les bras ballants et l'air ahuri, sortit enfin de sa torpeur.

— Henri ! Pars pas !

Henri avait la main sur la clenche de la porte, mais ne l'ouvrit pas. Il resta figé sur place et attendit. Il ne voyait pas son père puisqu'il lui tournait le dos; cependant, il sentait son regard posé sur lui. Étienne répéta humblement :

— Pars pas, Henri. On va se parler.

Henri se retourna, regarda son père et raccrocha sa casquette et son manteau derrière la porte de la cuisine. Il s'approcha de la table, mais décida de laisser son sac près de la porte, au cas où.

— Viens t'asseoir, lui fit signe Étienne en lui indiquant une chaise. On va jaser de tout ça.

Henri vint s'asseoir. Il savait qu'il venait de toucher une corde sensible chez son père. Étienne tenait à garder sa famille unie, et juste de penser qu'Henri pouvait quitter le noyau familial le rendait malade. Il était assis à sa place habituelle, au bout de la table. Henri s'était assis en face de lui à l'autre bout de la table, à la place qu'occupait sa grand-mère Rose-Délima de son vivant. Il affirmait ainsi son identité et son indépendance. Il souhaitait dans son for intérieur que son père le considère comme son égal, comme un homme. C'est Étienne qui cassa la glace :

— Après ce que tu m'as dit hier après-midi, j'ai pas dormi de la nuit, ça fait que j'ai eu le temps de penser à mon affaire. J'ai ben réfléchi pis j'ai peut-être trouvé une solution qui nous arrangerait tous les deux.

Henri, face à son père, était assis bien droit sur sa chaise, la tête haute et les mains jointes sur la table. Il était attentif à ce qu'Étienne avait à lui dire et gardait donc le silence. Il ne voulait pas non plus laisser transparaître ses émotions sur son visage. Il était déjà tellement heureux qu'il ne l'ait pas laissé partir. Henri avait agi sous l'impulsion de la colère, car au fond de lui, il savait parfaitement qu'il ne voulait pas partir. En aurait-il même eu le courage ? Il avait en quelque sorte essayé de faire réagir son père en le menaçant de quitter La Minerve et ça avait fonctionné. Il ne voulait en aucun cas que son père découvre son subterfuge, car il n'en était pas très fier. Étienne poursuivit :

— Écoute, Henri, la terre, tu le sais comme moi, j'en dois encore une partie. Si tu veux la reprendre, je te la donne pis tu continueras de la payer. Ça, c'est la première affaire. Ensuite de ça, ben, y'a ton petit frère Louis. Y'a juste treize ans. Ce que je voudrais c'est que tu le gardes ici, logé, nourri jusqu'à ses vingt-et-un ans. Je voudrais aussi rester ici dans ma maison, avec vous autres, et que tu prennes soin de moi jusqu'à ma mort. Tant qu'à tes sœurs, tu leur donneras un peu d'argent quand t'en auras. Ça sera leur part de l'héritage.

Étienne se sentait fébrile. On était en avril 1919. Ça ferait bientôt huit ans qu'il était arrivé à La Minerve et la vie qu'il avait menée jusqu'à maintenant avait été dure. Avec la proposition qu'il faisait à son fils aîné, il entrevoyait peut-être un peu de paix et de tranquillité pour ses vieux jours. Il n'avait pourtant que cinquante-trois ans. Laisser la terre à son fils lui enlèverait un poids sur les épaules. Puisque Henri semblait prêt à reprendre le patrimoine familial, pourquoi pas ? Il se félicitait maintenant d'avoir eu l'humilité de proposer cette offre à son aîné.

Henri, de son côté, écouta avec attention la proposition de son père. Il ressentit d'abord une grande fierté. Son père lui faisait assez confiance et l'aimait assez pour lui céder tous ses avoirs. La seconde sensation qui l'envahit fut la lourdeur des responsabilités. En plus de ce qu'il accomplissait chaque jour sur la terre, il allait devoir faire face aux paiements. Il devrait tenir sa promesse et prendre soin de son frère et son père et à travers tout ça, essayer de se faire une nouvelle vie avec sa femme. En pensant à elle, et au bonheur qui l'attendait, le poids qu'il sentait sur ses épaules disparut. Il se surprit à sourire, lui qui, au début de la conversation, ne voulait pas laisser paraître ses sentiments. Étienne se rendit compte de son air réjoui et le questionna :

— Pis, qu'est-ce que t'en penses ?

Henri répondit sans hésitation :

— C'est correct, le père, j'embarque.

Il se leva et vint rejoindre son père à l'autre bout de la table. Étienne se leva à son tour et les deux hommes se serrèrent la main.

— On va prendre un rendez-vous chez le notaire Robins à Nominingue, pis on va mettre ça sur papier. Félicitations, mon gars ! Astheure, tu peux penser à te marier.

Henri était tellement heureux lorsqu'il se présenta dans l'après-midi chez monsieur Fafard. Il avait le sourire fendu jusqu'aux oreilles et invita Parmélia et ses parents à venir souper à la maison afin de parler des noces prochaines. Quelques jours plus tard, après que les parents se soient rencontrés et après avoir consulté monsieur le curé, la date fut fixée. Le mariage aurait lieu le 17 juin. Il fallait d'abord, comme l'exigeait l'Église catholique, publier les bans trois semaines de suite. À moins d'une dispense de l'archevêque, il en allait de même pour tout le monde qui voulait se marier.

Le 12 juin, Étienne, Henri, François-Xavier Fafard et sa fille Parmélia se rendirent à Nominingue pour signer le contrat qui se lisait comme suit :

M. Étienne Bruneau, père du futur époux, fait donation entre vifs et irrévocable au futur époux, acceptant savoir :

1. D'un lot de terre, connu et désigné sous le numéro vingt-neuf du treizième Rang du Canton de La Minerve avec les bâtisses dessus érigées.

2. De tout le roulant, ménage et effets mobiliers sans exception qu'il possède.

Cette donation est faite à la charge par le donataire.

1. De loger chez lui, nourrir, vêtir le donateur sa vie durant, de lui fournir les soins du médecin et le ministère du prêtre, en cas de maladie, en un mot d'avoir pour lui tous les égards qu'un bon fils doit avoir pour son père.

2. De loger chez lui, et de nourrir, vêtir jusqu'à l'âge de vingt-et-un ans, son frère Louis Bruneau, et de lui payer la somme de deux cents piastres, à son âge de majorité; mais il est bien entendu que ces obligations seront éteintes du moment que le dit Louis Bruneau quittera domicile du donataire et cessera de travailler chez lui, sans sa permission expresse.

3. De loger chez lui et de nourrir et vêtir sa sœur, Eugénie Bruneau, jusqu'à son mariage et de lui payer la somme de cent piastres, par versements de vingt-cinq piastres par année dont le premier sera dû un an après la mort du dit Étienne Bruneau.

4. De payer à Dame Blanche Bruneau, épouse de M. Oscar Caron, de La Minerve, la somme de cinquante piastres, par versements de vingt-cinq piastres, dont le premier sera dû un an après la mort du dit Étienne Bruneau.

François Fafard, pour sa part, signa une donation devant notaire à la future épouse de :

La somme de deux cents piastres, payable après sa mort ou avant s'il le peut, d'une vache, de deux moutons, d'un cochon et d'un lit garni.

* * *

Dans les semaines qui suivirent, Henri se sentit flotter. Il ne touchait plus à terre tellement il était excité à l'idée de se marier. Il passa toutes ses soirées auprès de sa promise dans le salon des Fafard. Ils discutèrent de la robe que Parmélia voulait coudre elle-même, de l'habit qu'Henri devrait s'acheter, des invités, du repas qu'ils offriraient. Lorsqu'il fut question des alliances, Henri rassura sa douce en lui disant :

— T'as pas besoin de t'inquiéter pour ça. Je vais prendre le train, pis je vais aller à Montréal chez mon oncle Parfait. Il est bijoutier, il va pouvoir me vendre des beaux anneaux pour pas trop cher. J'en ai déjà parlé avec mon père, je devrais partir la semaine prochaine. En même temps, je vais en profiter pour acheter mon habit pis un beau chapeau. Tu vas voir, Parmélia, t'auras pas honte de moi quand tu vas sortir de l'église à mon bras.

Ils aimaient marcher, main dans la main, en direction du ruisseau qui passait tout en bas de la terre de Frank. Les décisions se prenaient à deux avec beaucoup d'émotions. Ce soir-là, Parmélia avait la larme à l'œil.

— Ben voyons, qu'est-ce qui t'arrive, ma belle ? Y'as-tu quelque chose qui va pas ?

— Ben non, Henri, le rassura-t-elle en lui passant la main sur la joue, dans un geste d'extrême douceur. C'est juste que j'suis trop contente. C'est des larmes de joie. J'ai assez hâte au mariage, tu peux pas savoir.

— Moi aussi, j'ai ben hâte, mais il faut être patients. Ça s'ra plus ben long. Dans une couple de semaines, tu vas devenir Madame Henri Bruneau, pis tu vas venir rester avec moi, dans ma maison, lui dit-il en appuyant sur le *ma*.

Il était tellement fier qu'il en avait des palpitations. Après avoir jeté un coup d'œil dans les environs, afin de s'assurer qu'ils n'étaient pas épiés, il se rapprocha de Parmélia, prit son visage dans ses mains et essuya de ses pouces les larmes qui coulaient sur ses joues. Ce geste rassurant sembla la calmer. Puis, il déposa un doux baiser sur ses lèvres toutes fraîches.

Parmélia n'avait pas voulu se marier dans la robe qui avait été destinée à Hervé. Elle insista auprès de sa belle-mère afin qu'elle lui donne un coup de main pour s'en fabriquer une autre. Elle fit un voyage en boghei avec son père pour se rendre à Labelle au magasin général Lecavalier où on trouvait de tout. Elle opta pour un tissu clair pour le corsage, et plus sombre pour la jupe.

Henri, quant à lui, se rendit à Montréal où il fut hébergé par son oncle Parfait, le bijoutier. Lui aussi était dans les préparatifs d'épousailles, car sa fille Eugénie, la cousine d'Henri, allait se marier le 10 juin avec Claudio Laramée, un gars de La Minerve qu'elle avait connu lors d'une de ses visites chez son oncle Étienne.

Une fois arrivé, Henri voulut s'entretenir avec son oncle en privé.

— Mon oncle, dit-il, peu sûr de lui, pensez-vous que vous pourriez me prêter 300 piastres ?

— 300 piastres ? répéta-t-il interloqué. C'est ben de l'argent ça 300 piastres ! Qu'est-ce que tu veux faire avec c't'argent-là ?

— Ben, c'est pour me marier, mon oncle. Vous savez que je me marie dans quelques semaines ?

— Oui, j'comprends ben ça, mais, explique-moi pourquoi t'as besoin d'autant d'argent.

— Premièrement, il faut que j'm'achète un habit neuf, des souliers, pis un chapeau. Ensuite de ça, ben ça me prend des alliances.

Son oncle Parfait, le coupa, ne le laissant pas finir son énumération.

— Pour les alliances, mon p'tit gars, y'a pas de problèmes. M'en vas t'arranger quelque chose. Tu vas voir, tu s'ras pas déçu, pis ta future non plus. Pis pour ce qui est de ton habillement, j'connais pas mal de monde en ville. J'ai ben des clients qui ont des magasins. Demain, on se lève de bonne heure, pis on va faire la tournée. Inquiète toi pas, ça te coûtera pas 300 piastres. Astheure, continua-t-il en se levant, j'pense que tu devrais profiter de ton séjour ici pour aller visiter ta sœur. Ça fait longtemps que vous vous êtes pas vus.

— Ouais, c'est sûr que ma sœur Blanche serait ben contente de me voir arriver. Il va falloir que vous m'expliquiez comment me rendre parce que j'suis jamais allé.

— Ils habitent sur la rue Duluth, tu vas voir, c'est pas ben compliqué.

Les quelques jours qu'Henri passa à Montréal furent bien occupés. Son oncle remplit sa promesse et le futur marié se retrouva habillé de la tête aux pieds pour moins de 100 $. Tant qu'aux alliances, son oncle les lui offrit comme cadeau de noces. Il rentra donc chez lui, la valise bien remplie et le cœur plein d'espoir.

* * *

Chez les Fafard, les huit enfants de François-Xavier étaient rassemblés. Ses fils Xavier, Louis et Désiré ainsi que ses filles Régina et Anna qui vivaient aux États-Unis avaient fait le voyage pour assister au mariage de leur plus jeune sœur. Lauda était venue de Ste-Madeleine avec son mari, monsieur Bernard, et Arthur se ferait accompagné par sa nouvelle conquête, Stella Bergeron. Parmélia s'était levée tôt, comme à son habitude. Elle n'avait presque pas fermé l'œil de la nuit, tellement elle était excitée. C'était la journée la plus importante de sa vie et elle tenait à la vivre pleinement. Elle savait qu'elle commençait une nouvelle étape et elle était convaincue que c'était pour le mieux. Elle n'aurait plus à s'exiler aux États-Unis, et surtout, elle n'aurait plus à subir les doléances de sa belle-mère. Elle allait enfin avoir son chez-soi, son mari et, avec un peu de chance, et si le bon Dieu le voulait bien, ses enfants.

Chez les Bruneau, les préparatifs allaient bon train. Étienne et Henri avaient insisté pour donner la réception dans leur maison. Henri était fier et heureux de pouvoir recevoir tous ces gens qui seraient les témoins de son union avec sa bien-aimée, Parmélia Fafard. Il avait donc mis la main à la pâte et aidé sa sœur Eugénie qui avait travaillé pendant plusieurs jours afin de préparer le repas qui serait servi aux invités.

Le matin du mariage, il faisait un temps splendide. L'air était chaud et sec, et le soleil au rendez-vous. À onze heures, tous les invités se trouvaient assis sur les bancs de bois de l'église de la paroisse Sainte-Marie de La Minerve. Eugénie et quelques amies de Parmélia avaient préalablement décoré l'église avec des roses sauvages qui poussaient à plusieurs endroits en bordure des chemins. Le curé Salomon Girouard, ainsi que ses servants de messe, étaient prêts. Parmélia arriva devant l'église au bras de son père François-Xavier Fafard. Sa belle-mère Mary était arrivée plus tôt avec son beau-fils Arthur et Stella.

Toutes les têtes se retournèrent lorsqu'on entendit les premières notes de la marche nuptiale jouée par Joe Lavoie sur l'orgue dans le 2ᵉ jubé. Parmélia portait sa nouvelle robe avec fierté. Elle avança doucement dans l'allée centrale au bras de son père. Elle aperçut Henri et son père qui l'attendaient au pied de l'autel. À ce moment-là, elle aurait voulu que le rythme de ses pas aille aussi vite que les battements de son cœur. Jamais elle n'avait vécu un moment pareil. Les secondes qui la séparaient d'Henri semblaient s'éterniser. Les pères se placèrent de chaque côté des futurs époux, et la cérémonie commença. Une heure plus tard, le bonheur rayonnait sur les visages de Parmélia et Henri. Ils sortirent bras dessus, bras dessous, suivis des membres de leurs familles et de leurs invités, au son de la cloche qui tintait joyeusement pour annoncer à tout un chacun que l'union était bel et bien consacrée. Tout le monde prit place dans leur voiture respective et le cortège nuptial se dirigea vers le Lac Désert. C'était une des plus grosses noces qu'on ait vu à La Minerve. Vingt-six boghéis, ornés de rubans blancs pour l'occasion, défilèrent devant les villageois qui étaient sortis sur leur galerie pour saluer les nouveaux mariés. Étienne, accompagné d'Eugénie, accueillirent les invités avec un verre de vin. Chacun fut assigné à sa place et le banquet commença avec le tintement des ustensiles sur les verres afin d'encourager les tourtereaux à s'embrasser. Parmélia appréhendait ce moment et rougit immédiatement. Henri, plus audacieux, se leva aussitôt et aida Parmélia à se lever elle aussi. Le premier baiser qu'ils échangèrent devant les invités fut plutôt gênant. Par contre, les autres furent de plus en plus longs, ce qui fit jaser les nombreux témoins qui commençaient à avoir la langue passablement déliée par la boisson.

La fête dura toute la journée.

Lorsque les derniers invités furent partis et qu'il fut temps pour tout le monde d'aller se coucher, les autres membres de la famille disparurent discrètement laissant les amoureux seuls au salon. Depuis l'entente conclue entre Henri et Étienne à propos de la propriété, ce dernier avait décidé de laisser sa chambre à son fils et sa bru. Ils se retrouvaient ainsi isolés des autres, car c'était la seule chambre à coucher située au rez-de-chaussée. Assis chacun sur leur fauteuil, se retrouvant seuls après avoir été entourés d'autant de gens, une gêne se glissa sournoisement entre eux. Après quelques minutes de discussion, telle que : « C'était des belles noces » « Le repas d'Eugénie était ben bon » ou bien « As-tu vu quand mon oncle Omer a embrassé sa femme devant tout le monde ? », Henri se leva et s'approcha de sa nouvelle épouse. Il lui tendit la main et lui proposa :

— Viens, on va aller faire un tour dehors.

Parmélia répondit simplement en déposant tendrement sa main dans la sienne. Elle se leva et ils se dirigèrent vers la porte. Avant de sortir, Henri brandit l'index lui faisant signe ainsi d'attendre une minute. Il retourna dans le salon et revint avec un châle qu'il déposa sur les épaules de sa belle. C'était un geste tendre qui plut beaucoup à Parmélia. Elle lui sourit et l'embrassa sur la joue en le remerciant. Ils sortirent sur la galerie, descendirent les escaliers et marchèrent côte à côte jusqu'au lac. Au fond du lac, on pouvait apercevoir la lune qui était déjà haute dans le ciel. Sa lumière brillante plongeait dans ses eaux noires.

— Regarde, il y a plein d'étoiles, suggéra Henri à Parmélia.

— Ça me rappelle une certaine soirée, il n'y a pas si long-temps. Un soir où on a fait un souhait qui s'est réalisé.

Elle se tourna vers son amoureux et posa ses bras autour de son cou. Henri répondit en l'enlaçant. Leurs lèvres s'effleu-rèrent d'abord, puis le baiser s'intensifia et devint brûlant. D'un commun accord, sans parler inutilement, ils revinrent à la maison et se dirigèrent aussitôt dans la chambre à coucher. Henri ressortit quelques instants afin de laisser sa douce se préparer pour la nuit de noces. Il passa par les toilettes, puis arpenta la cuisine de long en large, ne sachant pas trop quand serait le bon moment pour retourner dans la chambre. Il sursauta quand il entendit une petite voix dans son dos:

— Tu viens pas te coucher, mon mari ?

Henri sursauta.

— Oui, oui, répondit-il surpris. Je voulais te laisser un peu de temps.

— J'ai eu tout le temps nécessaire, t'inquiètes pas ! Ça fait assez longtemps qu'on s'attend l'un l'autre, allez viens, lui répéta-t-elle en lui tendant la main.

Henri la suivit docilement. Arrivé sur le pas de la porte, il prit Parmélia dans ses bras, comme le voulait la tradition, ce qui la fit éclater de rire.

— Chut ! On va réveiller la maisonnée ! dit Henri en rica-nant à son tour.

Ils passèrent la porte et la refermèrent derrière eux s'assu-rant de mettre le loquet. Ils s'allongèrent tous les deux sous les draps, Parmélia dans sa robe de nuit et Henri dans son caleçon, embarrassés et le cœur battant. Le malaise disparut lorsqu'Henri souffla la lampe. Pour la première fois de leur vie, ils se laissèrent aller complètement dans leur passion, guidés par leur amour, sans se poser de questions. Après qu'ils se soient donnés l'un à l'autre avec la bénédiction de Dieu, ils s'endormirent enlacés en se souhaitant une bonne nuit. Ils n'avaient jamais connu un tel bonheur et un tel sen-timent de sécurité. Ils savaient déjà qu'ils seraient heureux et qu'ils ne se quitteraient jamais.

Chapitre 16
Chacun prend sa place

Le quotidien des premiers jours après le mariage fut différent de ce qu'Henri avait connu jusqu'à maintenant. Il lui semblait que tout était facile, que le soleil brillait en permanence. La routine des travaux autour de la maison et sur la terre n'était plus aussi ennuyante. Étienne se fit très discret et préféra se tenir à l'extérieur de la maison la plupart du temps. Il amena Louis à la chasse, puis à la pêche. Eugénie, quant à elle, continuait à faire son quotidien, aidée de Parmélia. Elles avaient grand plaisir à faire les repas et le ménage ensemble. Eugénie fit de son mieux pour que Parmélia se sente à son aise et prenne possession des lieux. Elle lui montra tout ce qu'elle avait besoin de savoir au fur et à mesure que les événements se succédaient. La nouvelle venue se sentait bien acceptée dans sa nouvelle famille. Elle voyait les efforts que chacun déployait pour lui rendre la vie facile et pour qu'elle se sente chez elle. Ce n'était pas évident de commencer une vie de couple en compagnie de son beau-père, de sa belle-sœur et de son jeune beau-frère. Les nouveaux mariés avaient peu de moments d'intimité et, lorsqu'arrivait le soir, ils étaient les premiers à disparaître dans leur chambre. On ne les revoyait plus jusqu'au lendemain matin.

Un soir où tout le monde était couché, Louis se releva et descendit l'escalier sur la pointe des pieds. Il fit de son mieux pour ne pas faire de bruit et se retrouva quelques secondes plus tard devant la porte de la chambre des amoureux. Louis était plutôt dégourdi pour son âge et était de nature curieuse. Il était aussi un jeune homme plein d'entrain qui aimait jouer des tours lorsque l'occasion se présentait. Depuis quelques semaines maintenant, il était à se demander ce que pouvait bien faire un jeune couple enfermé pendant des heures dans une chambre. Il approcha l'oreille très discrètement et retint son souffle pour essayer d'entendre le moindre mouvement provenant de l'intérieur. Il n'entendit rien tout d'abord, puis il crut percevoir des chuchotements. Au même moment où il entendit le lit grincé, il reçut une tape sur l'épaule. Le jeune indiscret sursauta en lâchant un cri et se retourna pour apercevoir son père planté comme un piquet, les poings sur les hanches.

— Veux-tu ben me dire qu'est-ce que tu fais là ? T'écoutes aux portes astheure ? le sermonna Étienne.

Alerté par les voix, Henri ouvrit la porte. Dans la chambre, on pouvait entrevoir la lueur de la lampe à l'huile. Elle éclairait faiblement le visage de Parmélia qui avait choisi de demeurer couchée, le drap tiré sous le menton. Henri ne comprenait pas ce qui se passait et semblait inquiet.

— Qu'est-ce que vous avez à crier de même ? Pis, qu'est-ce que vous faites devant ma chambre à cette heure-là ? Y'as-tu quelqu'un de malade ?

C'est Étienne qui répondit.

— Non, non. Inquiète-toi pas, Henri. C'est ton petit frère qui écoute aux portes, lui dit-il en agrippant le malfaiteur par l'oreille. Tu peux rassurer ta femme pis aller te recoucher. Je m'occupe de celui-là, ajouta-t-il en tirant Louis vers l'escalier.

Le lendemain, Louis reçut sa punition. Il se mit à genou devant son frère et sa belle-sœur pour leur demander pardon. Il n'eut pas le droit d'aller s'amuser et dut trouver le moyen de se rendre utile pendant toute la journée. Au souper, l'incident fut clos. Louis venait de recevoir une leçon de civilité.

Pendant cet été 1919, Eugénie trouva le moyen de sortir de la maison et laisser plus de place à Parmélia en allant aider la femme de son cousin Eddy. Celui-ci et sa femme Alexina avaient pris possession du magasin général de la veuve Talbot depuis l'automne précédent. Mariée depuis plus d'un an, Alexina avait donné naissance à une petite fille quelques jours avant le mariage d'Henri, le 14 juin. Elle fut prénommée Lucienne.

Eugénie, qui avait presque vingt-cinq ans, se demandait si elle se marierait un jour. En attendant, elle trouva le moyen de se rendre utile de la façon qui lui plaisait le plus; c'est-à-dire, en prenant soin de quelqu'un. Depuis qu'elle avait été malade et qu'elle avait passé près de mourir, elle s'était donnée pour mission d'aider les autres. Elle fut proche de prendre le voile à un certain moment, mais son amour pour sa famille et l'envie d'avoir un jour des enfants avaient vite pris le dessus. Pour l'instant, elle se consolait en offrant son aide à Alexina. En plus de s'occuper de sa fille, cette dernière devait aider son mari dans le magasin. Lorsqu'ils avaient acheté le commerce, ils avaient dû faire un grand ménage. Alexina raconta un jour à Eugénie leur première nuit dans leur nouveau logis.

Après une longue et harassante journée de déménagement, les jeunes mariés avaient enfin retrouvé le calme dans leur chambre à coucher. L'endroit était très sobre. Il y avait comme seule décoration, accroché à la fenêtre par deux clous, un vieux rideau que Mme Talbot avait eu la bonté de leur laisser. Une fois la lampe éteinte, et prêts à s'endormir en essayant d'oublier leurs muscles endoloris, Alexina reçut quelque chose sur la tête. Elle se passa la main dans les cheveux croyant que c'était de la poussière qui tombait du plafond. Quelques secondes plus tard, le même événement se reproduit, puis encore, et encore. Ce petit manège prit fin lorsqu'Alexina perdit patience et réveilla son mari afin qu'il rallumât la lampe. Elle devait savoir ce qui se passait.

Lorsque la lumière éclaira la pièce, les nouveaux propriétaires furent saisis de panique. Il y avait des punaises partout. Elles tombaient du plafond par dizaines. Alexina sortit du lit brusquement en criant qu'elle ne voulait plus dormir dans cette chambre. Eddy comprit qu'il devait trouver une solution rapidement s'il voulait retrouver son sommeil. Il se leva et descendit l'escalier. Sa femme l'entendit fouiller dans ses outils. Il remonta avec un marteau et des clous dans la main. Il ouvrit ensuite le coffre en cèdre où était empilé tout le linge de maison. Il en sortit un grand drap blanc. Alexina se tenait sur le pas de la porte et se passait les mains dans les cheveux sans arrêt, croyant sentir bouger quelques petites bêtes sur son cuir chevelu. Eddy accrocha le drap au plafond de manière à ce que le lit soit couvert en entier. Il insista auprès d'Alexina afin qu'elle revienne se coucher. Il la rassura et lui promit qu'elle pourrait dormir en paix jusqu'au lendemain matin. Ne voulant pas sortir un orteil de sous la petite tente de fortune qu'avait fabriquée Eddy, Alexina se blottit au creux des bras de son amoureux et celui-ci la serra très fort contre lui. La proximité et la chaleur de son corps aidant, Eddy ne put se rendormir immédiatement. Il déposa un baiser sur les lèvres de sa bien-aimée encore tremblante de peur. Cette nuit-là, ils voulurent conjurer le mauvais sort et s'aimèrent comme ils ne l'avaient jamais fait auparavant. Neuf mois plus tard naissait leur premier enfant.

***

Après son mauvais coup, Louis se tint plutôt tranquille. Il aimait bien sa nouvelle belle-sœur et voulait l'avoir de son bord. De son côté, Parmélia appréciait son sens de l'humour. Il fut aussi très aimable envers Henri et lui offrit toute l'aide dont il avait besoin sur la terre. Ils décidèrent de construire une nouvelle grange, car celle qu'ils utilisaient devenait beaucoup trop petite. Un certain matin, donc, ils se rendirent sur la terre et choisirent des arbres qu'ils coupèrent et débitèrent. Ils bûchèrent ainsi pendant deux semaines. À la fin de cette quinzaine, ils avaient coupé assez d'arbres pour ce dont ils avaient besoin. Ils attelèrent le cheval et transportèrent les troncs d'arbres jusqu'au moulin à scie d'Hormidas Potvin. Celui-ci scia les troncs en planches que les garçons rapportèrent sur la terre. Malgré son jeune âge, Louis aida au mieux de ses connaissances. Avec l'aide des voisins et des amis, une belle grande grange fut érigée en haut de la côte, sur le bout de terre qu'Henri avait acheté quelques années avant son mariage.

Ce terrain, qui touchait à la terre de son père, Henri l'avait depuis longtemps convoité. Et, dès qu'il entendit qu'il était à vendre, il s'était rendu au lac Chapleau afin de demander à sa tante Exilia, la femme de son oncle Omer, si elle voulait bien lui prêter un peu d'argent.

— Qu'est-ce que tu vas faire avec c't'argent là ? lui avait-elle demandé.

— C'est monsieur Martineau qui vend son terrain. C'est juste à côté de chez nous. Pis ce terrain-là touche à notre terre. P'pa, lui, veut pas l'acheter. Il dit que si je veux agrandir la terre c'est à moi de m'arranger pour trouver du financement. Ça fait que je me suis dit que je pouvais peut-être l'acheter. Y'a ben des érables sur la terre. J'aimerais ça me bâtir une p'tite cabane à sucre pis faire du sirop. Mais, j'ai pas d'argent parce que je donne quasiment tout ce que je gagne au père. Ça fait que j'ai pensé à vous. Comme vous êtes ma marraine, je me suis dit que peut-être vous pourriez me prêter les 200 piastres.

— Écoute, Henri. Je vais être ben honnête avec toi, lui répondit sa tante, l'air grave; je te regarde aller depuis que t'es arrivé à La Minerve. T'as jamais lâché de travailler, t'aide ton père pis tu prends ton rôle de fils aîné au sérieux. J'pense que tu mérites un p'tit coup de pouce. Ça fait que je vais te les prêter les 200 piastres. Pis avec plaisir à part de ça.

Henri fut tellement heureux qu'il sauta au cou de sa tante pour l'embrasser.

— Arrête donc, grand fou ! Tu vas me faire tomber en bas de ma chaise.

Une fois les émotions passées et qu'elle eut remis de l'ordre dans ses cheveux, Exilia disparut à l'étage pendant quinze bonnes minutes pour redescendre avec un cahier, une plume et de l'encre, et une enveloppe brune.

— Tiens, lui dit-elle en lui tendant le cahier. Lis ce que j'ai écrit, pis dis-moi si ça fait ton affaire.

Henri s'empara du cahier, lut ce que sa tante y avait inscrit, puis releva la tête.

— C'est parfait, ma tante, je suis d'accord avec tout ce que vous avez écrit. C'est une entente qui fait mon affaire. Voulez-vous que je signe ?

— Ben sûr. Une transaction d'argent ça s'écrit, pis ça se signe devant témoin.

Sur ce, elle interpella son mari.

— Omer ! Veux-tu venir nous rejoindre dans l'office ?

Chapitre 16

Lorsque son oncle entra dans la pièce, sa femme lui expliqua l'affaire qu'elle était en train de conclure avec son neveu. Les trois personnes signèrent dans le fameux cahier et Henri reçut des mains de sa tante, l'enveloppe brune contenant les 200 piastres. C'est ainsi qu'Henri devint propriétaire de son premier lopin de terre, quelques années avant d'hériter de la terre de son père.

***

L'été commença d'un coup avec une canicule qui s'était installée dès le début du mois de juillet. Par contre, la première quinzaine du mois d'août apporta beaucoup de pluie, au grand malheur des colons. Le foin ne pourrait pas sécher dans les champs et pourrirait sur place si le soleil ne réapparaissait pas bientôt. Pourtant, aucun habitant, aussi bien nanti soit-il, ne pouvait se payer le luxe de perdre une première récolte de fourrage. Henri était rassuré, sachant qu'il avait un endroit approprié pour entreposer son foin. Mais, ça ne lui donnait pas le soleil pour faire sécher ses récoltes. Le deuxième dimanche du mois, l'église était bien remplie. On aurait pu croire que tous les paroissiens s'étaient passés le mot pour aller prier en même temps. Monsieur le curé remarqua la présence de certaines de ses ouailles qui n'avaient pas la bonne habitude de venir assister à toutes les messes. Il en fut réjoui même s'il savait parfaitement que la venue soudaine de ces individus était reliée directement au mauvais temps qui faisait rage depuis le début du mois. Avant la cérémonie, le curé prit un de ses marguilliers par le bras et le fit passer dans la sacristie. Ils laissèrent la porte entrouverte pour regarder les villageois par l'entrebâillement.

— As-tu vu ça ? Y'en a qui doivent se sentir coupable de pas être venus à la messe depuis quelques semaines. Ils doivent se demander si c'est pas à cause d'eux autres qu'y fait pas beau de même.

— Ouais. J'en ai même vu un qui a payé pour cinq gros lampions. C'est sûr qu'il doit se blâmer. Vous savez, monsieur le curé, ce sont pas tous de gros prieux, mais quand un malheur arrive, ils se retournent vite vers le crucifix.

— Je vais en glisser un mot dans mon sermon de ce matin. Je vais leur faire comprendre qu'on se moque pas du bon Dieu comme ça, avisa le curé à son bedeau dans un élan de frustration.

La messe dura plus longtemps que d'habitude ce dimanche-là. Le porte-parole du Seigneur rappela aux fidèles les bienfaits de la constance dans la prière. S'ils ne priaient pas tous les jours, Satan y verrait une faille et pourrait s'introduire dans leur vie. Après la communion et avant le « *ite missa est* », l'assemblée, sur l'ordonnance de leur bon samaritain, récita un chapelet. La grand'messe commença à 8 h 00 et dura presque deux heures. À midi, lorsque tous les Minervois retournèrent chez eux et, attablés en train de prendre leur repas dominical, les gros nuages gris qui semblaient être installés en permanence se dispersèrent subitement pour faire place au soleil qui réapparut comme par miracle. Lorsque les colons sortirent dehors pour admirer l'œuvre de Dieu, un arc-en-ciel se déploya sous leurs yeux dans le ciel encore rempli d'humidité.

Puis, arriva septembre avec ses matins plus frais et ses soirées plus courtes. Une autre saison s'achevait avec son lot de tâches à accomplir. Les femmes faisaient les confitures et les marinades qui seraient dégustées tout au long de l'année. Tout y passait : fraises, framboises, mûres, bleuets. Même les petites pommes surettes qui poussaient dans le pommier sauvage derrière la maison furent utilisées pour faire de la gelée. Rien ne se perdait. Tout ce qui poussait et était consommable était cuisiné et empoté. Les légumes d'hiver se retrouvèrent dans le caveau, enterrés dans le sable, condamnés à rester dans la noirceur jusqu'au jour de leur consommation. On abattit un bœuf et un cochon que les hommes dépecèrent en quartiers. Ensuite, c'était au tour des femmes de découper ces morceaux en pièces prêtes à cuire. La viande était ensuite salée et emballée pour se retrouver dans la glacière qui fut à nouveau remplie pour les mois d'hiver à venir.

Cette glacière était indispensable pour les colons. C'était la plupart du temps un bâtiment construit sur le modèle d'une maison, mais avec une unique porte et sans fenêtre. On y empilait des blocs de glace taillés dans le lac gelé pendant l'hiver et cette même glace servait à réfrigérer l'endroit pendant le printemps et l'été. Il arrivait même que la glace dure plus qu'une année. Afin qu'elle fonde le moins rapidement possible, on la recouvrait d'une épaisseur considérable de bran de scie.

Parmélia se sentait maintenant très à l'aise dans sa nouvelle demeure. Le jeune couple assumait les responsabilités avec le sourire. Personne n'aurait mis en doute leur bonheur. Malgré leurs occupations journalières, ils essayaient de passer le plus de temps ensemble. Il n'était pas rare de les voir partir, après le souper, main dans la main, marcher vers le lac et s'asseoir sur le quai, enlacés. Louis, toujours aussi espiègle, s'amusait, de temps en temps, à les suivre sans se faire voir, et sortait de sa cachette en criant pour leur faire peur. Parmélia se faisait prendre à chaque fois, et Henri partait en courant pour rattraper son petit frère. Ce dernier, plus jeune et plus agile, disparaissait aussi vite qu'il était apparu.

Eugénie fut d'une admirable gentillesse envers sa belle-sœur. À partir du moment où celle-ci s'installa dans la maison paternelle, la sœur d'Henri fit en sorte de ne pas être trop encombrante. Elle constatait que ce n'était pas facile tous les jours, pour un jeune couple, de vivre constamment entouré de gens dans la maison. C'est pendant cette période qu'elle réfléchit à son avenir et qu'elle prit une décision. Elle y avait pensé depuis longtemps et était prête à en faire part à sa famille. Eugénie, prenant exemple sur son père qu'elle avait vu agir de la sorte à quelques reprises dans sa vie, se leva à la fin du souper pour dire qu'elle avait quelque chose à annoncer. Tous se turent, car ce n'était pas de coutume qu'Eugénie parle d'elle aussi aisément. Debout, marchant d'un bout à l'autre de la table, tel son père dans ses moments de grand bouleversement, elle leur annonça :

— J'ai pris une grande décision. C'est quelque chose qui me trotte dans la tête depuis longtemps. Ça fait ben des années qui j'y pense, mais c'était jamais le bon moment. Astheure qu'Henri est marié pis que Parmélia est ici pour prendre soin de vous autres, je vous annonce que je m'en retourne à Montréal.

Étienne se leva subitement de sa chaise. Surpris et quelque peu offusqué que sa fille ne se soit pas confiée à lui d'abord, lui adressa un regard étonné :

— Ben voyons, Eugénie ! T'es pas pour t'en aller comme ça.

— Eugénie, rajouta Parmélia, j'espère que c'est pas à cause de moi. C'est pas parce que j'suis mariée avec ton frère que tu dois te sentir obligée de partir.

Eugénie se tourna vers sa belle-sœur et la regarda tendrement en souriant.

— Je le sais ben, Parmélia. J'pars pas parce que je me sens pas bien ici, précisa-t-elle en promenant son regard sur tous les membres de sa famille. Je pars parce que j'en ai besoin. J'ai envie de faire quelque chose pour moi. Et là, j'veux ben vous expliquer. Depuis que je suis arrivée ici avec vous, P'pa, que je regrette de pas avoir pu continuer mes études. Rappelez-vous comment j'étais malheureuse quand on est arrivé à La Minerve, pis que vous m'avez dit que je pourrais pas aller au couvent ?

Étienne acquiesça. Bien sûr qu'il s'en souvenait.

— Ben là, je retourne à l'école. Je m'en vais à Montréal pour devenir garde-malade. Je pars la semaine prochaine, tout est arrangé. J'ai déjà écrit à Blanche, pis je vais pouvoir aller rester chez eux. Elle était ben contente, surtout depuis qu'elle a eu sa petite Pauline. Trois enfants, ça lui fait ben de l'ouvrage. Avec Oscar qui est chauffeur de taxi, elle se retrouve toute seule toute la journée pis elle trouve ça dur. Je vais pouvoir lui apporter de l'aide dans la maison pis avec les enfants. Elle me charge pas de pension, pis moi je lui donne un coup de main. C'est un bon *deal* pour toutes les deux.

Le père se leva et s'approcha de sa fille. Il prit ses mains dans les siennes et la regarda bien droit dans les yeux, comme seul un père peut le faire.

— C'est-tu ben ça que tu veux faire, ma fille ?

Eugénie soutint le regard de son père et ressentit l'amour qu'il avait toujours voué à ses enfants. C'était un père aimable et compréhensif. Elle se fia donc sur ces qualités et répondit calmement en serrant les gros doigts de son père dans les siens.

— Oui, P'pa, c'est ça que j'veux. J'en ai vraiment envie.

— Ben, dans ce cas-là, j'te souhaite d'être heureuse dans tes nouveaux projets. Tu vas nous manquer, ma fille. Ça sera plus pareil ici d'dans quand tu vas être partie.

Puis, il attira sa fille dans ses bras et lui fit une tendre accolade.

Eugénie, le nez dans le cou de son père, ne put retenir quelques larmes qui finirent leurs courtes vies dans son collet de chemise.

— Merci, P'pa, finit-elle par dire en reniflant.

* * *

La semaine précédant le départ d'Eugénie fut bien agitée. Pas seulement pour elle, mais pour tous les membres de la famille. Chacun voulut avoir son moment d'intimité avec la future diplômée. Louis, aussitôt revenu de l'école, lui tournait autour avec sa planche de dames et la suppliait de jouer avec lui, tandis que Parmélia lui demandait son avis sur tout ce qu'elle entreprenait dans la maison. On aurait dit que tout le monde voulait lui faire sentir qu'elle leur manquerait. Eugénie voyait bien ce petit manège, mais s'amusait de la situation. Même Henri, qui ne voyait plus que sa femme depuis le jour de son mariage, demandait à sa sœur de venir s'asseoir avec lui à table pendant qu'il prenait sa tasse de thé après le souper et la questionnait sur ses nouveaux projets. Étienne, quant à lui, n'était jamais bien loin. Il s'immisçait dans tous ces moments, tel un père protecteur, en tendant l'oreille, mais posait peu de questions. Il sentait sa fille excitée à l'idée de prendre en main son nouvel avenir. Le samedi avant le départ, Henri et Parmélia organisèrent une petite fête en l'honneur d'Eugénie. Les parents, amis et voisins furent conviés à une soirée où chacun put faire ses adieux à la future garde-malade.

Chapitre 17

Garde Eugénie

O n entendit la voix de Blanche provenant de la cuisine résonner dans le passage :

— Eugénie ! Dépêche-toi si tu veux qu'Oscar aille te reconduire.

— J'arrive ! Dis-lui que j'en ai encore pour deux minutes. Je viens de faire une maille dans mon bas de nylon, il faut que j'en enfile un autre.

— Il est déjà assis dans le char, pis j'ai Pauline dans les bras. Je peux pas sortir avec le bébé, il fait trop froid. Il va t'attendre.

Quelques minutes plus tard, Eugénie sortit de sa chambre et demanda à sa sœur :

— Comment tu me trouves ? Penses-tu que cette robe-là est correcte ?

— T'es parfaite. De toute façon, les bonnes sœurs devraient te donner ton uniforme aujourd'hui quand tu vas payer tes frais d'école. Ça fait qu'à partir de demain, tu vas partir d'ici habillée en garde-malade. Bon, astheure, grouille-toi parce qu'Oscar va s'impatienter.

Eugénie enfila son manteau ainsi que le vieux chapeau de feutre gris qu'elle avait conservé de sa grand-mère. Elle le portait déjà depuis quelques années et celui-ci annonçait une certaine fatigue. Blanche se tenait à côté d'elle, sa petite dernière dans les bras.

— Attends, lui dit-elle en disparaissant dans la chambre du fond.

Elle revint avec une boîte de carton ronde.

Chapitre 17

— Tiens !

— Qu'est-ce que c'est ?

— Ouvre, tu verras bien.

Eugénie ouvrit la boîte et en sortit un chapeau de feutrine bleu, de forme cloche, garni d'un ruban de satin noir.

— Il est superbe ! s'extasia Eugénie. Et à la toute dernière mode !

— Tu l'aimes ?

— Ah oui ! Je l'adore.

— Alors, il est pour toi, lui annonça sa grande sœur.

Eugénie l'enlaça en la remerciant chaudement.

— Allez, mets-le ! C'est moi qui l'ai fait, tu sais ! ajouta Blanche, avec un brin de fierté.

Sur l'entrefait, Oscar ouvrit la porte.

— Eugénie, qu'est-ce que tu fais ? Tu vas arriver en retard si ça continue, envoye, embarque.

Les deux sœurs se quittèrent en s'embrassant et en se souhaitant mutuellement une bonne journée.

L'école des garde-malades avait été fondée en 1898, lorsque l'hôpital Notre-Dame s'était associé à l'Université de Montréal afin de mettre sur pied une formation adéquate destinée aux jeunes filles laïques qui désiraient devenir garde-malades. La profession étant réservée depuis quelques siècles aux communautés religieuses, la vie offrait finalement une autre porte d'entrée sur une vocation de soignante. Et elles étaient nombreuses les postulantes qui désiraient travailler à soulager la souffrance et à combattre la maladie.

Les nouvelles étudiantes étaient sous la responsabilité de sœur Ste-Honorine. Cette dernière, malgré ses quatre pieds neuf pouces, était crainte de toutes. Elle avait la renommée d'être intransigeante et, soi-disant, ne laissait passer aucune faute. Dès leur arrivée à l'hôpital, les jeunes filles furent dirigées dans une salle de classe où sœur Ste-Honorine les attendait. Elle les salua brièvement, monta sur le podium où se trouvait le bureau du maître et s'adressa à elles sur un ton plutôt autoritaire :

— Bonjour mesdemoiselles. Assoyez-vous je vous prie. Mon discours sera bref, alors je vous demande d'être très attentive à ce que j'ai à vous dire. Vous avez été choisies pour remplir un dessein de notre créateur : aider votre prochain. Devenir garde-malade est une vocation et un don de Dieu qu'il ne faut pas prendre à la légère. Tout ce que vous apprendrez ici exigera de vous de grandes qualités : de la délicatesse, de la compassion, de l'humilité, mais aussi de la discipline, de l'assurance, de la persévérance et du dévouement. Les personnes que vous soignerez et que vous accompagnerez dans la maladie seront à votre merci. C'est-à-dire qu'elles se laisseront guider par vous en vous faisant entièrement confiance. Garder en mémoire que vous n'avez, sous aucun prétexte, le droit d'outrepasser vos droits et d'abuser de la confiance de ces gens. On ne joue pas avec la vie humaine, mesdemoiselles. La médecine est une science sérieuse que nous devons respecter. Vous n'êtes pas ici pour vous amuser, mais pour apprendre. Nous travaillons conjointement avec la faculté de médecine de l'Université de Montréal. Nous avons ainsi accès à tout le savoir de ses grands professeurs qui vous apprendront tout sur la profession. Je vous l'ai dit et vous le répète, c'est un métier exigeant. Je sais d'avance, par expérience, que certaines d'entre vous ne finiront pas leur formation et ne deviendront jamais garde-malades, alors je vous souhaite à toutes bon courage. Et, de grâce, n'oubliez jamais ce que je viens de vous dire.

Sœur Ste-Honorine reprit son souffle et sembla s'adoucir.

— J'aimerais maintenant vous présenter mon assistante.

Elle tourna son regard vers la porte et fit signe à une jeune novice de s'approcher.

— Je vous présente sœur Raymonde. À partir de maintenant, c'est à elle que vous vous référez. Elle vous assignera votre uniforme, vos horaires de cours ainsi que vos livres de classe. Vous pouvez maintenant disposer.

Les jeunes filles se levèrent et commencèrent à discuter entre elles tout en se dirigeant vers la sortie. Le silence initialement imposé fut rompu et remplacé par une cacophonie de voix féminines. Sœur Ste-Honorine descendit de son piédestal et se fraya rapidement un chemin à travers la vingtaine de filles présentes, pour se planter comme un gendarme devant la porte.

— Silence !

Toutes les filles se turent en même temps.

— Mais où vous croyez-vous ? Au poulailler ? Avez-vous oublié que vous vous trouvez dans un hôpital, et que le silence est requis pour le bien-être des malades ?

Les filles se regardèrent entre elles et baissèrent la tête honteusement en signe d'obéissance.

— Que je n'aie plus à vous le dire.

Elle attendit quelques secondes puis ouvrit la porte.

— Vous pouvez y aller maintenant.

Sœur Raymonde prit les commandes et rappela les règlements.

— Lorsque nous circulons dans les corridors en groupe, je vous demanderais de marcher deux par deux tout en longeant le mur de droite. Et en silence, bien sûr. De cette manière, nous n'obstruons pas le passage. Dites-vous que nous devons faire notre travail, tout en dérangeant le moins possible. Allons-y !

Le groupe se forma tel que recommandé par sœur Raymonde qui ouvrit la marche. Eugénie se retrouva avec une jolie blonde à ses côtés. Celle-ci lui chuchota :

— Elle n'est pas commode la sœur supérieure !

Eugénie, mal à l'aise, fit semblant de ne pas entendre.

— Aye, je te parle ! Tu pourrais me regarder.

Eugénie tourna la tête vers la jeune fille et déposa son index sur ses lèvres, lui demandant de garder le silence.

— Ok, énerve-toi pas. Je parle plus d'abord. Je m'appelle Aurélie, pis toi, c'est quoi ton nom ?

Cette fois-ci, exaspérée, Eugénie lui fit les gros yeux : « Chut ! »

Sœur Raymonde s'arrêta et se retourna pour voir qui avait parlé.

— Mesdemoiselles, pourriez-vous garder le silence s'il-vous-plaît. Si nous rencontrons sœur Ste-Honorine et qu'elle vous entend parler, je peux vous assurer que vous allez passer un mauvais quart d'heure. Nous serons bientôt dans nos quartiers. Là-bas vous pourrez parler tant que vous voulez.

Sœur Raymonde était tout le contraire de la sœur directrice. Elle était patiente, douce et compréhensive. Ce qui la distinguait des autres, c'était son grand sens de l'organisation et sa grande efficacité. C'était d'ailleurs pour ces qualités que sœur Ste-Honorine l'avait choisie pour l'assister dans ses nombreuses tâches. Elle lui avait confié tout ce qui concernait la relation directe avec les étudiantes, sachant qu'elle s'acquitterait très bien de cette responsabilité. Et comme elle était jeune, quelques années de plus seulement que les étudiantes, elle était en mesure de mieux comprendre les problèmes des nouvelles recrues lorsqu'ils surgissaient. Car, malgré la bonne volonté de l'équipe de professionnels qui entouraient les futures garde-malades, tout ne se passait pas sans encombre, les filles venant de régions et de milieux très différents.

À la fin du mois de décembre, Eugénie terminait son premier trimestre à l'hôpital Notre-Dame. Les futures garde-malades avaient congé pendant la période des fêtes afin d'aller refaire le plein d'énergie dans leur famille. Eugénie avait très hâte de revoir son père, ses frères ainsi que sa meilleure amie Parmélia qui était en même temps sa belle-sœur. Lorsqu'elle débarqua du train ce samedi après-midi à Labelle, le temps était splendide avec un beau ciel bleu, mais le mercure frôlait le 0° F. Henri l'attendait à l'intérieur de la gare et sortit aussitôt qu'il vit sa sœur descendre du wagon.

— Eugénie ! s'écria-t-il pour attirer son attention tout en lui faisant signe de la main.

— Henri ! Comme c'est bon de te revoir.

Elle lui sauta au cou en l'embrassant sur la joue.

— Woh ! la p'tite sœur, tu vas me faire tomber sur le dos !

— Excuse-moi, mais je suis tellement contente d'être arrivée, lui expliqua-t-elle tout sourire. Bon, ben, on y vas-tu ? J'ai ben hâte d'arriver à la maison.

— Dans ce cas-là, on y va. Mon attelage est juste icitte, embarque, dit-il en l'aidant à monter. Tiens, mets-toi ça sur les jambes ça va te tenir au chaud rajouta Henri en lui tendant une peau d'ours.

— Wow ! C'est ben beau ça, où c'est que t'as pêché ça ?

— Je l'ai pas pêché comme tu dis, je l'ai chassé. C'est la peau d'un ours que j'ai tué à l'automne. Il rôdait autour de la maison depuis un bon bout de temps. Un bon matin, je me suis tanné. Parmélia voulait plus sortir de la maison, pis P'pa aimait pas ben ça non plus à cause de Louis qui est toujours à se promener dans le bois pis un peu partout. Je me suis caché dans le champ proche du bois où il y a des framboises pis quand je l'ai vu arrivé, je l'ai tiré. Je l'ai eu du premier coup ! raconta-t-il tout fier de son exploit.

— Ouais, il s'en passe des choses quand j'suis pas là.

Le frère et la sœur arrivèrent enfin, à moitié gelés, après quatre heures de voiture sur la route enneigée. Heureusement, le rouleau avait été passé sur le chemin la veille et il n'avait pas neigé depuis. Les retrouvailles furent chaleureuses. Étienne serra très fort sa fille dans ses bras et Louis, tout énervé de revoir sa sœur, la prit dans ses bras et la souleva de terre pour tournoyer avec elle.

— Arrête Louis, t'es fou, tu vas m'échapper !

— Ben non, la rassura-t-il en la déposant par terre, t'as pas remarqué comment je suis devenu fort ? Touche à mes muscles, lui ordonna-t-il en faisant gonfler ses biceps.

Pour jouer le jeu, Eugénie tâta les bras de son petit frère de quatorze ans et ajouta pour l'encourager, même si elle le trouvait encore bien chétif :

— Wow ! C'est vrai, tu deviens un homme, mon Louis.

Sur ces paroles encourageantes, Louis se bomba le torse et prit bien un pouce ou deux de fierté.

* * *

Les préparatifs du temps des fêtes étaient déjà entamés et allaient bon train. Parmélia, en bonne maîtresse de maison, avait cuisiné à l'avance ses tourtières et son ragoût de pattes de cochon ainsi que des tartes et des biscuits. Tout était prêt et le festin attendait patiemment dans la glacière d'être dévoré. Il ne restait que le sapin à aller couper et à décorer.

Le lendemain matin, c'était le 24 décembre, veille de Noël. Henri et Louis se levèrent tôt et allèrent chercher un sapin dans la forêt. Lorsque les autres s'éveillèrent, ils trouvèrent un beau grand sapin en train de dégeler à côté du poêle. L'odeur si particulière et rassurante de cet arbre traditionnel se répandait partout dans la maison. Un peu avant midi, l'arbre était prêt pour que tous le décorent. Étienne se rendit dans le grenier pour ressortir les caisses de bois dans lesquelles étaient entassés les ornements. Lorsqu'ils virent leur père arriver, Henri, Eugénie et Louis se précipitèrent pour lui retirer son butin des mains. On aurait dit qu'ils retombaient en enfance. Étienne regardait ses enfants et sa bru d'un sourire attendri.

— Vous rappelez-vous de notre premier Noël icitte ? Ça fait déjà neuf ans ! Il s'en est passé des affaires depuis notre arrivée à La Minerve, lança-t-il nostalgique.

— En tout cas, je me rappelle de l'histoire du p'tit Jésus que je pensais avoir perdu, lança Louis en riant. Pis je me rappelle de Mémère aussi. C'est dommage qu'elle soit plus avec nous.

Tous acquiescèrent arborant un petit air triste.

C'est Parmélia qui sortit sa nouvelle famille de ce moment mélancolique :

— Ça vous dirait une bonne tasse de thé ? demanda-t-elle en marchant vers la cuisine.

— Je vais aller t'aider, répondit aussitôt Eugénie, en emboîtant le pas à sa belle-sœur.

Arrivées dans la cuisine, Parmélia s'approcha d'Eugénie et lui glissa à l'oreille :

— Eugénie, il faut que je te parle.

Eugénie, qui s'apprêtait à verser l'eau bouillante dans la théière, se retourna vers son amie, intriguée :

— Qu'est-ce qu'il y a ? Dis-moi pas que ça va pas avec Henri, toujours ?

— Ben non, ce serait plutôt le contraire. Je pense que je suis en famille.

Aussitôt, le sourire apparut sur le visage d'Eugénie.

— Es-tu ben certaine de ça ?

— J'ai pas eu mes règles ce mois-ci, pis d'habitude mon cycle est ben régulier.

— C'était quand la dernière fois ? s'enquit Eugénie prenant son rôle de garde-malade au sérieux.

— À la fin du mois d'octobre.

— As-tu mal au cœur le matin ?

— Ça m'est arrivé une couple de fois, mais là ça me le fait plus.

— Tu sais que ça serait normal, vous êtes mariés depuis six mois.

— Oui, je sais. En plus, je peux te dire que ton frère y m'aime ben gros, lui avoua-t-elle en rougissant et en baissant la tête, le sourire au coin des lèvres. Depuis qu'on est marié, y'a pas ben ben des soirs où on n'a pas...

Les filles se regardèrent et se mirent à rire, de ce petit rire nerveux dont seules les filles sont capables lorsqu'elles se font des confidences. Eugénie prit Parmélia dans ses bras :

— C'est merveilleux, je suis si heureuse pour toi. Est-ce qu'Henri le sait ?

— Non, j'attendais que t'arrives, je voulais l'annoncer à tout le monde en même temps. Je pense qu'à soir après la messe de minuit ça serait un bon moment.

— T'as raison, ça va être le moment parfait.

Les filles étaient toutes excitées. Parmélia se sentait mieux après s'être confiée à sa belle-sœur, alors que la future tante rêvait déjà de prendre ce nouveau poupon dans ses bras. Elle aussi caressait le rêve d'enfanter un jour. Un cri provenant du salon les sortit de leurs rêveries :

— Coudon, le thé, êtes-vous en train de le faire sécher ?

C'était Étienne qui se moquait d'elles. On entendit rire Henri et Louis qui semblait complices de la boutade.

— On s'en vient ! répondit Eugénie, puis se tournant vers son amie rajouta à voix basse: « C'est pas les gars qui ont inventé la patience ! »

L'après-midi se passa dans l'harmonie parfaite. Tout le monde était heureux de se retrouver ensemble. Il ne manquait que Blanche qui passait Noël à Montréal dans la famille de son mari Oscar. Avec ses trois enfants, Roger, Marcel et la petite Pauline qui n'avait que vingt mois, faire le voyage à La Minerve demandait toute une organisation. Elle préférait donc limiter ses visites.

Après un souper léger, on sortit le jeu de cartes et on se mit à jouer au 500. Étienne et son fils aîné contre Eugénie et Parmélia. Louis prit un air boudeur et rouspéta :

— Pourquoi je peux jamais jouer ?

— Louis, expliqua Étienne, ce jeu-là, ça se joue à quatre. À part de ça, si tu veux apprendre il faut que tu regardes comment ça se joue.

Parmélia prit son beau-frère en pitié et lui offrit :

— Viens t'asseoir à côté de moi, on va jouer ensemble.

Tout heureux, il approcha sa chaise et lui chuchota à l'oreille un merci tout simple mais combien reconnaissant.

Vers onze heures, tous se préparèrent à se rendre à l'église pour assister à la messe de minuit. Deux heures plus tard, ils étaient de retour à la maison. Comme à l'accoutumé, les femmes se hâtèrent de préparer le réveillon pendant qu'Henri servait à boire.

— Un p'tit blanc, le père ?

— Pourquoi pas ! Une fois n'est pas coutume. Tu serviras à boire aux femmes, j'ai acheté une bouteille de St-Georges.

Henri ouvrit la bouteille de vin et en servit deux verres qu'il apporta à sa femme et à sa sœur qui s'affairait au poêle. Eugénie prit le verre de vin en le remerciant, mais Parmélia s'abstint.

— Non merci, Henri, j'ai pas trop le goût de boire du vin, sers-moi un verre de lait à la place.

— Voyons donc, ma femme, c'est Noël. Tu peux prendre un p'tit coup si tu veux.

— Non merci, sans façon, j'aime mieux pas prendre de chance.

Henri se tenait à côté d'elle, la bouteille à la main.

— Qu'est-ce que tu veux dire par « pas prendre de chance » ?

— Rien, je disais ça comme ça. Bon, lança-t-elle pour changer de sujet, que ceux qui ont faim s'approchent, le réveillon est prêt.

Louis était dans le salon assis par terre devant l'arbre de Noël et contemplait les cadeaux placés sous le sapin. Lorsqu'il entendit Parmélia dire que le réveillon était prêt, il s'écria :

— Ah non, je pensais qu'on allait ouvrir nos cadeaux avant de manger. Il se leva et se rendit dans la cuisine. Pourquoi on fait jamais comme je le dis ? Pourquoi c'est toujours les grandes personnes qui décident ? Il se tourna vers son père : « P'pa, on pourrait pas ouvrir les cadeaux tout de suite ? »

— Plus tard, Louis. Parmélia nous a préparé un bon repas qu'on va prendre tous ensemble. Assoyez-vous tout le monde.

Puis, se tournant vers sa belle-fille, il rajouta :

— On va faire honneur à ta bonne nourriture, ma belle enfant.

Eugénie n'y tenant plus et voulant que Parmélia partage son secret au plus tôt, s'adressa à sa famille :

— Je suis ben contente d'être ici avec vous autres à soir. Mais ça m'empêche pas de ben aimer ça, ce que je fais. Les cours de garde-malade, c'est parfait pour moi. J'apprends plein de choses pis j'aime ben ça soigner les malades. Je me sens utile, je sens qu'ils ont besoin de moi et que je peux les aider.

Elle adressa ensuite la parole à sa belle-sœur :

— Merci, Parmélia, pour le beau réveillon. C'est à ton tour de parler, ajouta-t-elle en voulant la pousser à confier son secret. Je pense que tu voulais nous dire quelque chose...

Sur ces paroles, Parmélia se figea. Son visage devint rouge et elle ne parvint pas à dire un mot. Elle venait de servir la dernière assiette et prit place à côté de son mari en regardant Eugénie et ayant l'air de dire : « J'suis pas capable. Aide-moi ! »

Cette dernière l'encouragea du regard en élevant les sourcils. Étienne, Henri et Louis ne comprenaient rien à ce qui se passait entre ces deux-là. Parmélia prit la main d'Henri dans la sienne et avec son plus beau sourire le regarda droit dans les yeux et lui avoua :

— J'suis en famille, Henri. On va avoir un bébé !

Pris par surprise, le futur père ne réagit pas tout de suite. Quant à Étienne, il se leva aussitôt et lui donna une tape dans le dos.

— Félicitations, mon fils.

Puis, il s'approcha de sa bru et se pencha pour l'embrasser.

— Je suis ben heureux pour vous autres, Parmélia.

Henri était bouche bée. Louis, qui s'était levé également pour embrasser sa belle-sœur, sauta sur le dos de son grand frère pour le brasser et le sortir de sa léthargie. Eugénie insista :

— Henri, dis quelque chose !

Henri sortit enfin de sa torpeur et avoua tout simplement :

— Je peux pas y croire.

Il se leva, prit les mains de sa bien-aimée et l'aida à se lever également. Il la regarda dans les yeux et lui avoua avec sa voix la plus tendre :

— Je suis l'homme le plus heureux au monde.

Puis, il serra sa femme très fort dans ses bras sous les applaudissements encouragés par Louis.

Étienne était heureux. Il souriait, en regardant sa petite famille qui allait s'agrandir dans quelques mois. Après toutes ces années de malheur, toutes ces personnes disparues, enfin le vent tournait et la vie reprenait sa place dans la maison.

Chapitre 18
Henriette

L e début de l'année 1920 apporta une mauvaise nouvelle. Le 15 janvier plus précisément, Étienne reçut un télégramme lui annonçant que son frère Napoléon venait de s'éteindre à l'âge de 57 ans. Personne ne put dire de quoi il était mort. Seul Omer prit le train et se rendit aux obsèques de son frère. Henri ne pouvait pas se permettre de perdre des journées d'ouvrage et Étienne préféra demeurer avec sa belle-fille, car il était impensable de laisser Parmélia seule à la maison dans son état.

Pendant les longs mois d'hiver, afin de ramener de l'argent à la maison et parce que c'était encore ce qu'il faisait de mieux, Henri reprit son travail au chantier. Par contre, son unique cheval ne suffisant plus à la tâche, il prit la décision de s'en acheter un deuxième. Le malheur c'était qu'il devait changer également tout son gréement. Les temps étaient durs, mais il devait quand même songer à investir et acheter un nouvel attelage pour son *team* de chevaux. Sur les conseils de son père, Henri se rendit à la banque et fit une demande de prêt. La banque refusa de lui accorder un prêt prétextant que les revenus de ce dernier étaient trop maigres. Henri fut donc résigné à négocier une entente avec le marchand. Il fut convenu qu'Henri paierait dix piastres par mois jusqu'à ce que le tout soit payé. C'était beaucoup d'argent à ramasser en si peu de temps, mais il espérait faire de plus gros revenus, car, avec ses deux chevaux, il sortirait le bois plus rapidement. Il allait mettre les bouchées doubles et payer son créancier. Il n'était pas dit qu'un Bruneau n'honorait pas ses dettes.

Comme prévu, à la fin du mois de juin, son attelage lui appartenait. Tout s'était déroulé pour le mieux. L'hiver n'avait pas été trop rigoureux. Les bordées de neige s'étant faites rares, le travail dans le bois fut plus facile et les bucherons réussirent à sortir plus de billots que l'année précédente. Les revenus avaient donc été meilleurs.

Lorsque la saison du chantier fut terminée, il fut temps de labourer la terre et de semer le grain. Encore une fois, Henri sema du blé, du foin et du mil. Le bâtiment en *logs* qui leur servait de grange était devenu beaucoup trop petit pour leur besoin. Avec les années, ils avaient réussi à s'acheter des vaches, des poules et des moutons. Toutes ces bêtes demandaient à être nourries, bien sûr, et les champs cultivables avaient été agrandis en conséquence. Malheureusement, il n'y avait plus assez de place pour stocker toutes ces balles de foin. Henri réussit à convaincre son père qu'ils devaient construire une vraie bonne grange. Ils se rendirent sur la portion de terre qu'Henri avait achetée quelques années auparavant et choisirent les arbres qui serviraient à construire la charpente. Ils transportèrent ensuite ces billots au moulin à scie pour les faire scier selon leur besoin. Avec l'aide de quelques voisins, la grange prit forme rapidement. C'était un bâtiment de plus sur leur terre.

En juillet, le curé vint bénir la croix de chemin qu'on venait d'ériger au lac Désert. On choisit St-Paul comme protecteur.

Le 9 août 1920, la température atteignit le record de 92° F. Le docteur avait prévu la venue du bébé autour du 20 août. Parmélia était donc presque à terme quand la canicule du mois d'août se fit sentir. Elle n'en menait pas large, demeurant assise sur la galerie une bonne partie de la journée. Eugénie avait terminé sa première année de cours et était revenue chez son frère depuis la fin juin. Elle avait pris la relève dans la maison afin de donner un peu de répit à son amie. Malgré le fait qu'elles ne s'étaient pas vues beaucoup pendant l'année, elles n'avaient rien perdu de leur connivence.

Un après-midi, quand tout l'ouvrage fut terminé, Parmélia se rendit dans sa chambre et se mit à fouiller dans son coffre en cèdre. C'est dans ce coffre d'espérance qu'elle avait accumulé son trousseau de mariage. Elle en sortit un petit cahier, puis revint s'asseoir sur la galerie où Eugénie s'était installée avec sa tasse de thé.

— En veux-tu une tasse ? demanda-t-elle en s'adressant à Parmélia.

— Ah non ! Merci. Il fait ben trop chaud pour boire du thé. Je vais fondre par en dedans si je bois ça ! Tiens, regarde ce que j'ai trouvé. Elle remit le cahier à Eugénie.

— Qu'est-ce que c'est ?

Parmélia lui présenta un cahier à feuilles lignées sur lequel on pouvait lire :

Cahier de Chansons

Parmélia Fafard

Août 1915

— C'est mon cahier de chansons. Tu te rappelles pas ? Quand tu venais chez nous pis qu'on s'enfermait dans ma chambre ? Je sortais mon cahier, on écrivait les paroles des chansons qu'on aimait, et on chantait comme des bonnes.

Et dans un éclat de rire, elle rajouta :

— Pis ma belle-mère s'énervait et elle nous criait après.

— Mon dieu ! T'as gardé ça ? demanda-t-elle surprise tout en feuilletant le fameux cahier.

— Allez, choisis-en une, on va chanter, ça va nous changer les idées.

— Tiens, pourquoi pas celle-ci : *On revient*

Le visage rempli d'émotions et des mimiques théâtrales pour faire rigoler son amie, Eugénie entonna le couplet :

Je reviens frapper à ta porte

Le geste las, le front courbé

C'est mon regret que je t'apporte

Avec mon amour retrouvé.

Je fus méchant, je fus infâme

Mais, dis-moi malgré ma douleur

Oh! Toi la plus douce des femmes

Réponds, m'as-tu gardé ton cœur ?

Parmélia rit de bon cœur et se joignit à sa belle-sœur pour le refrain :

Pardonne-moi cette folie

Je viens à toi ma belle amie

Oublions tout, voici le jour

Le jour enchanteur du retour

On revient au premier amour

Toute la vie.

Puis elles pouffèrent de rire comme deux gamines.

* * *

Dans la nuit du 21 au 22 août, Parmélia fut réveillée brutalement. Elle venait d'avoir sa première contraction. Elle ne voulut pas alerter Henri tout de suite et attendit bien sagement étendue sur le dos sans bouger. Elle commençait à s'assoupir lorsqu'une demi-heure plus tard, une deuxième contraction se fit ressentir. Elle se leva doucement et se rendit au cabinet de toilette. Elle s'installa ensuite sur la chaise berçante dans la cuisine avec son châle sur les épaules. Les contractions se firent de plus en plus rapprochées et à quatre heures du matin, Parmélia se décida à aller réveiller son mari.

— Henri ! Réveille-toi, j'pense que le bébé s'en vient.

Henri dormait profondément et, peut-être rêvait-il, car il n'entendit pas tout de suite ce que lui disait sa femme. Elle lui prit le bras et se mit à le brasser afin qu'il se réveille.

— Réveille-toi, Henri, j'suis dans les douleurs. Il faut que tu ailles chercher Mme Vézina au village.

Henri ouvrit les yeux lourdement et, lorsqu'il vit sa belle penchée au-dessus de lui, il comprit ce qui arrivait.

— As-tu dit que le bébé s'en venait ? Là, tout de suite ?

— Ben, j'pense que ça sera pas ben long, parce que j'ai des contractions aux 15 minutes. Je serais plus rassurée si t'allais chercher Mme Vézina.

Henri s'habilla en vitesse. Nerveux, il chercha ses bas. Il se rappelait pourtant les avoir déposé sur ses bottes au pied de son lit.

— Bon tant pis, marmonna-t-il, j'en mettrai pas.

Il enfila ses bottes sur ses pieds nus. Il ne prit pas le temps d'attacher ses lacets non plus et chuta en voulant sortir de la chambre. Sa femme, qui passait devant pour voir ce qu'il faisait, fut surprise en le voyant à genoux.

— Mais qu'est-ce que tu fais Henri, c'est pas le temps ni la place pour prier. Tu feras ça en revenant !

— J'priais pas, Parmélia, je viens de m'enfarger dans mes maudits lacets. T'aurais pas vu mes bas par hasard ? J'les trouve pas.

— Laisse faire tes bas, Henri, vas réveiller ta sœur avant de partir. Moi je retourne dans le lit parce que les contractions dans la chaise berçante c'est pas confortable pantoute.

Eugénie s'occupa d'allumer le poêle et de mettre de l'eau à bouillir. Elle sortit une bassine et des guenilles propres en coton blanc. Puis, elle demanda à sa belle-sœur :

— J'ai préparé ce qu'il faut. Il me manque juste le linge du bébé. As-tu ce qu'il faut ?

— Oui, c'est dans le coffre de cèdre qui est juste là, dit-elle en montrant du doigt.

Eugénie ouvrit le couvercle et en sortit une toute petite camisole, une couche ainsi qu'une jolie jaquette. Tout était fabriqué de coton blanc très doux. Sur la jaquette, il y avait de la broderie rose.

— Tiens, t'as brodé les jaquettes en rose. Tu penses avoir une fille ?

— Non, j'en ai aussi des bleues. C'est parce que t'es tombée sur les roses en premier. Sors-en une bleue aussi.

— As-tu une couverture pour le bébé ?

— Oui, regarde... Ahhhh !

Eugénie s'approcha de la future maman.

— Es-tu correcte ?

— Ouiiiii, réussit-elle à dire en grimaçant, c'est la contraction, ça fait mal !

— Respire. Allez je vais le faire avec toi. Pousse pas tout de suite, c'est trop tôt. Courage, Mme Vézina s'en vient. Elle va bien s'occuper de toi.

Elle se leva pour aller voir par la fenêtre qui donnait sur le chemin. Le soleil pointait à l'horizon.

— Ils arrivent !

Mme Vézina, une des sages-femmes du village, arriva au chevet de la future mère aux petites heures du matin. Elle les rassura.

— Toute va bien aller. Vous allez l'entendre pleurer dans pas grand temps...

Le jeune couple était fébrile et nerveux. Lorsque les autres membres de la famille commencèrent leur journée, ce matin-là, ils furent tous mis au courant et, en silence, ils prirent le déjeuner. Chacun retenait son souffle pendant que, dans la chambre, les femmes s'occupaient de la future maman. Henri faisait les cent pas dans la cuisine. Après de longues heures passées dans les douleurs, Parmélia donna finalement naissance à une petite fille. Étienne entendit les premiers pleurs du bébé en essuyant quelques larmes de joie.

Henri était tellement fier d'être père qu'il sautait de joie, puis se rendit au chevet de sa belle Parmelia avec le cœur sur la main. Lorsqu'il vit la petite frimousse dans les bras de sa mère, il lui proposa de l'appeler Henriette, en son honneur. Et quand il la prit dans ses bras, le nouveau papa tremblait tellement qu'il avait peur de lui faire mal. Étienne demanda la permission d'entrer à son tour, puis Louis aussi se pointa pour voir à qui ressemblait sa petite nièce.

— Elle ressemble à Rose-Délima, vous trouvez pas ? observa Louis.

Eugénie la prit à son tour pour lui mettre la petite camisole brodée de rose. Parmélia en profita pour lui demander si elle voulait être sa porteuse lors du baptême, compte tenu que le parrain serait le grand-père paternel François Fafard et sa femme Mary Wood la marraine.

— Ce serait un honneur et un plaisir… Ben sûr que j'accepte ! Et si elle veut pleurer pendant que le curé lui verse de l'eau frette sur la tête, je pourrais la consoler en lui murmurant une chanson écrite par sa mère. Quand elle sera plus grande, j'aimerais lui en apprendre quelques-unes, ajouta-t-elle en faisant un clin d'œil à sa meilleure amie… pour la vie !

Toute la maisonnée tomba sous le charme de cette enfant, ce petit être qui annonçait un nouveau départ pour la famille Bruneau. Étienne devenait grand-père une fois de plus et gardait l'espoir d'une vie meilleure avec l'arrivée de cette fillette. Une autre génération entrait en scène.

À suivre...

Bibliographie

Comité du Centenaire 2003; LA MINERVE, 1903-2003, édition municipale (4ᵉ trimestre 2002) ISBN 2-9807768-0-7

D'hier à aujourd'hui; Centre d'accueil de Labelle; Dix années d'existence 1970-1980, Témoignages de MM Henri et Fernand Bruneau.

Répertoire BMS Sainte-Marie de La Minerve 1903-2006

Guide d'interprétation du parc linéaire Le P'tit train du Nord, section Antoine-Labelle; Dépôt légal – 2ᵉ trimestre 1996 Bibliothèque Nationale du Québec ISBN 2-9802 446-1-9

Webographie

Ancestry.ca

Familysearch.org

Mesaïeux.com

musee-mccord.qc.ca

Lovell Directory

Nosorigines.qc.ca

Rdaq.banq.ca

Terrevivante.org

cpr.ca

Un aperçu

Tome II – La pension Bruneau

Nous retrouvons la famille Bruneau dix ans plus tard, en 1930 à La Minerve. Henri et Parmélia ont fondé leur famille; déjà quatre enfants et un cinquième en route !

La région se développe et les touristes affluent durant la saison estivale. Ils recherchent des endroits où se loger pour venir y passer leurs vacances. Henri y entrevoit la possibilité d'augmenter ses maigres revenus. Afin d'accueillir ces visiteurs de Montréal et des États-Unis, avec l'aide de son père Étienne, il décide de construire un camp au bord du lac Désert. C'est le début d'un temps nouveau pour la famille. Tous mettront l'épaule à la roue afin que s'enracine La Pension Henri Bruneau.

Suivez le parcours difficile, mais énergisant des descendants d'Étienne Bruneau, à La Minerve depuis bientôt six générations.

En ouvrant notre Album de famille...
Note de l'auteure

D ans ce premier roman, j'ai voulu vous raconter l'histoire de mon arrière-grand-père telle que je l'ai entendue par mon père, mes oncles et mes tantes. N'ayant, la plupart du temps, que les grandes lignes des événements, j'ai fait plusieurs recherches historiques et généalogiques afin de rendre ce récit le plus près possible de la réalité de cette époque. Malgré ma bonne volonté, certains faits sont vraisemblables, mais fictifs, car j'ai dû créer et relier les événements entre eux pour en rendre la lecture plus intéressante. Inspirée par les descriptions et faits recueillis, je crois que la personnalité d'Étienne s'y retrouve fidèlement décrite.

À la fin de ce premier livre, vous trouverez un cahier photos. Vous pourrez ainsi partager les archives familiales et découvrir les lieux et personnages dont il est question dans ce récit.

Achevé d'imprimer au Québec
en janvier 2014

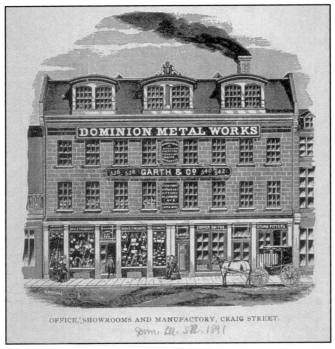

Garth & Co. Bureau, salle de montre et manufacture, 1891.
Collection Garth Industrial.

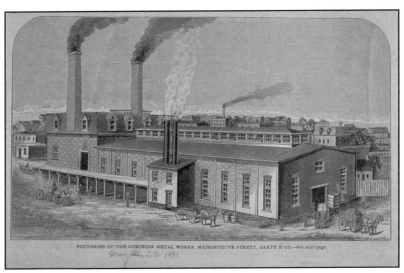

La fonderie Garth où a travaillé Étienne, coin La Gauchetière
et de Maisonneuve, 1891. Collection Garth Industrial.

Étienne Bruneau autour de 1890.
Collection privée de l'auteure.

Blanche Bruneau à Montréal, autour de 1912.
Collection privée Diane Léonard.

Eugénie Bruneau devant le Lac Désert.
Collection privée de l'auteure.

Henri Bruneau 10 ans, première communion, mai 1908.
Collection privée de l'auteure.

La maison à La Minerve en 1912,
Louis Bruneau sur la galerie.

Collection privée Diane Léonard.

Henri et Étienne autour de 1920.
Collection privée Diane Léonard.

Club Chapleau (vers 1915).

Le chemin des Fondateurs, Lac Désert, La Minerve.
Collection privée Diane Léonard.

Parmélia, Henri et Henriette devant le
magasin d'Eddy Laflamme, autour de 1923.

Collection privée Diane Léonard.